D1501750

Routines et transitions en services éducatifs

Deuxième édition revue et augmentée

NICOLE MALENFANT

Routines et transitions en services éducatifs

en CPE, garderie, SGMS, prématernelle et maternelle

Deuxième édition revue et augmentée

LES PRESSES DE L'UNIVERSITÉ LAVAL

2006

Les Presses de l'Université Laval reçoivent chaque année du Conseil des Arts du Canada et de la Société d'aide au développement des entreprises culturelles du Québec une aide financière pour l'ensemble de leur programme de publication.

Nous reconnaissons l'aide financière du gouvernement du Canada par l'entremise de son Programme d'aide au développement de l'industrie de l'édition (PADIÉ) pour nos activités d'édition.

Révision linguistique : Solange Deschênes
Mise en pages : Diane Trottier
Maquette de couverture : Mariette Montambault
Illustrations : Dominique Léger
Photos : Nicole Malenfant

ISBN 2-7637-8347-3

Distribution de livres Univers
845, rue Marie-Victorin
Saint-Nicolas (Québec)
Canada G7A 3S8
Tél. (418) 831-7474 ou 1 800 859-7474
Téléc. (418) 831-4021
www.ulaval.ca/pul

Aux personnes qui sont à la source
de ce projet et qui sauront sans doute
se reconnaître : les éducatrices,
que j'ai vu honorer l'enfance
de manière si professionnelle.

À la douce mémoire de mon filleul Alexandre,
qui a passé une partie de sa trop brève existence
dans les divers types de services éducatifs.

Table des matières

Chapitre 3

Liste des comptines,
des chansons et des musiques

N.B. Les comptines, les chansons et les musiques du CD sont indiquées en caractères gras.

Titre	Type	Activité de routine ou de transition	Page
On va se laver les mains	Chanson	Lavage des mains	84
Savez-vous laver vos mains?	Chanson	Lavage de mains	84
Le blues du lavage des mains	**Chanson**	**Lavage des mains**	85
Savez-vous brosser vos dents?	Chanson	Brossage des dents	95
Brosse bien tes dents	**Chanson**	**Brossage des dents**	95
Le lapin Dunécoquin	Chanson	Mouchage	108
Va moucher ton petit nez	Chanson	Mouchage	109
Les microbes à mes trousses	**Comptine**	**Mouchage**	109
Bon appétit	Chanson	Collation ou repas	172
Chanson du p'tit creux	Chanson	Collation ou repas	172
Attention, c'est la collation	Comptine	Collation	172
Qu'est-ce qu'on mange?	Chanson	Collation ou repas	173
Bona bona	Comptine	Collation ou repas	173
Dînez!	Comptine	Repas	173
Bonhomme, bonhomme	Chanson	Collation	174
Parce qu'on a faim	Chanson	Collation ou repas	174

Remerciements

Je rêvais depuis longtemps d'écrire un livre traitant de l'éducation à l'enfance et de composer des chansons pour l'accompagner. La réalisation de ce rêve, je la dois à la détermination que mes parents m'ont léguée et dont je leur suis très reconnaissante. Ma gratitude va ensuite aux étudiantes que j'ai eu le privilège de côtoyer en tant qu'enseignante et superviseure de stages en Techniques d'éducation à l'enfance tant au secteur des adultes qu'à celui de l'enseignement régulier du collège Édouard-Montpetit. Plusieurs de ces étudiantes m'ont insufflé de nombreuses idées et inspiré de riches réflexions pour soutenir la rédaction du présent ouvrage tant dans sa première édition que dans la seconde. Je remercie également les lecteurs de la première édition qui ont manifesté un vif intérêt pour l'ouvrage et qui m'ont ainsi encouragée à poursuivre mes recherches.

Comment ne pas remercier les représentants de l'avenir de l'humanité que sont les enfants ? Je ne saurais me passer de leur spontanéité, de leur naturel et de leur authenticité et, sans eux, je n'aurais pu écrire cet ouvrage.

Diverses personnes avaient apporté leur contribution à la première édition de cet ouvrage et méritent encore d'être remerciées : Diane Berger, Christiane Dion, Lisette Gariépy, Chantal Poulin, Danielle Sheridan et Marie Labbé. J'exprime également ma gratitude à Dominique Léger pour les belles illustrations qu'elle a réalisées. Ma reconnaissance va aussi à ma très chère sœur Lucille, qui a lu le manuscrit initial tout en m'accordant son soutien fraternel.

Je suis redevable à M. Raynald Trottier, chargé de projet aux Presses de l'Université Laval, qui m'a prodigué de l'aide, de l'encouragement et de précieux conseils durant toutes les étapes de réalisation de la première édition de l'ouvrage. Sa grande disponibilité et son amabilité ont grandement facilité mon travail.

J'ai été honorée par la généreuse collaboration de monsieur Germain Duclos qui a accepté de rédiger la préface de mon livre.

J'adresse mes sincères remerciements aux personnes suivantes qui m'ont chaleureusement accueillie dans leur milieu de travail et aux services éducatifs qui m'ont permis de prendre des photos : Lise Fréchette et son équipe du SGMS Les Faucons, le CPE Pierre-Boucher, le CPE Pour vos tout-p'tits de Longueuil, le CPE L'apprenti-Sage, le CPE Mon Petit Édouard, le CPE La Ruche, le CPE Pomme-Soleil, la garderie Porculus et Louise Bourque, responsable en milieu familial au CPE Mamie-Pom.

J'ai apprécié les talents musicaux de Michel Bonin et de Monique Rousseau qui m'ont aidée dans la réalisation du CD. Je les remercie très sincèrement.

Enfin, merci à ma fille et à mon conjoint qui m'ont accompagnée une fois de plus tout au long de cette deuxième édition en m'offrant leur fidèle présence.

Préface

Parfois durant notre vie, nous vivons l'agréable surprise d'apprendre à connaître quelqu'un qui vit des valeurs, une philosophie de vie et des croyances semblables aux nôtres. Il me semble avoir découvert une auteure, madame Nicole Malenfant, à travers ce très beau livre qu'elle a écrit. En le lisant, j'ai eu le plaisir de reconnaître plusieurs valeurs que je défends depuis plusieurs années et j'adhère à la philosophie éducative que ce livre transmet.

Les services de garde pour la petite enfance et encore plus ceux en milieu scolaire sont des institutions récentes dans notre société. Depuis quelques années, à la suite de mesures gouvernementales, on assiste à un développement accéléré des milieux de garde à tel point que les personnes qui en sont responsables sont souvent essoufflées. En effet, on doit procéder à un recrutement rapide d'éducatrices et d'éducateurs, aménager de nouveaux locaux tout en organisant un régime de vie et des activités profitables pour les enfants.

Ce livre tombe à point car tout changement provoque de l'insécurité et il apporte des solutions concrètes et sécurisantes dans la gestion des activités quotidiennes en services de garde. Dans les services éducatifs, on valorise beaucoup trop les activités structurées qui visent des objectifs d'apprentissage formels. Or, toute éducatrice d'expérience sait bien que les activités de routine et de transition permettent souvent plus de spontanéité dans les relations entre les enfants et avec les éducatrices. La socialisation et le sentiment d'appartenance à un groupe sont encouragés durant ces périodes moins structurées. Nous savons

que les transitions comme tout changement provoquent parfois de
l'insécurité chez les enfants. Aussi, compte tenu du fait que ces périodes
sont souvent moins structurées que les activités formelles, les enfants
sont parfois plus agités et indisciplinés. Ce livre propose plusieurs conseils pratiques et pertinents pour sécuriser les enfants et leur faire vivre
un sentiment de bien-être. Les routines sont souvent vécues comme des
activités rébarbatives chez les enfants. Madame Malenfant propose de
façon ingénieuse toute une variété de jeux qui rendent les routines et
les transitions plus attrayantes tout en favorisant la socialisation. Le jeu
est essentiel au développement de l'enfant. Il constitue la route royale
des apprentissages. Il faut se dire que le jeu est loin d'être futile. Tout
enfant est très sérieux durant les activités ludiques. Au cours des jeux
moteurs, sensoriels, les jeux symboliques, les jeux de construction et les
jeux de règles, les enfants intègrent de nombreuses habiletés motrices,
perceptives, intellectuelles et sociales. La plupart du temps, les enfants
réalisent des apprentissages de façon spontanée, sans s'en rendre
compte.

J'ai eu le plaisir de constater beaucoup de créativité dans ce livre,
notamment dans la variété des jeux suggérés ainsi que dans l'utilisation
pédagogique des comptines et des chansons. Il m'est apparu évident
que cette créativité s'appuie sur une profonde connaissance des besoins
développementaux des enfants. Les chapitres sont très bien structurés
et le contenu est accessible à tout personnel éducatif.

Les milieux de garde offrent des occasions très riches de socialisation bien plus qu'à l'intérieur des classes où se vit une pédagogie
traditionnelle. Il est admis que les enfants ont surtout des buts sociaux
et scolaires. Les besoins de socialisation sont pour la plupart plus importants que les apprentissages didactiques. Je crois fermement à la pertinence de l'approche démocratique telle qu'elle est proposée dans ce
livre. Grâce à cette philosophie éducative, il est beaucoup plus facile
pour les enfants de développer une conscience sociale, l'autocontrôle
du comportement, la résolution de conflits sociaux et la coopération
tout en vivant un sentiment d'appartenance à un groupe. Les services

de garde favorisent grandement l'adaptation sociale de l'enfant et son intégration future dans la société grâce aux nombreuses activités de socialisation qu'ils font vivre.

Par sa rigueur et son contenu pratique, le livre de madame Malenfant sera certainement un outil précieux de perfectionnement des éducatrices et éducateurs en cours d'emploi et une grande source d'inspiration pour tous les services éducatifs. Je le recommande comme livre de base pour la formation collégiale en Techniques d'éducation à l'enfance. Ce livre reflète un juste équilibre entre l'art et la science, entre la rigueur et la créativité. Il traduit surtout un profond respect et l'amour des enfants.

Germain Duclos
Psycho-éducateur et orthopédagogue
Auteur

Avant-propos

Depuis mon entrée dans le monde de l'éducation, au début des années 1980, j'ai eu maintes fois l'occasion d'observer des enfants à l'œuvre dans leur apprentissage de la vie. Au fil des ans, j'ai pu acquérir de l'expérience en travaillant auprès d'enfants d'âges variés tout en continuant à accroître mes connaissances par des lectures et des cours qui ont sans cesse confirmé ma passion pour l'éducation des enfants. Le présent ouvrage est le fruit des nombreuses visites effectuées dans différents services éducatifs à titre d'animatrice, de consultante et de superviseure de stage. Les informations et les activités qu'il contient s'appuient sur l'expérience vécue ainsi que sur une réflexion et sur des notions théoriques.

Il m'a souvent été donné de constater l'influence considérable que peuvent avoir les éducatrices dans le développement de l'enfant. Pensons aux nombreux gestes qu'elles posent jour après jour, heure après heure, pour l'aider à accéder graduellement à une autonomie satisfaisante comme l'habileté à manger, à s'habiller, à parler, à socialiser, ou pour l'amener à apprendre les règles du savoir-vivre en groupe, à prendre soin de lui par l'application de mesures d'hygiène appropriées ou à connaître les bases d'une saine alimentation. Je suis convaincue que la valeur éducative de ces apprentissages fondamentaux, loin d'être le fruit du hasard, repose largement sur les qualités professionnelles du personnel éducateur et suppose également une étroite collaboration avec les parents. En effet, compte tenu de la quantité impressionnante des activités de base, qu'on appellera ici activités de routine et de transition, qui jalonnent le quotidien dans les services éducatifs, il apparaît nécessaire de leur accorder toute l'importance qui leur revient. C'est pourquoi un ouvrage de référence sur les routines et les transitions en services éducatifs peut s'avérer utile comme outil pédagogique. Il peut également contribuer à la formation des personnes qui étudient en techniques d'éducation à l'enfance ou en enseignement préscolaire, aider au ressourcement du personnel chargé directement ou indirectement de l'éducation des jeunes enfants, qu'il s'agisse des éducatrices en centre de la petite enfance (CPE) installation ou en garderie, des responsables de services de garde en milieu familial, des enseignantes en prématernelle et maternelle, des conseillères pédagogiques, des gestionnaires ou simplement des parents. Sans constituer des moyens magiques ou des recettes infaillibles, les propositions apportées et les pistes de réflexion pourront néanmoins servir à consolider les façons de faire existantes, à rompre la monotonie inhérente aux activités de base en plus de soutenir l'application des principes qui sous-tendent les programmes éducatifs en CPE, en éducation préscolaire et en service de garde en milieu scolaire (SGMS).

Précisons que la période d'âge concernée dans le livre couvre de 2 à 8 ans et sera désignée ici par l'appellation **petite enfance**. On utilisera les termes **bambins** ou **tout-petits** pour faire référence aux enfants de 2 et 3 ans, **enfants d'âge préscolaire** pour désigner les 4 et 5 ans, et **enfants d'âge scolaire** pour les 6 à 8 ans. Les enfants de moins de deux ans, les poupons et les trottineurs, ont déjà fait l'objet d'un livre intitulé *Le bébé en garderie*[1] ; c'est pourquoi nous traiterons ici des routines et des transitions qui concernent uniquement les enfants âgés de plus de deux ans. Nous n'aborderons pas non plus la période des 9 à 12 ans ; pour obtenir des renseignements sur les activités de base spécifiques aux enfants de ce groupe d'âge, nous vous recommandons

---

1. Jocelyne MARTIN, Céline POULIN et Isabelle FALARDEAU, *Le bébé en garderie*.

de lire le livre *Les services de garde en milieu scolaire*[2]. Cependant, plusieurs des éléments contenus dans le présent ouvrage touchent indirectement ces deux groupes d'âge et pourraient intéresser les éducatrices concernées.

Revue et augmentée, cette seconde édition de *Routines et transitions en services éducatifs* comprend 13 chapitres. Les deux premiers regroupent des aspects plus théoriques afin de mieux situer l'essentiel de la pédagogie démocratique en matière d'activités de routine et de transition d'une part, et de fournir des informations générales concernant l'organisation et le déroulement des activités, d'autre part.

Dans les neuf chapitres suivants, on s'intéresse successivement à chacune des activités de routine : le lavage des mains, le brossage des dents, la routine des toilettes, le mouchage, les collations et les repas, la sieste ou la relaxation, l'habillage et le déshabillage. Puis, on aborde successivement les activités de transition, soit le rangement et le nettoyage, le rassemblement, le déplacement, l'accueil et le départ ainsi que les attentes. Dans les deux derniers chapitres, on s'attarde au rôle que peuvent jouer les comptines et les chansons en situation de routine ou de transition, en plus de suggérer des idées pour stimuler le langage de l'enfant dans ces moments de vie.

Tout le contenu de la première édition a été revu afin de tenir compte de la réalité des services éducatifs qui évolue sans cesse. La deuxième édition offre des exemples en plus grand nombre, de nouvelles photos ainsi que des figures et des tableaux mis à jour.

Le lecteur trouvera tout au long de l'ouvrage plusieurs comptines et chansons pouvant accompagner les activités ; quatorze d'entre elles, toutes des créations originales, font partie du **CD** inclus dans le livre. On pourra les utiliser parallèlement au déroulement des activités ou de

---

2. Steve MUSSON (adaptation de Diane Berger et Jocelyne Martin), *Les services de garde en milieu scolaire.*

façon indépendante, pour le simple plaisir de chanter ou d'écouter de la musique.

Note : Étant donné la réalité actuelle qui veut que le personnel s'occupant des enfants soit constitué en majorité de femmes, le genre féminin a été retenu dans le livre pour représenter également le personnel éducateur des deux sexes sans aucune discrimination, et ce, dans le seul but d'alléger le texte. Par conséquent, on a choisi le terme **éducatrice** pour désigner toute personne qui occupe une fonction éducative auprès des enfants. On a retenu l'appellation **services éducatifs** pour englober tous les lieux d'éducation accueillant des enfants de 2 à 8 ans. Quant au sigle **SGMS**, il représente les services de garde en milieu scolaire alors que **CPE** désigne les centres de la petite enfance. Pour parler des **parents**, on fera référence à toute personne ayant la responsabilité première de l'enfant, soit la mère, le père, le tuteur ou les grands-parents.

L'auteure

Chapitre 1

Les fondements théoriques

CONTENU DU CHAPITRE

Il est inconcevable d'écrire un livre sur les activités de routine et de transition en services éducatifs sans préalablement aborder l'enfance et les enfants. Nous avons choisi de le faire en des termes simples et concis sans nous attarder aux grandes théories du développement de l'enfant qui, par ailleurs, sont bien exposées dans plusieurs ouvrages de psychologie. Dans ce premier chapitre, nous traiterons de l'enfance et des enfants sous divers angles : la conception du développement de l'enfant, la définition de l'éducation à l'enfance, l'approche démocratique en tant que cadre de référence de même que le rôle éducatif des activités de routine et de transition.

1.1   LA CONCEPTION DE L'ENFANCE

Au fil des siècles et selon l'évolution des sociétés, les idées sur les enfants et sur l'enfance ont bien changé. Tantôt, les enfants ont été perçus comme des êtres incomplets dépourvus d'intelligence alors qu'en d'autres temps on les a considérés comme une main-d'œuvre à bon marché. Pour d'autres raisons, les enfants ont aussi fait office de « petits rois », d'êtres mystérieux ou ont représenté la promesse d'un meilleur avenir. Mais ce n'est que depuis peu que les connaissances en sciences humaines nous permettent de démontrer la nature particulière de l'enfance et ses répercussions indéniables sur toute la vie.

En ce début du XXIe siècle, la plupart des gens conçoivent l'enfance comme une période distincte du développement humain déterminante non seulement pour grandir, mais pour apprendre et se préparer aux étapes ultérieures de la vie. «L'enfance est considérée comme une période critique du développement humain parce qu'elle représente une période d'acquisitions et de changements capitaux. L'enfance est la période fondatrice de la vie humaine.» (Cloutier, Gosselin et Tapp, p. 3) L'établissement d'une convention mondiale relative aux droits des enfants[1], l'existence de lois sur la protection de la jeunesse, l'implantation de services de soutien aux familles, la mise en œuvre de programmes éducatifs en garderie témoignent plus que jamais de la valeur intrinsèque de l'enfance. Même si l'idée d'une éducation centrée sur l'enfant lui-même demeure instable, il y a lieu de croire qu'on a aujourd'hui de bonnes bases pour continuer à défendre cette vision de l'éducation.

L'éducatrice a une énorme responsabilité envers les enfants : sécurité, écoute, réconfort, aide à la résolution de problèmes, disponibilité, etc.

---

1. La Convention relative aux droits des enfants a été ratifiée en 1989 par l'ensemble des nations du monde.

L'enfant n'est ni un petit adulte ni un être totalement démuni. C'est un individu à part entière doté d'un potentiel inouï que l'on doit favoriser le plus possible. «La nature veut que les enfants soient des enfants avant d'être des hommes», conçoit déjà Jean-Jacques Rousseau au XVIIIe siècle. Tout enfant a besoin d'être sécurisé, cajolé, stimulé, encouragé, guidé et aimé. Peu importe son origine, l'enfant devrait avoir le droit de rire, de pleurer, de se sentir vulnérable, de s'émerveiller, de s'attacher, de s'exprimer, d'apprendre, de s'affirmer, de chanter, de s'estimer, d'aimer la vie et surtout de compter sur des personnes soucieuses de défendre ses besoins de grandir en paix.

L'idéal d'un enfant est de vivre son enfance en toute confiance, entouré d'adultes responsables, conscients et bienveillants. Tout enfant aspire à la dignité et au respect de sa propre histoire et de sa personnalité, qui font de lui un être unique. Tant la connaissance que nous avons des besoins de l'enfant que la conception de notre rôle éducatif influencent notre façon de l'accompagner sur le chemin de son enfance.

L'enfance se définit autrement que par les standards de développement ou les statistiques. Elle se veut un processus dynamique et continu, qui comprend une transformation inévitable de la personne, auquel les parents et les éducatrices doivent participer de la façon la plus positive possible. (Legendre, p. 453) Par conséquent, être éducatrice en enfance requiert des dispositions personnelles et des compétences particulières qui se situent bien au-delà du simple gardiennage.

1.2   L'ÉDUCATION À L'ENFANCE : UNE VOIE D'AVENIR

On parle de plus en plus d'éducation dans les journaux, les sites Internet et les émissions de télé. Même si le terme éducation se limite souvent à l'école, on reconnaît de plus en plus le bien-fondé des acquisitions qui s'effectuent hors du cadre scolaire.

La psychologie de l'enfant est une science relativement récente qu'un certain nombre de personnalités ont permis de faire progresser. C'est Piaget qui, avec sa théorie du développement, a le plus marqué le domaine de l'éducation à l'enfance. On retrouve également des psychiatres, des psychologues et des chercheurs de renom, qu'il s'agisse de Bettelheim, Freud, Erikson, Vygotski, Dolto, Dodson ou Gordon. Chacun à sa manière a démontré le caractère propre de l'enfance et son influence considérable dans les étapes ultérieures de la vie.

Avec les changements sociaux et familiaux des dernières années, l'éducation durant les premières années de la vie ne se limite plus à la cellule familiale. Désormais, elle relève également des centres à la petite enfance et des garderies. « La fréquentation de la garderie n'est plus un phénomène marginal, et elle ne sert plus seulement les parents ; les enfants aussi y trouvent leur compte. » (Cloutier, Gosselin et Tapp, p. 411) L'implantation de la maternelle à temps plein et l'instauration de la politique familiale, en 1997, ont apporté des changements considérables dans l'éducation à l'enfance, au Québec. Avec les lois et les règlements existants, on s'assure de plus en plus de la qualité des services éducatifs avec la mise en œuvre de plusieurs conditions : la présence d'éducatrices formées, compétentes et dévouées, l'apport d'attention suffisante à chaque enfant, la promotion de la santé et de la sécurité, l'incitation à l'exploration motrice et langagière. (K.S. Berger, p. 178) Dans un bon service éducatif, tout est axé sur le développement optimal de l'enfant.

La question n'est plus de savoir si l'éducation à l'enfance a sa place dans le domaine de l'éducation, en général, mais bien de s'assurer qu'elle évolue de manière à offrir les meilleures conditions qui soient pour le mieux-être des enfants. L'éducation à l'enfance est un domaine en pleine croissance en voie de devenir une spécialité distincte et une profession noble et de plus en plus reconnue.

1.3   L'APPROCHE DÉMOCRATIQUE COMME CADRE DE RÉFÉRENCE

Avec l'avènement de la recherche en psychologie et l'essor du courant humaniste, au XXe siècle, on a assisté à la création de l'École nouvelle, en Europe. Dès lors, a émergé une conception de l'enfant centrée sur son développement global et sur l'apprentissage par l'action. «Cette conception de l'éducation se fonde sur la conviction profonde qu'un enfant placé dans un milieu stimulant possède en lui-même les ressources nécessaires à son développement et que la connaissance ne peut lui être imposée.» (Pelletier, p. 4) Cette nouvelle vision de l'école s'oppose à la pédagogie traditionnelle et autocratique où prédominent les apprentissages scolaires, la transmission de connaissances normatives et l'autorité du maître. Bien qu'un modèle d'éducation plus ouvert fut déjà promu au XVIIIe siècle par celui que l'on considère comme le pionnier de l'École nouvelle, Jean-Jacques Rousseau, ce n'est que quelque 150 ans plus tard que des pédagogues tels Freinet, Montessori et Decroly lui permettront de s'épanouir dans le système éducatif occidental. Les effets de cette approche, combinés à ceux des méthodes actives de Dewey aux États-Unis, se feront sentir au Québec d'abord de façon marginale à partir des années 1960, pour ensuite s'intensifier dans les années 1970.

L'essor d'une éducation centrée sur l'enfant et sur l'apprentissage actif a été favorisé par bon nombre de programmes éducatifs qui prévalent aujourd'hui. Parmi ceux-ci, citons les modèles de Montessori et de Reggio Emilia, le modèle Developmentally Appropriate Practice (DAP) de la National Association of Education Young Children (NAEYC), le modèle Bank Street Model (Development Interaction Model) et le programme High Scope. Plusieurs des composantes que l'on y retrouve ont influencé la mise en œuvre du Programme éducatif des garderies et des CPE qui a été instauré, au Québec, en 1997. Nous en reprendrons l'essence même en mettant l'accent sur le respect de la nature de l'enfant considéré comme un apprenant actif. Ce cadre de

référence que nous appellerons «approche démocratique», tel que le
mentionne le Programme éducatif des CPE, s'avère un excellent moyen
de répondre aux besoins réels de l'enfant dans la réalité actuelle des
services éducatifs. L'encadré 1.1 présente les principaux concepts de
cette approche alors que l'encadré 1.2 réunit les orientations pédagogiques qui en découlent.

> Soutenir le développement optimal des ressources de l'enfant, lui
> permettre d'apprendre par l'action et le préparer à la vie constituent
> l'essentiel de l'approche démocratique.

Encadré 1.1   Les concepts clés de l'approche démocratique

- La spécificité du développement de la personne durant l'enfance.
- Le respect des besoins et des particularités de chaque enfant dans
  une perspective de développement global et continu.
- La valeur inestimable du jeu et du plaisir dans les apprentissages de
  l'enfant.
- L'importance de mettre l'enfant en situation et en action dans la vie
  quotidienne.
- La nécessité d'une coéducation où les services éducatifs travaillent
  conjointement avec les familles et la communauté.

Dans le modèle démocratique, on conçoit l'apprentissage comme
un processus global et progressif où un aspect du développement en
stimule un autre. Aucune composante n'est plus importante qu'une autre.
C'est ainsi qu'un enfant arrivera à développer un intérêt pour un nouvel
aliment qui, d'emblée, le rebute, grâce à une histoire amusante qui lui
apprend d'où provient l'aliment, qu'il découvre avec ses sens. Il écoute
et pose des questions. Bref, ses facultés langagières, son imagination,
ses perceptions sensorielles, sa pensée, sa curiosité de même que son
besoin de s'alimenter agissent en synergie pour l'amener à vivre une
expérience significative.

L'unicité de chaque enfant est priorisée dans l'approche démocratique et ce, dans tous les moments de vie.

Chaque enfant est une personne distincte qu'il faut connaître de manière individualisée et approfondie sans se fier aux seules indications livrées par son âge, son origine et son sexe. Considéré comme un être unique, l'enfant est respecté dans ses différences individuelles et culturelles tout en étant stimulé à s'adapter à la vie de groupe. L'enfant n'est pas considéré comme un grand en miniature, mais comme un adulte en devenir.

Le jeu est la meilleure façon qu'a l'enfant de comprendre le monde dans lequel il vit. Le jeu est une disposition naturelle à agir et à découvrir, sans autre but que le plaisir qu'il procure. En s'amusant, l'enfant malgré lui fournit des efforts dont découleront des apprentissages qui l'amèneront non seulement à s'approprier la réalité des grands, mais à se dépasser. « Si bon nombre de jouets n'ont rien d'indispensable, le jeu, en revanche, est vital, facteur d'apprentissage, mode de socialisation et de construction de la personnalité. » (Unicef France)

Dans l'approche démocratique, on encourage l'enfant à faire des choix, on le soutient dans son estime personnelle, on l'aide à exprimer ses besoins et à y répondre selon ses possibilités. On accepte également qu'il apprenne par essais et erreurs et qu'il ait besoin de répétitions pour renforcer ses acquis. Toutefois, une telle démarche ne peut se faire sans la connaissance du développement de l'enfant. Et puisque l'enfant change constamment, et que le monde dans lequel il vit se transforme sans cesse, l'observation systématique de l'éducatrice est plus que nécessaire pour bien l'accompagner dans son évolution.

Malgré la place importante qu'on accorde à l'enfant dans le contexte de la pédagogie démocratique, les parents et les éducatrices jouent un rôle primordial dans l'actualisation de son potentiel. Ils lui servent de guide, de soutien et de médiateur dont il a grandement besoin pour s'épanouir. Alors que l'on peut considérer le parent comme l'expert de son enfant, on s'entend pour accorder à l'éducatrice le titre de spécialiste du développement de l'enfant dans le contexte de la vie de groupe.

Les valeurs prônées dans l'approche démocratique doivent aussi se retrouver à l'heure du repas.

Encadré 1.2   Les orientations pédagogiques de l'approche démocratique en services éducatifs

1   Croire au potentiel de chaque enfant et valoriser son unicité.

2   Reconnaître et mettre en valeur les habiletés et les efforts des enfants.

3   Instaurer et entretenir des relations bienveillantes avec chacun d'eux.

4   Former une solidarité entre les adultes qui s'occupent de l'enfant, principalement avec les parents.

5   Offrir un encadrement qui assure l'équilibre entre la liberté dont les enfants ont besoin et les limites nécessaires pour qu'ils se sentent en sécurité.

6   Permettre à l'enfant de faire des choix et de prendre des initiatives selon son degré de développement.

7   Aider l'enfant à construire lui-même ses connaissances et à développer sa propre compréhension du monde.

8   Favoriser des apprentissages sollicitant équitablement toutes les dimensions de sa personne sur les plans socio-affectif, psychomoteur, créatif, intellectuel et langagier.

9   Guider l'enfant de manière constructive dans le processus de résolution de problèmes et de conflits.

10 Comprendre, soutenir et encourager le jeu de l'enfant tout au long de la journée.

11 Avoir du plaisir à être en compagnie des enfants.

12 Accepter d'apprendre des enfants.

13 Être un modèle inspirant pour les enfants.

1.4   LA VALEUR DES ACTIVITÉS
DE ROUTINE ET DE TRANSITION

La vie en services de garde éducatifs est remplie d'activités qui permettent à l'enfant de se développer. Plusieurs d'entre elles servent à organiser le déroulement de la journée et reviennent nécessairement jour après jour ; ce sont les activités de routine et de transition auxquelles on consacre beaucoup de temps et d'énergie.

Avant même de faire son entrée à l'école, l'enfant est capable de reproduire bon nombre des gestes qui l'amèneront au fil des ans à devenir un être autonome. De fait, il aura appris à marcher, à parler, à manger et à boire seul, à se vêtir et se dévêtir, à aller aux toilettes, à se relaxer, à contrôler ses émotions, à prendre soin de lui par des soins d'hygiène appropriés. Bref, il pourra se débrouiller dans plusieurs situations, entrer en relation avec les autres, formuler des demandes claires, faire des choix et exprimer des besoins, résoudre quelques problèmes, et respecter les règles de la vie en groupe. Non seulement ces expériences lui permettront de se développer sainement tout au long de son enfance, mais elles le prépareront aux étapes ultérieures de sa vie. Ainsi en est-il de ces apprentissages qui ont lieu lors des activités de routine et de transition en services éducatifs.

Les activités de routine et de transition sont des occasions privilégiées pour stimuler toutes les facettes du développement de l'enfant que ce soit les besoins physiologiques, les habiletés intellectuelles, la socialisation, l'estime de soi ou la psychomotricité.

Quoique très répétitives, les activités de routine et de transition n'ont rien d'anodin, car il y a beaucoup à faire et à apprendre durant ces moments. Plus les enfants sont jeunes, plus les tâches routinières sont fréquentes et requièrent beaucoup de temps, en plus de nécessiter une grande attention de la part de l'adulte. Elles offrent à l'enfant des occasions privilégiées d'acquérir diverses habiletés nécessaires à son épanouissement, comme en témoignent les exemples au tableau 1.1.

À de multiples égards, ces activités comportent une valeur éducative tout aussi importante que celle que l'on accorde généralement aux activités plus formelles (stimulation du langage, jeux d'ordinateur, exercices de coordination ou initiation aux sports).

Cinquante pour cent des habiletés nécessaires à l'adulte pour être autonome sont acquises durant les premières années de sa vie : manger, se détendre, marcher, se vêtir, aller seul aux toilettes, se laver, etc. Et c'est essentiellement par les activités de routine qu'elles se développent.

C'est aussi grâce aux activités de routine et de transition que l'enfant acquiert des savoir-faire élémentaires comme la coopération, le compromis, la politesse, le respect des règles dont il aura besoin tout au long de sa vie.

Tout en portant attention à la sécurité physique, affective et à la santé des enfants, l'éducatrice veille à créer un climat chaleureux lors de activités de routine et de transition. Elle en profite pour faire voir aux enfants le souci qu'elle porte à leur bien-être corporel tout en les amenant à prendre conscience de leurs besoins fondamentaux : manger pour prendre soin de son corps, se reposer pour refaire le plein d'énergie, mettre un chapeau sur sa tête pour se protéger des effets néfastes du soleil, etc. Selon le ministère de la Famille et de l'Enfance du Québec, « les soins de base ne peuvent plus être perçus comme une fonction mécanique nécessitant peu de connaissances et d'habiletés » (brochure promotionnelle *Besoin de toi*, 1999). Ils sont le fondement du déroulement d'une journée et requièrent des compétences professionnelles particulières qui se situent bien au-delà du gardiennage ou de la simple surveillance.

Les activités de routine et de transition s'inscrivent dans une mission éducative globale au même titre que les autres types d'activités. L'éducatrice a le devoir de faire connaître leur contribution dans la construction de l'être humain aux parents et à la société, en général.

**Tableau 1.1   Habiletés observables chez un enfant de 3 ans
lors d'une activité de rangement**

Développement psychomoteur	Développement intellectuel	Développement langagier et expressif	Développement socio-affectif
• Reconnaître les objets (perceptions sensorielles) • Saisir un jouet (motricité fine) • Transporter un objet avec agilité (motricité globale) • Utiliser une main de façon prédominante (latéralité) • S'orienter dans l'espace (perception spatiale) • Exécuter des gestes dans un ordre précis (perception temporelle) • Coordonner l'œil et la main (coordination oculo-manuelle) • Etc.	• Comprendre le fonctionnement du rangement • Apprendre la nouvelle procédure en vigueur • Décoder les consignes de l'éducatrice • Classifier (petits objets dans la boîte, et plus gros, dans l'armoire) • Connaître l'emplacement des objets (étagère, boîte, en haut, à côté) • Se remémorer l'astuce qui permet de ranger rapidement • Raisonner et déduire • Faire du dénombrement (il y a 3 blocs et 1 camion) • Associer les objets à ranger à leur emplacement respectif (le casse-tête sur la tablette, la poupée dans son lit) • Trouver une solution au manque d'espace sur l'étagère • Se représenter les objets qui sont désignés par un pictogramme sur le bac à rangement • Etc.	• Nommer les objets à ranger • Décrire ses actions et celles de ses semblables • Fredonner la chanson entonnée par l'éducatrice • Etc.	• Participer à la vie de groupe • Assumer une responsabilité • Faire preuve d'autonomie • Prendre des initiatives • Porter attention aux autres (partager l'espace, aider un compagnon qui a de la difficulté) • Éprouver du plaisir • Être fier de soi • Utiliser des règles élémentaires de politesse (excuse-moi, merci) • Etc.

On estime à 40 % la portion de l'horaire quotidien dédiée aux activités de routine et de transition en CPE et en garderie. Ce pourcentage augmente à 80 % en présence d'enfants de 0 à 2 ans pour un total approximatif de 1 200 heures par année. Durant sa petite enfance (0 à 5 ans), chaque enfant aura donc passer près de 6 000 heures en routine et en transition à l'extérieur de la maison. Par ailleurs, un relevé mené dans quelques services de garde en milieu scolaire démontre qu'un enfant de 5 à 8 ans qui fréquente le service à temps plein passe plus de 40 % de son temps en activité de routine et de transition, ce qui correspond à 400 heures par année. Supposons qu'il aille au service de garde pendant sept ans, on ajoute 2 800 heures, ce qui porte à 8 800 le nombre total d'heures vécues en activités de routine et de transition en services éducatifs durant toute son enfance de 0 à 12 ans, sans compter celles qui ont lieu à la maison. Ces chiffres fort éloquents révèlent, à eux seuls, la part importante qu'occupent les routines et les transitions dans la vie de l'enfant.

> Il est essentiel de miser sur la qualité des activités de routine et de transition qui, à elles seules, monopolisent plus de 40 % de l'horaire quotidien en services éducatifs.

Pour l'éducatrice démocratique, les activités de routine et de transition représentent une occasion privilégiée d'établir un contact personnalisé avec les enfants. Que ce soit à l'arrivée, au départ, lors de la sieste ou à la période de la collation, l'éducatrice doit s'intéresser à chacun d'eux. Elle échange quelques paroles, lui sourit et s'intéresse à ce qu'il dit et ce qu'il fait. Les causeries prennent une place considérable, particulièrement lors des collations et des repas. Pour l'enfant, ces activités sont tout indiquées pour s'exercer au langage, ce qui l'aidera à entrer en relation avec ses pairs. Par ailleurs, c'est aussi lors de ces moments que l'enfant peut parfois s'opposer aux demandes de l'adulte en raison de la fatigue accumulée ou de la difficulté à vivre le changement d'activité. Ces activités lui fournissent une occasion idéale d'apprendre à maîtriser ses émotions tout en relevant le défi d'une plus grande autonomie corporelle.

Omniprésentes en services éducatifs, les indispensables activités de routine et de transition représentent un défi des plus intéressants à relever pour l'éducatrice démocratique. Il s'agit là d'occasions privilégiées de témoigner de son professionnalisme.

A. Ce qu'est une activité de routine

On peut définir une activité de routine en services éducatifs comme une **activité de base prévisible qui revient quotidiennement de façon obligatoire**. Elle a généralement lieu à heure fixe et constitue la pierre angulaire ou le cadre servant à ponctuer le déroulement de la journée. Une bonne partie des activités de routine servent à **satisfaire l'ensemble des besoins de base** comme manger, boire, éliminer, se reposer, respirer calmement, avoir une bonne hygiène, être au chaud, etc. Plus les enfants sont jeunes, plus les tâches routinières sont fréquentes et demandent du temps, en plus de nécessiter une plus grande attention de la part de l'adulte. Parmi les activités de routine qui ont cours en présence des jeunes enfants, mentionnons:

- l'hygiène: lavage des mains, brossage des dents, routine des toilettes et mouchage;
- les collations et les repas;
- la sieste ou la relaxation;
- l'habillage et le déshabillage.

En plus de répondre aux besoins physiologiques de l'enfant, les activités de routine contribuent à son bien-être affectif ; elles lui apportent des repères temporels en lui permettant d'anticiper ce qui suit en favorisant ainsi le sentiment de sécurité indispensable à la construction de la confiance. Finalement, les activités de routine et de transition doivent se dérouler dans la bonne humeur et procurer du plaisir tant à l'enfant qu'à l'éducatrice.

B.   Ce qu'est une activité de transition

L'activité de transition est définie comme une **activité simple et de courte durée, qui sert de lien entre deux activités plus longues** ; il s'agit d'intermèdes régulateurs qui ponctuent la journée. Les transitions amènent soit un changement d'activités, de lieu, de compagnons de jeu ou d'éducatrice. On y retrouve, entre autres :

- le rangement et le nettoyage ;
- les rassemblements ;
- les déplacements ;
- les accueils et les départs ;
- les attentes inévitables.

Une bonne transition doit servir de lien entre les activités ; elle respecte le plus possible le rythme des enfants, en plus d'être facile à mettre en place. Elle requiert peu ou pas de matériel tout en encourageant la participation et l'autonomie des enfants selon leur stade de développement.

Les activités de transition exigent une attention particulière de la part des éducatrices, car elles servent aussi à maintenir l'harmonie très importante dans l'enchaînement des activités. En planifiant les temps de flottement ou les « entre-deux » et en leur donnant une allure de jeu, l'éducatrice limite le désordre et l'excitation dans le groupe d'enfants. Toutefois, elle accepte que les choses ne soient pas toutes sous contrôle et qu'il y ait un minimum de bruits et d'agitation.

L'approche démocratique favorise les interactions entre enfants d'âges
différents.

1.5   L'APPROCHE DÉMOCRATIQUE
DANS LES ACTIVITÉS DE ROUTINE ET DE TRANSITION

Pour mieux comprendre les activités de routine et de transition
dans le contexte de l'approche démocratique, nous proposons ici quatre
axes qui réunissent les pratiques à privilégier en services éducatifs (figure
1.1). Ce sont 1) l'environnement humain, 2) l'environnement physique,
3) l'organisation du temps et 4) les valeurs éducatives et l'éthique professionnelle.

A. L'environnement humain

- On satisfait les besoins élémentaires des enfants : manger, boire, éliminer, se reposer, respirer de l'air sain, avoir accès à la lumière naturelle, etc. On respecte leur rythme de base.

- On favorise la participation de l'enfant le plus souvent possible selon son âge, ses capacités et le contexte.

- On considère les propositions directes ou indirectes des enfants.

- On cultive la bonne humeur au sein du groupe d'enfants.

- On donne à l'enfant l'occasion de s'initier à l'art de prendre soin de soi : être propre, être à l'écoute des signes de fatigue et d'intolérance, acquérir de bonne habitudes d'hygiène et d'endormissement.

- On encourage le développement d'une image de soi positive. L'appréciation des réussites personnelles de l'enfant et de ses points forts détrône les comparaisons, le souci de la performance et l'obsession de la vitesse.

- On permet à l'enfant de s'exprimer et d'affirmer sa personnalité.

- On facilite l'adaptation sociale : complicité avec les adultes, amitié entre les pairs, présence stable d'adultes signifiants qui constituent de bons modèles pour les enfants.

- On amène l'enfant à prendre part à la recherche de solutions dans le cas de conflits, à comprendre et à assumer les conséquences de ses comportements inacceptables. On le sensibilise aux conséquences de ses gestes pour lui-même et pour les autres.

- On favorise le plaisir, la curiosité, la créativité et le sens de l'émerveillement.

- On instaure un partenariat entre la famille et le personnel éducatif, ce qui favorise une plus grande cohérence entre les milieux de vie.

- Pour les enfants d'âge scolaire, on facilite une démarcation claire entre la vie scolaire et le SGMS. On propose aux enfants des activités qui leur permettent de renouveler leur énergie sur les plans physique et psychique.

- On alterne régulièrement entre activités physiques et activités calmes, activités de concentration et de détente.

- On assure un juste milieu entre les activités en grand groupe, en petits groupes et les activités individuelles.

- On alterne entre les activités librement choisies et celles qui sont imposées en fréquence et en nombre appropriés aux besoins des enfants.

- On assure un équilibre entre le temps passé à l'intérieur et celui à l'extérieur.

Un moment de répit après la classe permet à l'enfant de faire une démarcation entre l'école et le service de garde en milieu scolaire.

B. L'environnement physique

- On se soucie de la sécurité en tout temps : respect du ratio réglementaire, accès rapide à un téléphone et aux numéros d'urgence ainsi qu'à une trousse de premiers soins, même à l'extérieur, connaissance des mesures d'évacuation, matériel sans risque de chute, de strangulation ou d'étouffement, etc.

- On choisit un mobilier sécuritaire, confortable et adapté à la taille des usagers, enfants et adultes.

- On contrôle le niveau de bruit par divers moyens : voix calmes, matériaux poreux, nombre limité d'enfants par local, etc.

- On aménage les lieux de manière à encourager l'initiative de l'enfant.

- On offre un espace attrayant, bien éclairé, aéré et bien entretenu.

- On aménage un coin de détente facile d'accès en tout temps.

- On encourage le sentiment d'appartenance des enfants : leurs dessins et des photos d'eux ornent les murs.

- On aménage l'environnement en collaboration avec les enfants selon leur niveau de développement.

- On offre un matériel de jeu sécuritaire et bien entretenu, stimulant et varié, adapté aux capacités des enfants.

- L'éducatrice dispose d'un endroit calme et confortable pour prendre ses pauses.

C. L'organisation du temps

- On prévoit un horaire à la fois prévisible et souple.

- On réduit le plus possible les contraintes dues au temps.

- On permet à l'enfant d'apprendre à son rythme.

- On limite les interventions qui pressent les enfants de se dépêcher.

D.   Les valeurs éducatives et l'éthique professionnelle

- On applique les valeurs nécessaires à la construction de la personnalité de l'enfant : plaisir et satisfaction, estime de soi, respect et autonomie.

- On assure la cohérence entre les valeurs prônées dans les services éducatifs et leur mise en application.

- On veille à l'application d'une éthique professionnelle dans toutes les activités de routine et de transition : confidentialité, respect des individus et des familles, professionnalisme de haut niveau, etc.

Dans le prochain chapitre, nous reprenons l'ensemble des stratégies pour les décrire en matière d'interventions éducatives propres à chacun des axes d'application.

Figure 1.1 Les axes d'application de l'approche démocratique dans les activités de routine et de transition

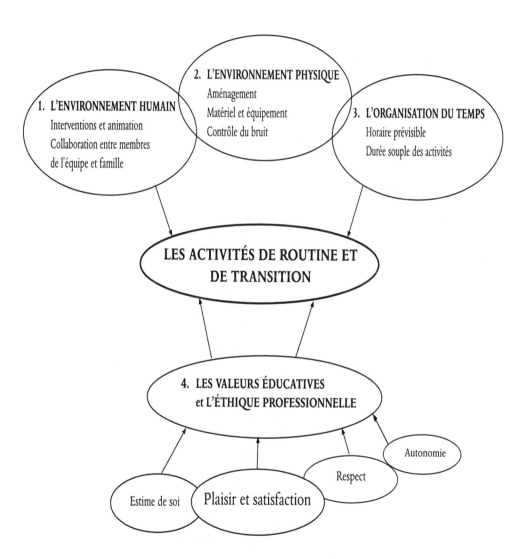

Chapitre 2

*Les stratégies favorisant
la qualité des activités de routine
et de transition*

CONTENU DU CHAPITRE

Le rôle principal de l'éducatrice est de veiller au bon déroulement des nombreuses activités de routine et de transition qui jalonnent le quotidien en services éducatifs. La qualité de ces moments de vie ne s'improvise pas : elle se planifie et se prépare avec beaucoup de connaissance et de réflexion. Pour ce faire, l'éducatrice doit appliquer des stratégies conformes aux fondements pédagogiques énumérés au chapitre précédent. C'est l'application de chacune de ces stratégies qu'aborde le présent chapitre.

2.1 PLANIFIER ET ORGANISER

On devrait planifier les routines et les transitions au même titre que les autres activités et tenir compte de certains principes pédagogiques si l'on veut en faire des situations profitables et agréables pour tous.

« Des moments de transition bien planifiés font souvent la différence entre une journée difficile et une journée harmonieuse, tant pour les enfants que pour les éducatrices. » (Weikart, Hohmann, Bourgon et Proulx, p. 254) Sans compter qu'une prise en charge réfléchie permettra d'assurer une qualité de présence auprès des enfants, en plus de générer le goût d'apprendre, la motivation à entrer en relation avec les autres ainsi que la fierté d'acquérir de nouvelles habiletés. Même en l'absence de situations problématiques, un outil de planification comporte de nombreux avantages pour les routines et les transitions. Il permet notamment de relever régulièrement des observations qui servent à prendre le pouls du groupe tout en suivant l'évolution de chacun des enfants.

Il vaut mieux faire la planification des activités de routine et de transition avant toute autre activité, et consacrer à cette tâche un temps
équivalant à la place que ces activités occupent dans l'horaire.

On doit faire l'expérience de l'utilisation de l'outil pendant une
période suffisamment longue pour arriver à cerner ses avantages et ses
limites et ensuite y apporter les modifications nécessaires. La mise à jour
de l'outil de planification et de la manière de l'utiliser permet en outre
de s'adapter plus rapidement à une réalité qui peut changer au fil du
temps.

**Tableau 2.1   Exemple d'un outil pour planifier
le repas du midi en SGMS**

	Interventions indirectes (aménage-ment, matériel, affiche, horaire, etc.)	Interventions directes (consigne, chanson, signal visuel, etc.)
AVANT LE REPAS	Faire choisir les responsabilités de la semaine – disposer les tables en îlots – rassembler les plats à chauffer – installer les micro-ondes près des tables – préparer la cassette et l'appareil pour mettre une musique calme à la fin du repas – etc.	Établir avec les enfants les consignes d'un bon fonctionnement et leur faire réaliser des affiches faisant la promotion des comportements attendus : se laver les mains avant le repas, jeter ses déchets, etc.
PENDANT LE REPAS	Désigner un responsable par table pour voir à la propreté, demeurer près des enfants le plus possible en diminuant le nombre de va-et-vient.	Utiliser un indicateur de bruit (couleur, geste, affiche, etc.). Recourir à une chanson pour annoncer le début du repas, mettre de la musique calme à la fin du repas, etc. S'adresser aux enfants avec une voix posée et avec le sourire.
APRÈS LE REPAS	Faire choisir des jeux parallèles tranquilles aux enfants qui ont terminé de manger, autres que la télévision.	Animer un jeu amusant pour ralentir le déplacement : les enfants sortent du local en utilisant un code secret en complicité avec l'éducatrice.

On peut concevoir un outil de planification sur mesure pour avoir une idée plus précise d'une situation problématique afin d'envisager des solutions possibles.

Il faut mettre du temps et de l'énergie pour planifier les activités de routine et de transition, mais on y gagnera en ayant moins d'interventions disciplinaires à faire, en prévenant les situations difficiles, en réfléchissant autrement que dans le feu de l'action ou en prévoyant des façons de susciter la collaboration des enfants.

Précisons que dans toute planification subsiste une part d'imprévisible qu'il est bon d'intégrer à la réalité. En effet, le défi de l'éducatrice consiste à atteindre un équilibre entre la planification et la spontanéité en tenant compte des besoins des enfants selon le contexte.

ACTIVITÉS ET MOYENS	Rangement		Déplacement		Rassemblement	
	Application	Résultats	Application	Résultats	Application	Résultats
Distribution de responsabilités						
Utilisation d'une marionnette						
Déroulement graduel						
Chanson ou comptine						
Avec un brin d'imagination						
Avec des indications visuelles						

Figure 2.1 Modèle de planification et d'analyse d'activités de transition

La planification des activités de routine et
de transition est primordiale dans toute
démarche éducative de qualité.

2.2   PRÉVENIR AVANT TOUT

On peut expliquer de bien des manières les problèmes qui
surviennent dans le déroulement des activités de routine et de transition.
Pour améliorer le fonctionnement existant, on doit d'abord examiner
la situation de près. Mentionnons d'emblée que le nombre élevé
d'enfants dans un espace donné est l'une des principales sources de
tension dont il faut tenir compte si l'on veut prévenir les problèmes.
« Plus le groupe est important, moins il y a d'apprentissages malgré le
nombre d'éducatrices réglementaire. » (Hendrick, p. 55)

Le recours à l'observation systématique – voir, décoder, analyser
– aide grandement à cerner les facteurs en cause dans une problématique
dans le but de planifier et d'appliquer un plan d'intervention approprié.

De plus, la réduction du changement de personnel, la mise en place de groupes stables d'enfants et le contrôle du bruit augmentent les chances de maintenir un bon climat pendant les activités de routine et de transition. Ce sont des conditions qui aident grandement à prévenir les situations difficiles. Mieux vaut prévenir que guérir!

Au lieu de réprimander sans cesse un enfant qui parle fort lors d'un rassemblement, on peut lui demander d'aller dans le «coin magique», le temps de retrouver sa petite voix; on prévient ainsi une recrudescence des mesures disciplinaires tout en aidant l'enfant à acquérir les comportements qu'on attend de lui. Le coin magique sert aussi d'endroit pour retrouver son sourire ou sa douceur.

2.3   ÉTABLIR UN HORAIRE QUOTIDIEN PRÉVISIBLE ET FLEXIBLE

Stabilité et constance doivent faire partie des moments de routine et de transition. Lorsque le déroulement des activités de la journée est prévisible, l'enfant arrive à mieux se situer dans le temps. Un horaire stable et appliqué de façon constante présente un double avantage: d'abord, celui d'assurer le déroulement complet des activités prévues, puis celui d'offrir une prévisibilité essentielle pour sécuriser les enfants, principalement ceux en bas âge.

Vers trois ans, l'intériorisation de l'horaire amène l'enfant à différencier les activités de routine et de transition des autres moments de la journée. Ainsi, l'enfant sera plus motivé et se dépêchera à s'habiller pour aller plus rapidement jouer dehors s'il connaît la séquence des tâches à faire; l'anticipation de ce qui s'en vient lui procure le sentiment de maîtriser les événements. Sans être immuable, un horaire typique sert à baliser les activités quotidiennes et permet en outre de faire connaître aux parents les grandes lignes d'une journée en services éducatifs. Les horaires qui suivent sont présentés à titre indicatif, car on ne doit pas oublier la souplesse, indispensable au bon déroulement des activités.

Exemple d'un horaire type en CPE (volet installation) et en garderie
avec un groupe d'enfants âgés de deux et trois ans
où est appliquée une pédagogie démocratique

		Routine	Transition
7 h	Arrivée graduelle des éducatrices.		✔
	Ouverture du service éducatif.		
	Arrivée progressive des enfants et des parents.		✔
	Déshabillage des enfants au vestiaire.	✔	
	Rassemblement dans un local en groupe multiâge.		✔
	Communication personnalisée avec les parents : état de santé de l'enfant, annonce d'une activité spéciale, conversation, etc.		
	Déjeuner facultatif des enfants selon l'entente établie entre le service éducatif et les parents.	✔	
	Jeux libres tranquilles qui ne nécessitent qu'un minimum de supervision pour permettre l'accueil des enfants et des parents. Matériel de jeu mis à la disposition des enfants.		
	Rangement avec la collaboration des enfants.		✔
8 h 45	Déplacement des enfants vers leur local avec leur éducatrice habituelle.		✔
	Rassemblement et distribution des tâches de la journée, tableau de la météo, s'il y a lieu. **Attention : cette activité ne doit être ni longue ni rigide et doit tenir compte avant tout de l'intérêt des enfants.**		✔
9 h	Lavage des mains. Routine des toilettes.	✔	
	Collation et causerie.	✔	
10 h	Application de la crème solaire en saison chaude et habillage.	✔	
	Jeux à l'extérieur ou à l'intérieur selon la température, activités en ateliers ou en petits groupes.		
11 h 30	Rangement avec la collaboration des enfants.		✔
	Rentrée, déshabillage.	✔	✔
	Routine des toilettes. Lavage des mains.	✔	
	Préparation pour le repas du midi.		✔
12 h	Repas de midi dans une ambiance détendue et conviviale avec la présence à table d'une éducatrice.	✔	

12 h 45	Nettoyage de la table et du plancher avec la participation des enfants.		✔
	Brossage des dents.	✔	
	Routine des toilettes.	✔	
	Lavage des mains et du visage.	✔	
	Installation du matériel nécessaire pour la sieste avec la participation des enfants.		✔
	Déshabillage partiel autonome (chaussettes, souliers et autres selon la saison).	✔	
	Jeux calmes solitaires ou à 2 au choix de l'enfant.		
	Rituel du début de la sieste : histoire, chanson, automassage.	✔	
13 h 15	Temps de la sieste dans une atmosphère agréable et relaxante. Surveillance constante de la part d'une ou deux éducatrices selon le nombre d'enfants. Notation d'informations et d'observations dans le cahier de bord de l'enfant et l'agenda de l'éducatrice.	✔	
14 h 15	Jeux calmes pour les enfants qui ne dorment pas.		
14 h 45	Lever graduel des enfants en respectant leur rythme propre.		✔
	Rhabillage autonome.	✔	
	Routine des toilettes.	✔	
	Rangement des matelas et des couvertures avec la participation des enfants.		✔
	Jeux libres au choix.		
15 h 15	Lavage des mains.	✔	
	Collation libre et causerie.	✔	
	Application de la crème solaire en saison chaude, habillage.	✔	
16 h	Activités en ateliers ou en petits groupes (à l'intérieur ou à l'extérieur).		
	Rassemblement graduel en groupe multiâge.		✔
	Arrivée graduelle des parents. Départ progressif des enfants et des éducatrices. Accueil personnalisé et chaleureux des parents.		✔
18 h 05	Fermeture du service éducatif (la présence d'au moins deux éducatrices est requise).		
En soirée	L'éducatrice en milieu familial peut planifier les derniers détails de sa journée du lendemain : préparation de la collation, du matériel, etc. Elle fait l'entretien des salles de toilettes et des pots d'entraînement.		

Exemple d'une journée en SGMS
avec un groupe d'enfants âgés de six et sept ans
où est appliquée une pédagogie démocratique

		Routine	Transition
	Matin		
	Ouverture du service de garde vers 7 h par une ou deux éducatrices.		✔
	Arrivée progressive des enfants. Rassemblement en groupe multiâge dans un local.		✔
	Rangement du sac à dos et des vêtements au vestiaire.		✔
	Rangement de la boîte à lunch au réfrigérateur (telle tablette pour les plats à chauffer, telle autre pour les plats froids).		✔
	Prise des présences. Jeux libres, achèvement d'une réalisation commencée la veille, etc.		
	Arrivée progressive des autres enfants et des éducatrices.		✔
	Répartition des enfants dans des locaux supplémentaires selon le nombre et l'âge.		
	Rangement en collaboration avec les enfants.		✔
	Habillage au vestiaire.	✔	
	Toilettes au besoin.	✔	
	Sortie à l'extérieur.		
	Les enseignantes prennent la relève cinq à dix minutes avant le début des classes.		
	Une éducatrice reste au SGMS pour accueillir les retardataires et ranger les locaux.		
	Midi		
	Accueil chaleureux des enfants.		✔
	Prise de présence graduelle.		
	Lavage des mains : très important.	✔	
	Dîner en groupe restreint dans différents locaux. Ambiance conviviale où l'éducatrice peut échanger calmement avec les enfants.	✔	
	Nettoyage et rangement en collaboration avec les enfants.		✔
	Brossage des dents idéalement.	✔	
	Habillage au vestiaire et déplacement.	✔	✔
	Jeux à l'extérieur.		

	Relais par les enseignantes de l'école.		
Il est important que le SGMS fasse une coupure avec le temps passé en classe.	**Fin d'après-midi** Accueil progressif et chaleureux des enfants. Prise graduelle des présences.		✔
	Lavage des mains.	✔	
	Collation prise dans une ambiance agréable.	✔	
	Habillage au vestiaire. Toilettes au besoin.	✔	
	Jeux à l'extérieur.		
	Retour à l'intérieur. Déshabillage au vestiaire.		✔
	Courte période de devoirs pour les enfants qui y sont inscrits.		
	Activités dirigées, projet, ateliers, etc.		
	Jeux libres.		
	Regroupement des enfants en multiâge.		✔
	Départ progressif des enfants, accueil chaleureux des parents. Échange convivial.		✔
	Fermeture du SGMS vers 18 h.		

On doit limiter le plus possible l'utilisation de la télévision en services éducatifs. La plupart des enfants passent déjà plus d'une vingtaine d'heures par semaine devant le petit écran à la maison, sans compter le temps considérable qu'ils consacrent à l'ordinateur et aux jeux électroniques.

Préparer d'avance le matériel nécessaire, réduire les périodes d'attente, éviter les activités qui rassemblent un grand nombre d'enfants à la fois et permettre aux enfants de commencer et de terminer les activités à leur rythme personnel en les autorisant, par exemple, à prendre leur collation au fur et à mesure qu'ils sont allés aux toilettes, sont autant de moyens qui aident à faire vivre les activités de routine et de transition en douceur et dans le calme.

Un tableau, bien à la vue des enfants, qui présente la séquence des activités d'une journée type à l'aide d'images, de dessins ou de photos placés horizontalement peut les aider à prévoir les activités de la journée.

Un calendrier affiché au mur peut également indiquer les visites de la stagiaire, les sorties et les événements spéciaux qui auront lieu durant le mois ou la semaine en cours. En étant bien informés, les enfants tout comme leurs parents se sentent davantage en confiance.

2.4 GARANTIR LA SÉCURITÉ DES ENFANTS

La sécurité avant tout est de mise lorsqu'on travaille avec des enfants. **On ne doit jamais rien tenir pour acquis, assurer une surveillance constante des enfants et être irréprochable en tout**

Des photos qui représentent les divers moments de la journée aident les enfants à mieux suivre le déroulement de la journée.

temps. C'est malheureux, mais la plupart des incidents et des accidents qui surviennent en services éducatifs auraient pu être évités. Il suffit d'un moment de distraction ou d'un oubli pour qu'un simple objet mal utilisé cause une blessure. La qualité de la surveillance est liée à la fréquence des blessures. Meilleure elle est, moins nombreux sont les accidents. Même s'il est vrai que les enfants doivent être éveillés à la prudence dès leur plus jeune âge, l'éducatrice demeure la première responsable de la sécurité en tout temps. Celle qui travaille dans des locaux partagés avec d'autres personnes, par exemple, comme en milieu familial ou en milieu scolaire, doit redoubler d'efforts pour garantir un lieu et des pratiques sécuritaires. On ne doit jamais compter totalement sur les autres pour veiller à la sécurité optimale des enfants. Pour transmettre les informations importantes à l'éducatrice qui prend la relève du groupe d'enfants, un

Un des rôles de l'éducatrice consiste à veiller à la sécurité physique des enfants.

cahier de notes est requis. On l'utilise de manière systématique soit pour
y écrire des faits et des renseignements qui concernent les enfants ou
pour prendre connaissance des dernières informations. L'éducatrice
vigilante fait souvent le dénombrement des enfants principalement lors
des déplacements, des sorties, des changements d'éducatrice et lors des
regroupements en fin de journée. Elle fait une vérification rigoureuse
des départs des enfants qu'elle laisse partir avec les personnes autorisées
seulement et s'assure qu'il n'y ait plus d'enfants laissés dans les locaux
ou les salles à dodo avant de procéder à la fermeture du service éducatif.
Notons que l'aménagement, le matériel, l'organisation des activités, le
contrôle du bruit s'avèrent tout aussi importants que la surveillance pour
assurer une protection judicieuse des enfants.

2.5   GÉRER LE TEMPS

L'une des responsabilités de l'éducatrice consiste à gérer le temps
de manière à ce que les enfants et les adultes ne se sentent pas bousculés
le plus souvent possible, sauf dans quelques situations inévitables qu'il
faut vivre de la meilleure façon qui soit.

L'éducatrice doit tenir compte du temps qui s'écoule lors des
activités de routine et de transition pour profiter au maximum de ces
moments privilégiés avec les enfants. Une simple montre devient un
outil de travail indispensable. En gérant bien son temps, elle sera plus
détendue et pourra aller vers les enfants plus effacés et établir une complicité avec ceux qui ont des besoins particuliers. Gérer le temps signifie aussi prendre le temps de parler aux enfants, de leur sourire et de
s'intéresser à eux. Or, cette recommandation suppose l'élimination de
contraintes, comme celle exigeant que les enfants prennent leur collation
en dix minutes seulement. En effet, il est préférable de commencer
l'activité un peu avant l'heure officielle afin de laisser la chance aux
enfants d'avoir du plaisir à manger et à échanger avec les pairs. Prévoir
un temps réaliste pour vivre les routines et les transitions demeure sans
aucun doute une condition essentielle pour faire de ces activités des
moments éducatifs.

2.6   ÉTABLIR UN ÉQUILIBRE ENTRE LE NOUVEAU ET L'ANCIEN

Mieux vaut éviter d'installer des changements trop fréquents ou trop rapides dans les habitudes de vie des enfants, particulièrement chez les tout-petits reconnus pour tenir à leur routine. On gagne à effectuer les changements graduellement, car les enfants risquent de ressentir de l'insécurité devant une transformation trop radicale. Quant aux plus vieux, ils se montrent plus ouverts à la nouveauté et aiment participer au processus de changement. En donnant des responsabilités simples aux enfants et en leur demandant leur avis, ils ont plus de chance de s'adapter rapidement au changement amorcé.

Pour apporter des transformations, il est préférable de procéder par étape après avoir établi les priorités. Il est plus sage de s'attaquer à un seul problème à la fois. Il faut savoir qu'on n'improvise pas de révolution en présence des enfants. En effet, une réflexion préalable s'impose avant d'instaurer tout changement substantiel dans une activité de routine ou de transition.

2.7   AMÉNAGER LES LIEUX

L'environnement physique d'un local ou d'une aire de jeu extérieure en dit long sur la qualité de vie d'un lieu. Chaleureux, stimulant, confortable, fonctionnel, voilà les qualificatifs que l'on devrait pouvoir utiliser pour décrire un service éducatif qui favorise l'approche démocratique. La proximité des installations sanitaires, l'aménagement par coins d'activités, la facilité d'accès aux casiers des enfants, un décor élaboré avec les enfants (décorations saisonnières, réalisations des enfants sur les murs sans toutefois surcharger les lieux), l'emplacement stratégique du vestiaire influent grandement sur le déroulement des activités. L'éclairage naturel doit être suffisant et possible à tamiser à volonté, la température ambiante ni trop chaude ni trop froide, et les murs, de couleurs pastel.

Idéalement, les fenêtres de chaque local devraient être ouvertes tous les jours et en toutes saisons pour assurer une bonne ventilation. Le personnel devrait faire vérifier la qualité de l'air de l'établissement lorsque les enfants et les travailleurs éprouvent régulièrement des symptômes tels maux de tête, étourdissements, irritation des yeux et de la gorge. (Pimento et Kernested, 2004)

Plus que tout, il faut penser à un environnement spatial qui limite les interventions disciplinaires ; par exemple, un banc placé dans la salle de toilette qui permet aux nombreux enfants de s'asseoir pour attendre leur tour et ainsi d'éviter la fatigue et les bousculades.

Dans chaque local du service éducatif, il est important de désigner les espaces avec des repères visuels qui permettent d'associer des activités à des lieux : un coin de psychomotricité avec des objets à tirer et à pousser, des chariots, un coin de détente avec des coussins confortables et des livres attrayants, un coin de rangement avec des tablettes et des crochets. Le tout doit être identifié clairement par des divisions – cloisons, séparateurs ou étagères – qui permettent également à l'éducatrice d'assurer une surveillance sécurisante pour les enfants. Une ligne de couleur fixée au sol ou un ruban à masquer peut s'avérer utile pour délimiter les coins. Plus le local comporte des divisions claires et fonctionnelles – aire de repos, aires de jeu, aire de rassemblement, tables et chaises pour les repas et les collations –, plus l'harmonie et le calme sont susceptibles d'y régner.

Les cloisons que l'on suggère pour diviser un local en aires distinctes ne doivent cependant pas empêcher l'éducatrice d'avoir une bonne vue d'ensemble du groupe d'enfants.

Une simple séparation entre le coin maison et le coin construction fait toute la différence dans le climat de jeu. Par ailleurs, une délimitation claire d'un coin de jeux dans une grande salle empêche l'éparpillement des enfants et du matériel. Pour contourner les cloisons basses, l'éducatrice ne doit pas les enjamber pour éviter de trébucher.

L'éducatrice doit faire preuve de souplesse en permettant aux enfants de transporter du matériel d'un endroit à l'autre du local pour réaliser certaines activités ; par exemple, les déguisements du coin des jeux de rôles qui se retrouveraient dans le coin cuisine pour simuler une sortie au restaurant. Si la polyvalence des objets de jeux est souhaitable sur le plan pédagogique, elle n'exclut en rien l'importance de ranger les jouets de manière systématique en temps opportun.

Des étagères basses avec des contenants faciles à repérer aident l'enfant à développer son autonomie.

Des étagères basses, stables et d'une hauteur maximale d'un mètre en petite enfance, des pochettes ou des tableaux pour prendre et remettre aisément des objets, des modules de rangement sur roulettes pour les SGMS, des armoires à tablettes amovibles permettent aux enfants de prendre ce dont ils ont besoin, ce qui les aide à développer leur autonomie. Au contraire, un espace vaste et ouvert sans matériel accessible aux enfants risque d'engendrer de l'ennui et de la dépendance ; un lieu encombré d'objets de jeu entrave la circulation et prédispose les enfants à la confusion et à l'agitation, en plus de constituer un danger de chute. Bien que les lieux puissent paraître en désordre lors des périodes de jeu, un rangement ultérieur permettra de remettre un minimum d'ordre dans le local ; en retournant le matériel à sa place habituelle, les enfants le retrouveront plus aisément.

Un bon aménagement spatial ne se fait pas sans la responsabilisation des enfants ; ceux-ci doivent prendre soin de leur environnement et en être fiers. Pour ce faire, l'éducatrice amène les enfants à s'y reconnaître. Autant que possible, établir avec eux les règles de fonctionnement et d'ordre et les afficher à la vue de tous. Par exemple, le plan détaillé de la sieste apposé près de l'armoire des matelas sera très utile à la remplaçante et aux enfants qui fréquentent la garderie occasionnellement. Une petite note sur le placard précisera quels objets doivent être rangés à cet endroit alors que des photos des jouets sur les étagères indiqueront leur emplacement.

Pour créer des espaces de jeux où les enfants se sentent bien, il est nécessaire de mettre à leur disposition du matériel et de l'équipement adaptés à leur besoin de développement global, sur le plan physique et moteur, intellectuel, langagier, socioaffectif et moral.

> Il est très important de placer les besoins réels de l'enfant au cœur même de l'organisation et de l'aménagement des lieux. Le respect des enfants passe inévitablement par l'observation attentive de leurs réactions verbales et non verbales, et par l'application des moyens qui en tiennent compte.

Nous n'insisterons jamais trop sur l'importance de mettre à la portée des enfants un coin douillet séparé des aires bruyantes qu'on rend accessible au moins pendant une partie de la journée. Il importe

Les enfants apprécient de pouvoir se retirer temporairement du groupe dans un coin tranquille.

que cet espace soit offert autant à l'intérieur qu'à l'extérieur et qu'il soit différent de celui qui est utilisé pour la sieste ou la relaxation. Vu comme un espace de décompression, ce lieu est utile pour prévenir l'accumulation de tensions inhérentes à la vie de groupe. Un meuble rembourré comme un petit divan ou un fauteuil sac, des coussins où les enfants peuvent flâner, s'étendre seul ou encore jouer tranquillement sans l'intrusion des pairs, une carpette douce, des objets en peluche ou une cloison transparente deviennent un attrait pour cette aire de détente qui doit évidemment demeurer propre et sécuritaire.

Ordre (mais sans impression de perfection), sécurité, propreté, utilité, contrôle du bruit, attrait et confort caractérisent un bon espace de vie en services éducatifs.

2.8   CONTRÔLER LE BRUIT

Il est important de mettre en place un aménagement limitant le bruit, car on sait qu'un niveau sonore élevé engendre des difficultés de concentration et de l'irritabilité qui dégénèrent souvent en troubles de l'attention et du comportement. Les propriétés acoustiques des matériaux et l'architecture des lieux demeurent les mesures les plus efficaces pour contrer le niveau de bruit en services éducatifs. Parmi les moyens à prendre pour absorber le son, il y a l'utilisation de matériaux poreux, tels du liège fixé sur les armoires en métal, des carpettes, des balles de tennis sous les pieds des chaises et des tables, des banderoles décoratives de tissu fixées au plafond haut, un petit tapis sous les blocs de construction, un recouvrement en tapis de gazon sur une surface où les enfants font rouler des petites autos. L'élimination des jouets sonores à piles, le choix de petits véhicules avec roues en caoutchouc représentent d'autres façons de réduire le bruit. Les adultes, qui sont généralement plus posés que les enfants, sont portés à trop restreindre les mouvements et l'expression vocale de ceux-ci. Mais cette façon de faire n'est pas idéale avec des enfants en plein développement et qui apprennent à parler. On peut leur demander de pousser leur chaise lentement, de chuchoter ou de s'excuser lorsqu'ils sont à l'origine de bruits dérangeants, mais non d'éliminer leur spontanéité. Bien qu'elles soient valables, ces mesures ne sont que des solutions partielles au problème général du bruit.

La revue *Sans pépins* publiée par l'ASTSASS présente plusieurs moyens de réduire les bruit dans les services éducatifs. Consulter aussi leur document *Réduire le bruit dans les services de garde – Solutions acoustiques* (www.astsass.qc.ca).

On s'habitue à se rapprocher d'un enfant à qui on veut parler au lieu de l'interpeller à distance. Et on amène les enfants à faire de même. Il y a aussi le nombre d'enfants dans un même lieu qu'il faut réduire le plus possible. Quant à la musique de fond qui se fait entendre pendant plus de 10 minutes, elle ne fait qu'augmenter le niveau de bruit ambiant, en plus de rendre la conversation difficile. C'est à éviter. La musique qui joue doit faire l'objet d'une activité : danser, chanter, écouter attentivement, rythmer, mimer. Si un enfant souhaite écouter de la musique ou une histoire plus longtemps, il le fera avec des écouteurs pour réduire le bruit ambiant. Encore faut-il réduire le volume de l'appareil pour éviter une fatigue auditive chez l'auditeur.

Pour diminuer le bruit, il faut s'attaquer aux causes premières du problème : nombre élevé d'enfants au même endroit, espace ouvert sans cloisons, absence de matériaux poreux, diffusion prolongée de musique de fond, voix élevées et interventions à distance.

Plus il y a de bruits dans un local ou au vestiaire, plus nombreuses et intenses sont généralement les interventions disciplinaires. C'est bien connu, le bruit élevé de longue durée augmente le niveau de stress, ce qui ne fait qu'accroître le niveau de décibels. Et le stress nous porte à être plus bruyant. Par conséquent, l'effet cumulatif du bruit et du stress occasionne bon nombre de comportements inappropriés tant chez l'éducatrice que chez les enfants. Bref, il vaut la peine de de diminuer le bruit en services éducatifs pour améliorer la qualité de vie quotidienne.

Des balles de tennis placées sous les pieds des chaises réduisent considérablement le bruit.

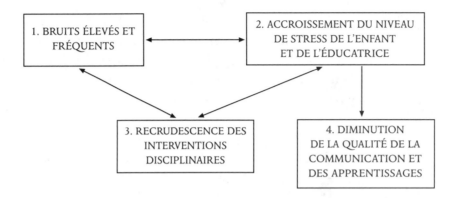

Figure 2.2 L'incidence du bruit en services éducatifs

2.9   RÉDUIRE LES ATTENTES, LES RASSEMBLEMENTS ET LES DÉPLACEMENTS

Les enfants n'aiment pas attendre et encore moins le faire en gardant le silence. De plus, plusieurs n'ont pas appris à attendre dans la vie familiale, car les parents répondent rapidement à leurs besoins. On sait très bien que des enfants qui attendent sans rien faire s'ennuient et trouvent vite le moyen de s'occuper en prenant les pairs comme objets de stimulation et de distraction. Puisque les temps d'attente constituent une source de tensions, on doit les réduire le plus possible. Une des façons de contourner les effets négatifs engendrés par les attentes, par exemple l'irritabilité, l'agitation et la frustration, est d'amener les enfants à participer à des petites tâches selon leurs capacités. Une éducatrice qui fait tout pendant que les enfants attendent risque d'avoir à multiplier les interventions disciplinaires pour limiter la turbulence. En outre, pour les enfants n'ayant pas la même notion temporelle que les adultes, cinq minutes d'attente peuvent sembler interminables.

Lorsque les toilettes et les lavabos sont éloignés du local, des attentes et des délais sont parfois imposés aux enfants. Dès qu'ils le peuvent, on envoie les enfants seuls aux toilettes tout en assurant un minimum de surveillance. Pour ne pas les faire attendre inutilement pendant que les autres finissent de s'habiller, on tente de réduire les déplacements en grand groupe. Pour ce faire, on se déplace en petits groupes en partageant la surveillance des enfants avec une autre éducatrice. Aussi, on fait rentrer graduellement les enfants de l'extérieur, ce qui a pour effet de limiter le bruit et les frustrations.

Parce qu'elles occasionnent bousculades, tensions et bruits, on recommande de réduire les situations où les enfants doivent agir tous en même temps. Faire la queue avec 10 enfants qui doivent se laver les mains au même lavabo risque d'engendrer de l'agitation et de l'agressivité au sein du groupe. Les enfants comme les adultes ont besoin d'un minimum d'espace vital et de calme pour développer de bonnes habiletés sociales.

2.10 FAIRE PARTICIPER LES ENFANTS

En partageant les tâches avec les enfants lorsque la situation le permet, l'éducatrice peut alors accorder un peu d'attention à chacun d'eux. En leur permettant de participer à des tâches adaptées à leurs capacités, comme distribuer du matériel, passer le balai après le dîner ou être l'aide-éducatrice, les enfants acquièrent un sentiment de compétence et d'estime de soi indispensable à l'épanouissement de leur personnalité. Selon Hendrick (p. 239), « la source de valorisation la plus souhaitable ne viendra pas des félicitations de l'éducateur, mais bien des compétences que l'enfant acquerra lui-même ». Se savoir capable d'accomplir une tâche procure une satisfaction intérieure incontestablement supérieure à l'approbation extérieure des autres. Se sentir utile, développer le sens du partage et l'esprit d'entraide, exercer un certain contrôle sur son environnement font partie des bienfaits retirés de la participation aux tâches.

Bien que les enfants actifs aient besoin d'être occupés, il ne faudrait pas pour autant négliger de faire participer les plus tranquilles. Les uns comme les autres cherchent, de manière différente, à être vus et reconnus. Tous les enfants ont besoin d'être valorisés en participant aux tâches quotidiennes.

Un système d'attribution des tâches est un bon moyen de répartir les petits travaux inhérents à la vie de groupe. Le choix des enfants peut se faire soit sur une base volontaire, soit à l'aide d'un tableau de tâches, ou bien par tirage au sort.

Grâce à un tableau avec photos et pictogrammes, les tâches peuvent être distribuées équitablement parmi les enfants.

« JE M'EN CHARGE »

Être l'aide-éducatrice (mettre une image ou une photo) *nom de l'enfant*	Être le chef du train (mettre une image ou une photo) *nom de l'enfant*	Passer le balai (mettre une image ou une photo) *nom de l'enfant*	Laver la table (mettre une image ou une photo) *nom de l'enfant*
Tenir la porte (mettre une image ou une photo) *nom de l'enfant*	Éteindre les lumières (mettre une image ou une photo) *nom de l'enfant*	Distribuer la vaisselle (mettre une image ou une photo) *nom de l'enfant*	Distribuer les ustensiles (mettre une image ou une photo) *nom de l'enfant*

Figure 2.3 Exemple de tâches destinées à des enfants de 4 et 5 ans

N.B. Laisser des cases libres pour ajouter des tâches au besoin : distribuer les débarbouillettes à la fin du dîner, présenter les ateliers, superviser le rangement, relever les stores après la sieste, actionner le lecteur CD, être la queue du train, etc.

2.11 OFFRIR DES CHOIX

La pédagogie démocratique préconise la possibilité de faire des choix. Il convient donc d'amener les enfants à sélectionner une tâche ou une partie de tâche parmi un ensemble offert. Un tableau de tâches, une proposition, une alternative peuvent les aider à entreprendre l'activité de routine et transition. « Quelle tâche veux-tu choisir, Lee-Ann ? » « C'est le temps de te laver les mains, David. De quelle façon veux-tu te rendre au lavabo ? » « Pour t'habiller Jason, quel vêtement vas-tu mettre en premier ? »

La collaboration des enfants augmente lorsqu'ils sont conscients d'avoir une place et un pouvoir sur le déroulement des activités. On sait très bien qu'un enfant de deux ans peut avoir de la difficulté à se soumettre à des règles établies, à tolérer des contraintes ; un des moyens de l'aider est de lui donner la possibilité de faire des choix, si minimes soient-ils. « Veux-tu t'asseoir tout seul ou veux-tu que je t'aide ? » « Veux-tu boire ton lait avant ou après ton dessert ? » « Tu ranges ta doudou maintenant ou lorsque la minuterie va sonner ? » Ainsi, à l'aide de quelques astuces, on parvient à susciter une meilleure collaboration des enfants. Avec les enfants plus âgés, l'éducatrice peut recourir à des questions ouvertes pour les amener à résoudre des problèmes : « Comment pourrais-tu t'y prendre pour arriver à sortir dehors en même temps que tout le monde ? » « Que pourrais-tu faire pour faire mousser le savon avant de rincer tes mains ? »

> Attention à ne pas offrir de faux choix à l'enfant : « Est-ce que tu veux t'habiller ? Est-ce que tu vas ranger ? » Si l'on souhaite voir l'enfant acquiescer à notre demande, il faut éviter l'ambiguïté en formulant des consignes claires : « Habille-toi, on s'en va dehors. » « Tu dois ranger maintenant. »

Même si la possibilité de choix est le plus souvent souhaitable, il arrive que l'éducatrice doive la restreindre. Par exemple, lorsqu'un enfant refuse de se laver les mains avant de manger. Puisque cette exigence n'est pas négociable, l'éducatrice devra calmement rappeler à l'enfant qu'il mangera dès qu'il aura lavé ses mains.

2.12 MONTER UNE BANQUE D'IDÉES DE JEUX À ANIMER

Des activités, nous en connaissons tous. Des activités pour agrémenter les moments de routine ou de transition, nous en connaissons généralement un peu moins ou celles qu'on utilise sont dépassées ou insuffisantes pour continuer à capter l'attention des enfants. Des trucs permettant de transformer une idée simple en une activité intéressante, d'ajouter du piquant aux soins d'hygiène, nous n'en connaissons jamais trop. Il n'existe aucun moyen magique lorsqu'on travaille avec des enfants. Toutefois, on peut transformer des expériences de routine et de transition en interventions déterminantes et satisfaisantes en recourant à de petits jeux animés. On trouvera plusieurs suggestions dans les quatrième et cinquième parties de ce livre pour renouveller ou rafraîchir les stratégies existantes.

L'éducatrice gagnera à développer au fil du temps un vaste répertoire de jeux donnant lieu à des situations d'animation variées. Un coffre à outils pédagogiques, de minimallettes thématiques garnies de différents objets et accessoires pouvant servir de déclencheurs valent leur pesant d'or en matière de potentiel d'amusement pour les nombreuses minutes passées à vivre les routines et les transitions. Si on les rassemble dans un fichier ou un cartable, les idées d'animation seront beaucoup plus faciles à utiliser. On peut noter ses observations sur les goûts des enfants et y donner suite au moment opportun. La remplaçante pourra consulter ce document de référence pour assurer un suivi auprès du groupe d'enfants.

2.13   ASSURER UNE CONSTANCE

Donner les mêmes consignes pour les mêmes tâches, rappeler les mêmes directives d'une fois à l'autre, reprendre les mêmes étapes pour une activité similaire s'avère essentiel au bon déroulement des activités. De cette façon, l'enfant sait ce qu'on attend de lui, il se sent sécurisé et collabore davantage aux tâches qu'on lui confie, en plus de faire de meilleurs apprentissages. Ce qui vaut davantage pour les plus petits qui ont un grand besoin de stabilité et de constance sur le plan de l'horaire, des consignes et de la présence de ceux qui veillent sur lui. Bien sûr, dans certaines situations la souplesse est souhaitable. En observant bien les réactions des enfants, on peut juger de la meilleure approche qui soit pour leur mieux-être.

2.14   PRÉVOIR LA FIN DES ACTIVITÉS

Dans l'horaire, on recommande de prévoir cinq ou dix minutes pour amorcer la fin d'une activité en avertissant les enfants du changement et en annonçant ce qui s'en vient : « C'est l'heure de ranger car on va aller jouer dehors avant le dîner. » On peut annoncer la fin imminente d'une activité par un signal sonore comme une chanson, une petite clochette, les sons cristallins d'une petite boîte à musique ou une minuterie avec un son agréable. Comme procédé, il y a aussi le décompte. Par exemple, 5, 4, 3, 2, 1, c'est fini ! ou une suite de sons : le premier tintement du triangle annonce la fin prochaine de l'activité, le deuxième, le début du rangement et le troisième, la fin du rangement. Ou, lorsque cesseront les sons du bâton de pluie, ce sera le temps de s'allonger sur le matelas. On peut aussi utiliser un signal visuel comme une banderole colorée que l'on agite dans les airs. Ces moyens offrent l'avantage de donner des consignes claires sans toujours avoir à parler.

L'éducatrice peut profiter de la fin des activités pour susciter l'intérêt pour l'activité suivante : « Je me demande bien si les petites hirondelles qu'on a vues hier sont encore dans l'arbre de la cour aujourd'hui. On va aller voir ; mais avant, on va s'habiller. » On peut demander aux enfants de reconnaître l'activité qui s'en vient par une question : « Que fait-on habituellement après la période au gymnase ? » Rappeler aux enfants qui connaissent l'heure de regarder l'horloge les incite à agir par eux-mêmes. « Si tu regardes l'heure, tu verras à quelle activité tu dois te préparer maintenant. »

Une affiche avec des photos ou des dessins illustrant les divers moments prévus à l'horaire a l'avantage d'aider les enfants à anticiper les activités. « Regarde sur l'affiche, Deborah ; tu peux voir ce que tu dois faire quand tu as terminé ton dessin. »

2.15   CONSIDÉRER L'ENFANT ET LE CONTEXTE

Il incombe à l'éducatrice de comprendre le développement de l'enfant, les principes qui gouvernent sa mémoire, de même que son type de personnalité quand il s'agit d'aider les enfants à adopter de nouveaux comportements ou de nouvelles habiletés. On sait que l'enfant apprend par essais et erreurs. C'est au terme de nombreuses répétitions que se construisent ses compétences. Ainsi, l'éducatrice l'amène à découvrir son milieu de vie et à se découvrir lui-même.

L'éducatrice doit avoir des attentes réalistes et raisonnables face aux apprentissages et aux comportements de l'enfant. Un enfant nouvellement arrivé dans un groupe aura peut-être de la difficulté à s'endormir à la sieste. L'éducatrice devra alors être compréhensive et l'accompagner dans les nouvelles habitudes à acquérir. De même, l'éducatrice n'aura pas les mêmes exigences pour un enfant âgé d'à peine trois ans que pour celui qui a presque quatre ans quant à la vitesse d'exécution pour se vêtir. Aussi, elle devrait avoir à répéter moins souvent les consignes à un enfant de huit ans qu'à un tout-petit. De même, elle tiendra compte de l'état de santé d'un enfant avant de l'inciter à manger davantage. Pensons également aux événements comme l'approche de Noël ou la veille d'une longue fin de semaine de congé qui sont générateurs de tensions chez les enfants, et que l'éducatrice doit prendre en considération pour mieux intervenir. Bref, l'éducatrice démocratique fait preuve d'une plus grande tolérance face aux perturbations inévitables des enfants qui surgissent lors des périodes de changement.

L'éducatrice tient compte des particularités
de chaque enfant dans l'organisation des
activités.

Il y a de nombreux facteurs extérieurs avec lesquels l'éducatrice
doit composer: milieu bilingue, petit ou gros service éducatif, groupe
multiâge, groupe homogène, présence d'enfants ayant des besoins particuliers (enfants trisomiques, hémophiles, diabétiques, hyperactifs),
exigences du conseil d'administration ou du conseil d'établissement,
demandes des parents utilisateurs, requêtes des enseignantes et des
membres de la direction envers le SGMS (ne pas parler dans les corridors, ne pas utiliser tel local). Comme on peut le constater, la capacité
d'adaptation et de discernement ainsi que la débrouillardise de
l'éducatrice se trouvent constamment sollicitées par les nombreux
éléments qu'elle doit prendre en considération.

2.16   ANALYSER LES RÉUSSITES ET LES DIFFICULTÉS

L'éducatrice avertie est sans cesse appelée à poser un regard critique sur les gestes qu'elle pose et sur les situations problématiques qui surviennent inévitablement dans sa profession. Quand rien ne va plus, l'éducatrice reçoit le signal de s'arrêter pour réfléchir à la situation. Parfois, cet exercice s'effectue rapidement et permet d'apporter les changements qui s'imposent au fur et à mesure que les problèmes apparaissent. En effet, elle prend conscience qu'il vaut mieux servir le repas 15 minutes plus tôt, faire le lever graduellement après la sieste, offrir de courtes activités parallèles au brossage des dents. Par ailleurs, des échanges entre collègues ou une évaluation écrite s'avèrent nécessaires pour analyser clairement les problèmes plus importants. On peut aussi demander aux enfants d'âge préscolaire ou d'âge scolaire de proposer des solutions ; ils ont souvent de bonnes idées qui les amènent à participer à la résolution d'une difficulté. Prenons, par exemple, la période des toilettes comme situation problématique et analysons-la afin d'y trouver des solutions viables. Il s'agit ici d'un groupe double d'enfants de 4 et 5 ans, en CPE installation ou en garderie.

Tableau 2.2   **Analyse d'une situation problématique vécue
par deux groupes d'enfants de 4 et 5 ans
en CPE installation ou en garderie**

Description d'une situation problématique	Effets observés	Application de solutions	Effets envisageables
Après la période de jeux extérieurs et avant le repas de midi, les 19 enfants du groupe double se rassemblent pour entrer à l'intérieur. Ils doivent aller aux toilettes et se laver les mains. Pour ce faire, ils attendent leur tour à la queue leu leu.	Les enfants se bousculent dans le rang. Plusieurs d'entre eux montrent des signes d'impatience sans doute dus à la faim et à la fatigue (normale à ce moment de la journée). Certains se tiraillent en se taquinant mutuellement. Une simple plaisanterie tourne en moquerie et un enfant se met à pleurer. Les éducatrices haussent le ton pour demander le calme aux enfants. Le bruit et l'agitation augmentent.	Faire rentrer les enfants graduellement à l'intérieur. Une éducatrice surveille les enfants au vestiaire et aux toilettes alors que l'autre joue encore un peu dehors avec le reste du groupe. Au fur et à mesure que les enfants ont terminé leur routine d'hygiène, ils prennent un livre et s'assoient à la table. Les éducatrices parlent aux enfants avec calme. Elles s'approchent d'eux et évitent d'intervenir à distance.	Avec moins d'enfants attroupés au vestiaire et aux toilettes, il y a moins de bousculades. Avec moins d'attente passive, les risques de désorganisation diminuent. Avec moins d'enfants à surveiller au même endroit, les éducatrices ont plus de temps pour interagir positivement avec chacun d'eux. Il y a beaucoup moins d'interventions négatives à faire. L'atmosphère générale est plus détendue et le déroulement des activités, plus efficace.

Pour arriver à analyser une situation problématique, pour comprendre les raisons qui motivent certains enfants à accepter ou à rejeter une activité ou refusent d'adopter un comportement demandé, on doit se poser des questions en rapport avec :

- le **choix du moment** (les veilles de fins de semaine ou de vacances sont à éviter pour expérimenter une nouvelle procédure);

- nos propres **dispositions personnelles** (lorsqu'on est fatigué, il est préférable de s'en tenir à la routine habituelle);

- l'**humeur générale et la disposition des enfants** (une excitation généralisée au vestiaire est normale lors de la première bordée de neige);

- la **familiarité avec l'approche utilisée** (puisque les enfants aiment entendre l'adulte chanter, la chanson a une fois de plus réussi à les occuper pendant l'attente);

- le **déroulement d'ensemble** (trop lent ou trop vite ou encore certaines étapes ont été escamotées, ce qui a entraîné un début de sieste chaotique);

- le **niveau de difficulté** (trop facile ou trop difficile; les plus vieux ont aimé le nouveau défi proposé alors que les plus petits ont vite abandonné);

- l'**intérêt** pour le thème suggéré (puisque les dinosaures et les animaux de la jungle font sensation auprès de tel groupe, la causerie sur le sujet a facilité le déroulement de la collation);

- les **habitudes** des enfants (c'est la première fois que les enfants sont appelés à utiliser leur imaginaire pour se déplacer du local au vestiaire, il est normal qu'ils soient plus excités).

Remettre en question les façons de faire du service éducatif est plus qu'important. Il arrive qu'on agisse de telle manière parce que l'habitude est installée depuis longtemps alors que les raisons qui ont justifié au départ l'instauration des règles ne valent plus. L'amorce et le maintien d'un processus de transformation sont souvent exigeants. Comme tout le monde, les éducatrices préfèrent garder leurs bonnes vieilles habitudes et repousser les changements pour diverses raisons:

la peur de l'inconnu, le manque de motivation et de connaissances, l'absence de solidarité dans l'équipe, la rareté des réunions pour discuter de problèmes. En fait, mille et un prétextes viennent saboter leur pouvoir de changement ; en voici quelques-uns :

« C't'impossible à faire. »

« Ça peut pas marcher. J'en suis convaincue ! »

« Ça ne s'est jamais fait auparavant ! »

« Je n'ai pas le temps de m'occuper de ça ! »

« C'est bien trop compliqué ! »

« On s'occupera de ça une autre année ! »

« Vous rêvez en couleurs ! »

« À quoi bon, on n'en sera pas plus apprécié après ça ! »

« J'y croirai quand ce sera fait ! »

S'il s'avère souvent difficile de procéder à des changements, les effets positifs recueillis compensent largement les efforts investis. Geste par geste, l'éducatrice amorce le changement qui révèle petit à petit ses bons côtés. L'éducatrice démocratique sait qu'elle fait aussi partie des solutions d'un problème.

2.17   DONNER DES CONSIGNES VERBALES CLAIRES

Il arrive souvent qu'on utilise des formulations qui demandent aux enfants s'ils ont le goût ou non de faire ce qu'on attend d'eux : « Voulez-vous ranger les jouets ? » « Est-ce que tu veux te calmer s'il te plaît ? » Ce sont de **fausses consignes** qui laissent un choix à l'enfant alors qu'en fait on ne souhaite pas le voir rejeter notre requête. Il ne faut pas hésiter à recourir gentiment à la forme impérative pour faire des demandes claires. « Range le camion, Gaëlle. » « J'aimerais bien que tu te calmes. » Donner un ordre à un enfant n'est pas mauvais en soi. Ou peut le faire en prenant un ton de voix à la fois posé et convaincant. Quant à la formulation positive des consignes, elle a l'avantage d'insister sur les comportements attendus tout en affaiblissant les restrictions. Dire aux enfants ce qu'ils doivent faire au lieu de ce qu'ils ne doivent pas faire constitue la meilleure façon de se faire comprendre. On optera donc pour: «Laisse la nourriture dans ton assiette ou mets-la dans ta bouche» au lieu de «Arrête de mettre la nourriture par terre». On apporte ainsi plus de clarté à la consigne énoncée.

Le respect des règles passe également par l'utilisation de termes simples et concis, adaptés au niveau de compréhension des enfants. Demander à un enfant de deux ans de parler moins fort sera sans doute plus compréhensible pour lui que de lui dire: «Baisse le volume s'il te plaît» ou encore «Le ton de ta voix est trop élevé». Lui demander tout simplement de parler doucement en donnant soi-même le bon exemple vaut probablement mieux que bien d'autres tactiques. La consigne «se comporter comme un grand» dans la cour semble claire pour un adulte, alors que, pour un enfant d'âge préscolaire, elle peut demeurer ambiguë. Que veut-on signifier au juste à un enfant lorsqu'on lui demande de se conduire comme un grand? De jouer calmement? De prendre soin du matériel de jeu? De rester à l'intérieur de la zone permise? Il vaut mieux formuler les consignes de manière univoque en s'assurant d'utiliser des termes familiers, affirmatifs, en nombre limité et, bien sûr, avec un débit modéré: «Je veux que tu prennes un jeu que tu aimes et que tu restes dans la cour.» «Tiens ton verre avec tes deux mains.»

C'est un art que de faire des formulations exemptes d'ambiguïté: «Assois-toi sur tes fesses.» est une consigne plus susceptible d'être comprise par un enfant de 18 mois que de lui dire: «Ça fait dix fois que je te demande de t'asseoir comme du monde. Je commence à être tannée de répéter toujours la même chose.» Même lorsqu'on s'adresse à des enfants plus vieux, «On est dû pour un bon ménage» ne veut pas nécessairement dire de commencer à ramasser les jouets.

La clarté des consignes est un facteur important pour obtenir la collaboration des enfants. Pour obtenir un maximum d'efficacité, on peut demander à un enfant volontaire de présenter les consignes aux autres. Il sait parfois mieux que l'adulte faire comprendre un message à ses semblables. La vie de groupe amène souvent les enfants à se rappeler une règle entre eux : « Ce n'est pas permis de monter sur les chaises, c'est dangereux. Linda veut pas qu'on fasse ça. » L'éducatrice peut vérifier la compréhension d'une consigne disciplinaire en la reprenant par une question qui amène une réponse négative : « Est-ce que tu vas descendre l'escalier loin de la rampe ? » « Pouvez-vous crier dans le corridor ? »

Évitons également de faire des remarques désobligeantes aux enfants : « Ne me fais pas encore de crises. » « Arrête de te chicaner. Je suis tannée de t'entendre. » Disons plutôt aux enfants ce qu'on attend d'eux en termes clairs, précis et respectueux : « Va dans le coin détente pour retrouver ton calme. » « Que se passe-t-il ? Tu es fâché contre Loïc. Au lieu de crier, dis-lui que tu n'es pas content qu'il ait pris ta place. »

2.18 JOUER AVEC SA VOIX

Pour surprendre les enfants, rien de mieux que de changer spontanément d'intonations pour s'adresser à eux. Chuchoter, parler avec une voix de « petite souris », prendre une voix de robot ou celle d'un personnage de télévision constitue une façon agréable d'attirer l'attention des enfants. Ce procédé a l'avantage d'être utilisable en tout temps et en tout lieu. Les enfants aiment entendre les adultes jouer avec leur voix ; ils perçoivent là un jeu et du plaisir, qui sont beaucoup plus efficaces que les cris et les tons de voix autoritaires.

Si l'éducatrice doit crier souvent pour se faire obéir, c'est peut-être qu'elle a perdu le contrôle de ses émotions. Il s'agit là d'un signal d'alarme pour revoir ses attitudes professionnelles.

Une attitude calme, un ton ferme et convaincant donnent un bon coup de pouce à la discipline. Il ne sert à rien de « crier après » les enfants alors qu'on leur demande de rester en contrôle d'eux-mêmes. Un regard, une main posée sur l'épaule d'un enfant ou une attitude empreinte de conviction et de tact révèlent à eux seuls la volonté de l'éducatrice de faire respecter les règles qui doivent demeurer **raisonnables**, il va sans dire.

2.19   PASSER À L'ACTION

Il est préférable d'agir plutôt que de trop parler pour énoncer une nouvelle consigne ou pour présenter une activité. Un exemple ou une démonstration concrète permet une compréhension plus rapide que de longues explications. Les enfants comprennent davantage en imitant l'adulte qu'en conceptualisant son discours. Si une image vaut mille mots, une action en vaut tout autant pour eux. Quand on travaille auprès des jeunes enfants, il faut éviter de chercher à atteindre l'excellence et savoir passer à l'action sans tarder.

2.20   RÉDUIRE LES INTERVENTIONS À DISTANCE

Le bruit est souvent évoqué comme facteur de stress en services éducatifs. On n'a qu'à penser aux heures de pointe comme les repas en SGMS ou aux périodes de déplacement où les interventions fusent de toutes parts. « À qui ce plat à chauffer ? » « J'ai demandé de vous calmer. » « Attention, Maxime… Assois-toi. » En s'approchant des enfants pour leur parler, on limite le niveau sonore déjà très élevé en présence de plusieurs enfants. S'il existe plusieurs facteurs sur lesquels il est impossible d'agir, on peut par ailleurs, en contrôler d'autres, tels sa voix. On ne devrait hausser la voix pour s'adresser aux enfants seulement en de rares situations. C'est une règle que les enfants devraient aussi appliquer pour communiquer entre eux. Le plus souvent, on s'approche de la personne à qui l'on veut parler avant de s'adresser à elle avec une voix posée.

2.21   RECOURIR À L'IMAGINAIRE

Un service éducatif où il fait bon vivre est un milieu joyeux où on trouve sourires et rires en abondance. Pour éviter de tomber dans la monotonie de la routine, un brin de fantaisie permet d'agrémenter les activités de base. Puisque les enfants aiment naturellement jouer, il est facile de leur présenter régulièrement les routines et les transitions sous une forme amusante. Jouer au restaurant pendant la collation pour les amener à respecter les règles de politesse (dire merci et s'il vous plaît, rester calme, demeurer bien assis sur sa chaise) est certes plus intéressant que de leur rappeler froidement les consignes sans autre motivation que de les voir obéir. Donner l'impression aux enfants qu'ils sont en train de s'amuser même s'ils doivent déployer des efforts relève d'un art qui s'apprend. Un changement de voix (un accent italien, parisien, une voix robotique ou nasillarde), la création d'un personnage farfelu que l'on ressort à l'occasion, l'utilisation d'un plateau spécial pour servir les aliments, le port d'un tablier de serveuse procurent du plaisir qui compense largement pour les efforts déployés.

On sait que les enfants aiment participer au choix des activités. En ce sens, on peut les inviter à choisir un procédé ludique d'animation parmi ceux qu'ils connaissent déjà, quitte à leur rappeler, au besoin, ceux qui ont déjà été expérimentés. « Comment va-t-on faire notre routine de la collation aujourd'hui ? En jouant au restaurant ou en faisant les personnes muettes comme l'autre fois ? » « Vous souvenez-vous de ce qu'on a déjà fait avec Girouette la marionnette pour se brosser les dents ? » Pour faire passer un message sans problème, rien ne vaut l'imaginaire et la fantaisie : « J'aimerais entendre des souliers silencieux pendant qu'on se déplace jusqu'au vestiaire » ou : « Mettez votre petit doigt magique sur votre bouche pour marcher dans le couloir » ou bien : « On va se déplacer comme des détectives qui sont à la recherche d'indices suspects ».

Les enfants sont très attirés par les façons divertissantes d'accomplir les tâches même les plus banales. On peut utiliser une manière originale de présenter une consigne pour les stimuler à agir : « Je vais mettre mes lunettes bioniques pour regarder ceux qui tirent bien la chasse d'eau de la toilette. » « Qui peut stationner ce camion dans son garage ? » « Attention, j'appelle tous les experts du lavage des mains au lavabo. »

2.22   ÉVITER LA PERFECTION À TOUT PRIX

C'est une illusion de croire que l'on peut contrôler **tous** les comportements des enfants comme on le voudrait. En tant qu'éducatrice, il y a peut-être lieu de se demander si nos exigences envers les enfants sont vraiment utiles à leur développement ou si elles visent plutôt à répondre à un besoin personnel de contrôle. Tenir mordicus au silence complet lors d'un déplacement, par exemple, n'est pas indispensable au bon déroulement de cette transition. Il est plus réaliste de mettre en place un autre moyen plus efficace en incitant agréablement les enfants à collaborer aux moments de calme, et d'agir sans attendre la perfection absolue.

2.23   ATTIRER ET RÉORIENTER L'ATTENTION

On doit s'assurer d'avoir l'attention des enfants avant de leur transmettre une information. Dire : « Je veux avoir tous les yeux ici » ou prendre une voix intrigante qui suggère un brin de magie : « J'ai quelque chose d'important à vous dire. Approchez mesdames et messieurs. » Interpeller les enfants par leur prénom s'avère un bon moyen de capter leur attention. Un nez de clown attire le regard de même qu'un chapeau, une baguette magique ou des gants spéciaux. On peut circuler parmi les enfants pour les informer d'un message important.

Le fait d'opérer une diversion dans l'attention de l'enfant peut l'aider à interrompre un comportement dérangeant et peut l'amener à revenir au calme. « Allez, viens m'aider, Antoine, à sortir les débarbouillettes de l'armoire. » Dans des situations où un enfant rebelle est porté à s'entêter, à hésiter ou à s'opposer, on peut lui offrir des choix : « Préfères-tu que je t'aide à sortir ton matelas de l'armoire ou que je te laisse le faire seul ? » Le plus possible, il est préférable de ne pas tenir compte des agissements des enfants qui dérangent et d'insister plutôt sur leurs efforts. Cette astuce vaut surtout pour les plus jeunes alors qu'il vaut mieux amener les plus âgés à collaborer de leur propre chef. Avec un enfant qui refuse de tirer la chasse d'eau, on réoriente son attention :

« Montre-moi que tu es capable de bien tirer la chasse d'eau. » En faisant appel au langage, à la vue et à l'expérience concrète, on favorise une meilleure attention. Une image ou un geste constitue des ancrages supplémentaires à la consigne verbale et sollicite diverses parties du cerveau.

Plus un message s'adresse à l'ensemble du cerveau, plus il s'imprime ; par exemple, on mobilise davantage l'attention d'un enfant distrait si on lui touche délicatement l'épaule tout en lui parlant et en le regardant dans les yeux. (D. Beaulieu, p. 24)

2.24   FAIRE DU RENFORCEMENT POSITIF

Quel enfant n'aime pas voir souligner ses bons comportements ? « Bravo ! » « Super ! », « C'est bien… », un sourire, une main chaleureuse sur l'épaule sont des signes d'encouragement qui aident l'enfant à augmenter son estime personnelle, à poursuivre ses efforts. « Tu es allé jusqu'au bout. » « Tu peux être content de tes beaux efforts. » On évite cependant de tomber dans les compliments disproportionnés ou les exclamations automatiques.

« La loi du renforcement est un phénomène de la nature et le comportement de l'enfant n'y échappe pas. » (Beaulieu, p. 21) Indiquer aux enfants que nous apprécions leurs bons comportements est une façon de faire du renforcement positif. « Je suis contente que tu ranges avec les autres. » « J'aime ça quand on parle calmement pendant la collation. » De plus, les enfants sont sensibles au fait d'entendre leur nom dans un commentaire verbal, ce qui peut constituer un renforcement en soi. « Je vois, Mathieu, que tu sais bien ranger les camions. » « Wow ! Audrey-Ann, tu as entendu ce que je t'ai demandé. » En interpellant ainsi les enfants, ils se sentent davantage concernés que si l'on s'adresse à l'ensemble du groupe.

Remercier les enfants est une forme de renforcement qui caractérise l'adulte bienveillant. (Miller, p. 143) « Merci d'avoir nettoyé les pinceaux. On dirait qu'ils sont neufs. » Quant à la critique négative, on sait qu'elle paralyse la motivation des enfants : « T'as pas encore rangé tes affaires. Comment veux-tu que je te considère comme un grand si tu niaises comme ça ? » Certaines éducatrices semblent distribuer des réprimandes ou des punitions en fonction de leur humeur au lieu de se baser sur des règles équitables et constantes.

> L'éducatrice doit éviter d'utiliser de manière systématique le retrait d'un enfant pour un comportement jugé inacceptable. Faire « réfléchir » un enfant sur une chose constitue rarement un moyen efficace pour l'amener à adopter un comportement approprié. Il vaut mieux recourir à une approche qui englobe diverses stratégies, dont la remise en question de ses interventions.

La plupart des éducatrices se montrent particulièrement douées pour rendre la discipline plus humaine ; elles n'hésitent pas à souligner la bonne participation des enfants par des paroles encourageantes, des sourires d'approbation, des regards complices qui motivent les enfants à réussir ce qui leur est demandé. De plus, leurs actions démontrent un souci de cohérence et de congruence qui en fait des modèles inspirants pour les enfants. Si les enfants n'ont pas la permission de manger et de boire ailleurs qu'à table, l'éducatrice cohérente n'ira pas prendre son café devant eux ; si elle doit se mettre debout sur une chaise pour accrocher des dessins au mur, elle expliquera aux enfants pourquoi elle transgresse la règle de ne pas monter sur les chaises.

Dans certains contextes, l'octroi de privilèges s'ajoute aux bienfaits du renforcement verbal : être le premier à jouer à l'ordinateur, faire jouer le groupe à un jeu spécial, apporter un vidéo ou un jeu de la maison. Mais attention à ne pas en faire un usage inapproprié ou abusif, car les systèmes d'émulation (autocollants, bonhomme sourire à côté du nom de l'enfant, récompenses) sont souvent des moyens limités et efficaces à court terme seulement ; ils demeurent nettement insuffisants dans le contexte d'une approche démocratique. **Ce type de renforcement doit s'inscrire dans un plan d'intervention global où l'éducatrice recourt à diverses stratégies issues de la pédagogie démocratique**.

2.25   ÊTRE BIENVEILLANTE

« Ben voyons donc… Qu'est-ce que tu fais là ? Si t'arrêtes pas de bouger sur ton matelas, tu vas aller dormir avec les bébés. » Menace, humiliation, abus de pouvoir, cynisme n'ont pas leur place en éducation. Même si certaines situations ébranlent la patience de l'éducatrice, aucune ne justifie la perte de contrôle de ses émotions. Veiller au bien-être des enfants est une tâche exigeante qu'il faut effectuer avec respect et dévouement.

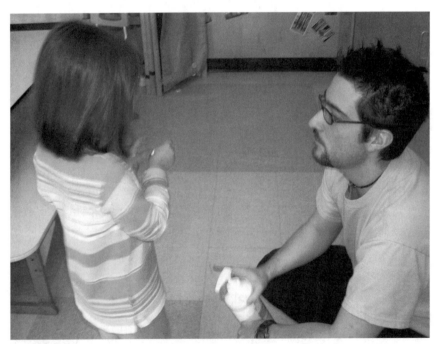

L'éducateur ou l'éducatrice démocratique invite les enfants à réfléchir au lieu de leur donner uniquement des directives.

2.26 ENCOURAGER L'AUTONOMIE DE LA PENSÉE

On peut être tenté d'accabler les enfants d'ordres, car beaucoup de situations s'y prêtent : « Tais-toi. » « Reste assis. » « Retourne à ta place. » « Ne cours pas. » « Lave tes mains tout de suite. » De tels commandements semblent avoir plus d'effets immédiats chez l'enfant que certaines autres techniques. Par ailleurs, ils suppriment tout raisonnement ; il est plus constructif pour son développement de l'amener à réfléchir. Poser des questions a l'avantage d'aider l'enfant à se rappeler les consignes habituelles : « Qu'est-ce que tu dois faire après être allé aux toilettes ? » « Comment vas-tu attacher ton manteau si tu mets tes mitaines tout de suite ? » « Qu'est-ce qui peut arriver si tu cours comme ça ? » « Écoute ce que Maya te dit... Qu'est-ce que tu dois faire quand elle te dit : "Je ne veux pas" ? » « Va voir sur le tableau de tâches ce que tu peux faire maintenant. » « Est-ce que c'est permis de mettre ton manteau par terre ? » La pédagogie démocratique doit favoriser chez l'enfant l'autoconstruction de sa pensée : « Regarde. » « Va voir sur l'affiche qui est au mur. » « Écoute attentivement ». « Penses-y bien. »

Les enfants se montreront plus accommodants si l'éducatrice prend la peine de faire des interventions qui les aident à apprendre. Ainsi, elle les aide à se construire comme personne à part entière.

2.27 FAIRE PREUVE DE PATIENCE ET DE PERSÉVÉRANCE

Quelle éducatrice n'a pas été tentée de baisser les bras devant l'entêtement d'un enfant ? Il n'est pas facile d'accepter qu'un enfant de deux ans manifeste de la résistance ou de l'indifférence face à un changement apporté dans une routine ou une transition. Il faut alors faire preuve de patience et de persévérance pour lui laisser le temps d'apprivoiser la nouveauté et pour passer de l'inconnu au connu. S'ils avaient l'habitude de se précipiter tous ensemble aux lavabos pour se laver les mains, les enfants trouveront sans doute difficile d'attendre leur tour depuis l'instauration d'un nouveau fonctionnement. On ne doit pas abandonner trop vite une nouvelle idée qui n'aurait pas rapidement donné l'effet escompté, car les enfants réussissent généralement vite à s'adapter et à surmonter leur réticence face à la nouveauté. À la condition de ne pas leur imposer un rythme trop rapide ou de les soumettre à trop de changements à la fois. Sans conteste, l'optimisme et la détermination de l'adulte favorisent la collaboration des enfants.

2.28   MONTRER DE LA SOUPLESSE

Permettre à l'enfant de regarder le jeu peut être aussi profitable pour lui sur le plan des apprentissages que d'y participer activement. Par exemple, regarder les autres chanter lors d'un rassemblement lui offre une excellente occasion de mémoriser les paroles. Évidemment, on aura avantage à évaluer le bien-fondé de ses interventions selon le cas. Somme toute, la souplesse demeure l'une des qualités essentielles de l'éducatrice démocratique.

2.29   CULTIVER LA BONNE HUMEUR

Là où l'on parle avec douceur, où l'on sourit, chante et rit, il fait bon vivre. Les enfants grandissent tellement mieux dans une ambiance où règnent une bonne humeur et un enthousiasme palpables. Utiliser l'humour, dédramatiser les situations non dramatiques font partie des astuces de l'éducatrice démocratique qui sait créer une ambiance chaleureuse.

2.30   ASSURER SON BIEN-ÊTRE EN TANT QU'ÉDUCATRICE

Même si les enfants demeurent la principale préoccupation des services éducatifs, la santé et la sécurité de celles qui s'en occupent, c'est-à-dire les éducatrices, doivent également faire l'objet de préoccupations des services éducatifs. Puisqu'elles passent elles aussi beaucoup de temps à vivre les activités de routine et de transition, les éducatrices ont droit à un aménagement et à un équipement appropriés ainsi qu'à des conditions de travail favorables à l'accomplissement de leur tâche.

Mais il faut s'assurer que le mobilier de l'adulte soit sécuritaire pour les enfants (Pimento et Kernested, 2004). Une chaise adaptée à la taille adulte pour être à l'aise à table, un fauteuil ergonomique pour s'asseoir au sol, des chariots pour transporter du matériel, des fenêtres faciles à ouvrir pour aérer le local après les collations, des temps de pause réguliers, une salle de repos agréable réservée aux membres du personnel, du soutien pédagogique de la part des gestionnaires, des ateliers de formation gratuits, du temps rémunéré pour préparer la programmation des activités, pour assister aux réunions d'équipe et animer les rencontres de parents ne sont que quelques-uns des moyens qui viennent concrètement en aide aux éducatrices. Puisqu'elles peuvent avoir une influence directe sur leur bien-être, les éducatrices doivent également revoir leurs façons de faire et d'être : postures ou mouvements néfastes pour le dos, attitudes négatives envers les parents, habitudes de travail pouvant mener à l'épuisement professionnel, désengagement face à l'équipe de travail.

Lorsqu'elles se sentent appréciées dans leur milieu de travail, les éducatrices sont davantage portées à donner le meilleur d'elles-mêmes dans l'accomplissement de leur tâche professionnelle. Étant plus motivées, elles sont encore plus désireuses de contribuer au développement de l'enfant en services éducatifs. Mais il ne faut pas oublier que les éducatrices elles-mêmes demeurent souvent les premiers agents de reconnaissance, de valorisation et d'amélioration de leur profession. Faire ses preuves comme professionnelles de l'enfance, posséder une formation de qualité, donner régulièrement des renseignements sur la nature de leur travail, participer à l'amélioration de leurs conditions de travail, mettre régulièrement à jour leurs connaissances et leurs compétences, être capable de s'autoévaluer, gérer son stress, se doter de politiques cohérentes et d'un code d'éthique sont autant de moyens qui permettent aux éducatrices de contribuer concrètement à leur bien-être professionnel.

Chapitre 3

L'hygiène

CONTENU DU CHAPITRE

L'hygiène est un des éléments importants au maintien de la santé physique des enfants. Les activités qui encouragent l'hygiène permettent de contribuer au renforcement du système immunitaire qui demeure immature durant les premières années de vie.

Dans ce chapitre, nous ferons référence au lavage des mains, au brossage des dents, à la routine des toilettes ainsi qu'au mouchage. Nous parlerons des mesures d'hygiène comme conditions essentielles pour prévenir les maladies infectieuses tels les gastroentérites, les rhumes et les conjonctivites.

3.1   LE LAVAGE DES MAINS

Si la pratique du lavage des mains doit être prise au sérieux, c'est qu'elle permet à elle seule de réduire jusqu'à 50 % les risques de contamination dus aux parasites, aux bactéries ou aux virus transmis indirectement par les personnes ou les objets. Des recherches en épidémiologie ont démontré que les mains s'avéraient les principales responsables de la transmission des infections (Larose, *La Santé des enfants*, p. 88). Par surcroît, l'opération « lavage des mains » participe concrètement au bien-être physique des enfants en réduisant les maladies causées par la contamination.

Le lavage des mains demeure le meilleur moyen qui soit de prévenir les infections dues aux bactéries, aux virus et aux parasites. La routine du lavage de mains doit faire l'objet d'une attention particulière de la part de l'éducatrice pour préserver la santé des enfants, dont le système immunitaire est encore immature.

Le personnel éducateur a un rôle considérable à jouer dans la prévention des maladies et le maintien de la santé des enfants. Aidés de l'adulte, les enfants peuvent acquérir de bonnes habitudes d'hygiène en apprenant, entre autres, à se laver les mains au bon moment et de la bonne façon.

A. L'équipement et le matériel

Tout d'abord, il faut s'assurer que les lavabos soient en nombre suffisant selon le nombre d'usagers. On recommande d'avoir au moins un lavabo pour 15 enfants, de préférence situé dans le local où se prennent les collations et les repas, et installé à la hauteur des enfants. Tous auront avantage à utiliser un lavabo ou un évier muni d'un robinet à commande unique plus facile à manier. Pour protéger le dos de l'éducatrice qui aurait à prendre une posture contraignante pour se laver les mains ou pour soulever un enfant, on conseille d'utiliser un lavabo de hauteur habituelle auquel on ajoute un marchepied rétractable (des petites marches antidérapantes) ou amovible sur lequel l'enfant peut monter par lui-même. Si l'éducatrice souhaite se servir du marchepied comme escabeau, elle doit le choisir très résistant soit en bois ou en métal et non en plastique. On conseille d'utiliser deux éviers ou lavabos, l'un qui est réservé aux tâches alimentaires et un autre, aux soins d'hygiène.

Pour des raisons de maniabilité et d'hygiène, on doit utiliser du savon liquide placé dans un distributeur avec une pompe facile à utiliser. Quant au savon en barre, il constitue un agent de transmission des microbes non négligeable que l'on doit abandonner en garderie, car les enfants et les éducatrices ont à le manipuler directement avec leurs mains sales. Par ailleurs, l'utilisation d'un savon germicide doit être limitée aux périodes d'épidémie seulement (rhume, gastroentérite, varicelle, etc.) en raison de son effet irritant et de la résistance aux bactéries qu'il occasionne. Le distributeur doit être muni d'une cartouche de remplissage jetable, sinon il doit être lavé avant chaque remplissage. Pour sécher les mains, des papiers à main sont préférables aux serviettes en tissu puisqu'ils limitent la propagation des germes. L'éducatrice veillera à ce que les enfants n'en utilisent pas trop pour éviter le gaspillage et la pollution. Malheureusement, certains services éducatifs utilisent encore une serviette en ratine commune par souci d'économie. Si tel est le cas, on doit prévoir une serviette en tissu pour chaque enfant, bien identifiée à son nom, et qu'on lave chaque jour. Une poubelle protégée par un sac de plastique et placée à proximité du lavabo s'avère indispensable pour y déposer les papiers après usage. Il faut voir à ce que les tout-petits ne les jettent pas dans la cuvette des toilettes. On devrait idéalement privilégier l'utilisation d'une poubelle à pédale pour empêcher les mains d'entrer en contact avec le couvercle où se retrouvent germes et bactéries. Rien n'est plus contaminé qu'un couvercle de poubelle qui entre en contact avec les résidus de table, les couches et les serviettes de papier souillées. Le nettoyage et la désinfection tant à l'intérieur qu'à l'extérieur de la poubelle devraient être effectués quotidiennement. Comme désinfectant, on recommande l'utilisation d'une solution composée d'une partie d'eau de Javel domestique pour neuf parties d'eau.

Malgré les nombreux produits antiseptiques qui ont envahi le marché ces dernières années, une étude récente menée par des spécialistes de l'Université de Caroline du Nord démontre que le lavage des mains à l'eau savonneuse demeure le meilleur moyen de se débarrasser des agents infectieux, plus particulièrement des virus du rhume, de l'hépatite A et de la gastroentérite.

Magazine Ressources, janvier 2006, p. 36.

Dans les cas où le lavage des mains ne peut se faire au lavabo, lors des sorties, par exemple, ou lorsque les lavabos sont hors d'usage, on peut exceptionnellement faire usage d'un savon antiseptique sans rinçage ou de serviettes jetables humidifiées. Un lavage avec une débarbouillette mouillée d'eau tiède légèrement savonneuse suivi d'un rinçage peut également servir de compromis. **Mais rappelons que rien ne peut remplacer un lavage des mains fait à l'eau savonneuse : ni papier**

brun humecté, ni débarbouillette mouillée, ni serviettes jetables préhumidifiées, ni produit antiseptique qui sèche à l'air.

Pour les tout-petits incapables de se laver les mains au lavabo, on opte pour un compromis. L'éducatrice prend une débarbouillette sur laquelle elle dépose un peu de savon à l'une des extrémités. Avec cette partie, elle lave les mains du petit qu'elle essuie ensuite avec l'autre extrémité.

B.   Les moments pour se laver les mains

Ce n'est pas tout de se laver les mains avec de l'eau et du savon, encore faut-il le faire au bon moment pour maximiser l'opération. Cette mesure vaut autant pour les éducatrices que pour les enfants. L'encadré 3.1 présente les moments où l'on conseille de se laver les mains.

Encadré 3.1   Quand se laver les mains

- Avant et après la manipulation des aliments, avant les collations et les repas.
- Après un changement de couche.
- Après être allé aux toilettes, après la manipulation d'un pot d'entraînement sale ou après avoir touché à une couche souillée.
- Après avoir aidé un enfant à aller aux toilettes.
- Après avoir toussé ou éternué dans sa main, et après s'être mouché. Après avoir mis ses doigts dans son nez.
- Après avoir aidé un enfant à se moucher.
- Avant et après le brossage des dents.
- Après avoir joué avec du sable ou dans la terre, après être allé dehors (les souliers, les bottes, les mitaines ou les mains retiennent du calcium, des excréments d'oiseaux, de chiens ou de chats qui constituent des irritants et des agents de contamination qu'il faut neutraliser le plus possible).
- Après avoir été en contact avec de l'urine, des selles, des sécrétions nasales ou du sang, même si on a porté des gants de protection.

- Après avoir enlevé des gants de protection, peu importe la raison (pour enlever les traces de latex et aussi parce que les gants ne constituent pas une barrière absolue contre les microbes).

- Avant et après la préparation et l'administration d'un médicament, par exemple des gouttes nasales, ou avant l'application d'un onguent.

- Avant et après l'application d'une crème solaire.

- Avant et après le changement d'un pansement.

- Avant et après la prise de la température d'un enfant.

- Après avoir touché à la poubelle, à des déchets ou à toute autre surface sale.

- Avant et après une période de jeux avec de l'eau, du sable, de la pâte à modeler, de l'argile, du goop (matière gluante faite d'eau et de fécule de maïs), etc.

- Avant et après un contact avec des produits ménagers.

- Après avoir touché à un animal et aux objets qu'il utilise.

- Idéalement, en arrivant au service éducatif et en le quittant.

C.   Les techniques de lavage des mains

Un bon lavage des mains se fait non seulement avec de l'eau et du savon, mais aussi en respectant un minimum de règles dont celles qui sont présentées dans l'encadré 3.2.

Encadré 3.2   Les gestes et les étapes d'un bon lavage des mains

- Retirer les bagues, la montre et les bracelets.

- Relever les manches pour découvrir les avant-bras (il faut donc prévoir des vêtements qui le permettent).

- Ouvrir les robinets pour obtenir de l'eau chaude (attention à l'eau trop chaude et au gaspillage). Les enfants de moins de trois ans auront besoin d'aide pour y arriver.

- Mouiller les mains sous l'eau courante.

- Mettre au creux d'une main un peu de savon provenant du distributeur.
- Frotter les mains ensemble pendant 15 à 20 secondes (30 à 45 secondes si les mains sont visiblement sales) en n'oubliant pas de frictionner les paumes et le dos des mains, le bout des doigts et les pouces, les poignets ainsi que les espaces entre les doigts qui sont souvent négligés.
- Bien rincer les mains sous l'eau en les frottant ensemble.
- Sécher les mains avec une serviette en papier en évitant de frotter pour ne pas irriter la peau.
- Fermer le robinet avec la serviette de papier, si l'on est le dernier à se laver les mains.
- Jeter le papier dans la poubelle sans la toucher avec les mains.

Au besoin, l'éducatrice peut demander aux parents de couper régulièrement les ongles des mains de leur enfant, car ils sont porteurs de germes. Il va sans dire que cette mesure concerne également l'éducatrice.

Loin d'être réfractaires au lavage des mains, certains enfants prennent plaisir à étirer cette tâche en jouant avec l'eau et le savon. Si ce jeu constitue un inconvénient, l'éducatrice peut réduire sa durée en réorientant l'attention de l'enfant. Par exemple, elle peut leur demander de collaborer à de petites tâches: distribuer les serviettes en papier, fermer le robinet, vérifier si les mains des autres enfants sentent bon, ou piquer leur curiosité pour l'activité suivante.

Le fait de porter des gants pour changer une couche, pour nettoyer un dégât ou des traces de sang, n'enlève en rien l'obligation de se laver les mains après les avoir retirés.

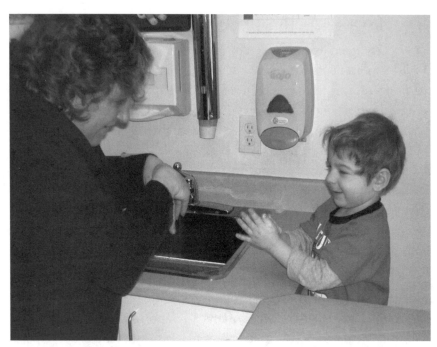

« Mon éducatrice aussi se lave souvent les mains. Elle donne le bon exemple. »

D.   Donner l'exemple aux enfants

Il est important de prendre l'habitude de se laver les mains en présence des enfants pour leur donner le bon exemple : après être allé aux toilettes, avant et après la manipulation de nourriture, après avoir aidé un enfant à se moucher, après un changement de couche, après l'utilisation d'objets souillés ou de produits de nettoyage. Les enfants apprennent beaucoup en regardant faire les autres surtout lorsqu'il s'agit d'un modèle d'autorité significatif ; ils acceptent plus facilement les consignes de l'adulte lorsqu'elles sont cohérentes avec ses propres actions. L'éducatrice pense à leur faire remarquer qu'elle aussi se lave les mains et que cette règle vaut également pour les adultes.

E.   L'éducation à l'hygiène des mains

En âge d'exercer une plus grande autonomie, soit vers l'âge de 15 à 18 mois, l'enfant est généralement apte à apprendre les rudiments du lavage des mains. Mais ce n'est que vers quatre ans qu'il arrivera à se laver correctement les mains. Entretemps, des rappels fréquents et une supervision étroite de l'éducatrice seront nécessaires pour lui montrer à bien faire mousser le savon et sur quelles parties frotter. L'éducatrice a intérêt à dire et à rappeler aux enfants pourquoi il faut se laver les mains, à faire ressortir les avantages du lavage sur la réduction des rhumes et des diarrhées au sein du groupe. Des explications simples peuvent leur être fournies. «Lorsque vous vous lavez les mains, vous vous débarrassez des microbes qui peuvent vous rendre malades.»

De plus, une affiche[1] placée en un endroit stratégique ou la présentation du vidéo *Bye, bye les microbes* font aussi partie des moyens susceptibles de sensibiliser les enfants à l'importance de l'hygiène des mains. Les enfants d'âge scolaire auront aussi sans doute du plaisir à réaliser leur propre affiche ou vidéo pour en faire la promotion. Aussi, l'éducatrice est invitée à utiliser sa créativité pour offrir aux enfants des occasions de se sensibiliser à l'importance de prendre soin de son corps.

> Relever les manches, mouiller les mains, mettre du savon, mousser et frotter, puis rincer et sécher les mains, non seulement développent la dextérité, le schéma corporel, mais exercent la mémoire, en plus d'apprendre à l'enfant de prendre soin de lui.

---

1. Des affiches sont disponibles: «L'eau et le savon», Association pour la santé et la sécurité du travail, secteur des affaires sociales (ASSTSAS). Tél.: 514 253-6871. Téléc.: 514 253-1443, www.astsass.qc.ca «Lavage des mains», Directions de la santé publique et du MSSF et «À l'eau les microbes!», Association des diététistes du Québec, Les Publications du Québec.

Une affiche avec un message écrit aide les enfants d'âge scolaire à se rappeler de se laver les mains. C'est un moyen d'autant plus efficace qu'il a été créé par les enfants.

Pour conscientiser les enfants à l'importance du moussage lors du lavage des mains, on leur montre à frotter vigoureusement les mains ensemble au contact de l'eau et du savon. On peut leur proposer un jeu qui consiste à faire mousser le savon sur la surface d'une table, après quoi on rince les mains sous l'eau du robinet. Pour qu'ils comprennent la nécessité de se laver les mains avec de l'eau chaude et du savon, on peut demander aux enfants de faire le jeu suivant. Pour leur faire voir la présence des **microbes** qui demeurent en principe invisibles à l'œil nu, on prend de la gelée de pétrole (vaseline) que l'on met dans la paume de la main de chaque enfant; on demande ensuite aux enfants de frotter leurs mains ensemble puis, on procède à l'expérimentation du lavage des mains, à l'eau froide et sans utiliser de savon; on fait remarquer aux enfants que l'eau glisse sur les mains et que les microbes ne partent pas. On répète l'expérience, mais cette fois-ci avec de l'eau chaude ; les enfants constatent qu'une partie seulement de la gelée de pétrole s'enlève. Comme dernière étape, on fait le lavage habituel, c'est-à-dire en utilisant de l'eau chaude et du savon que l'on fait bien mousser, puis on rince bien. C'est alors que les enfants remarquent la disparition complète des **microbes**. **En conclusion : on ne peut faire un bon lavage des mains sans eau chaude ou tiède, ni savon.**

Malgré le caractère répétitif et la fréquence du lavage des mains, il est possible de rendre cette routine agréable. Il suffit d'une bonne planification, d'attitudes positives et de quelques procédés simples et amusants. Plusieurs jeux permettent à l'enfant d'assimiler les gestes avec plaisir et moins de discipline. Ainsi en est-il des suggestions suivantes à utiliser avant ou pendant l'activité.

F.   Petits jeux

En tenant compte du stade de développement des enfants, l'éducatrice organise des jeux amusants pour motiver les enfants à l'hygiène des mains ou encore pour apporter de la nouveauté à cette routine qui, avouons-le, revient très souvent en services éducatifs (une dizaine de fois par jour, ce qui représente près de 2 000 lavages des mains annuellement).

Un petit coup de baguette magique de la part de l'éducatrice suffit pour qu'humour, spontanéité et plaisir supplantent la monotonie à l'heure du lavage des mains.

Encadré 3.3   Suggestions pour mettre du piquant à l'activité du lavage des mains

- Avec les plus petits, décrire les actions et les sensations : « L'eau coule sur tes mains. C'est agréable. Le savon sent bon. Regarde comme il mousse… »

- Se déplacer jusqu'à l'évier en empruntant une démarche inusitée : en petits pas de souris, sur la pointe des pieds, sur les talons, en glissant les pieds au sol, etc. S'inspirer du thème en vigueur ou des intérêts des enfants pour proposer de nouvelles idées.

- Se rendre au lavabo en accomplissant une épreuve facile : marcher avec les mains sur la tête ou sur la bouche, ou en suivant une ligne imaginaire ou tracée au sol par un ruban cache, ou en contournant une chaise.

- Déterminer à qui le tour en pigeant les noms des enfants placés dans une boîte ou encore en annonçant une caractéristique : « J'appelle au lavabo un enfant qui porte un chandail bleu avec un dessin. »

- Susciter de temps en temps des échanges avec les enfants autour des soins d'hygiène afin de les sensibiliser à l'importance de prendre soin de leur corps. Un livre sur le sujet peut très bien servir de déclencheur.

- Faire un jeu de relais au lavabo en faisant passer un objet quelconque ou un mot de passe d'un enfant à l'autre.

- Offrir de temps en temps du savon à l'arôme fruité en tenant compte des allergies. Les enfants aiment beaucoup les fragrances aux fruits comme la pomme verte, la fraise, la clémentine ou les raisins.

- Donner aux enfants le privilège d'adoucir leurs mains après le lavage des mains avec un soupçon de crème hydratante anti-allergène après un bon lavage. Pour les enfants souffrant d'allergies cutanées graves, la crème solaire fournie par leurs parents peut très bien faire l'affaire.

- Faire sentir les mains une fois bien lavées : « Ça sent bon ! »

- Utiliser une marionnette pour superviser le lavage des mains et rappeler aux enfants les règles en vigueur.

- Mettre à la disposition des enfants des « bacs mains propres » qui sont utilisés seulement par les mains propres. Figurine, crayon et papier, gants et marionnettes sont quelques objets que l'on peut y retrouver. Les boîtes à débarbouillettes jetables et à lingettes démaquillantes que l'on récupère font des contenants très pratiques pour les « bacs mains propres ». Avec les plus petits, il est conseillé de constituer des boîtes identiques.

G. Comptines et chansons

Même si se laver les mains et chanter en même temps est une habileté qui se développe davantage après l'âge de 5 ou 6 ans, le fait d'entendre les consignes chantées rappelle aux enfants les actions à faire tout en favorisant une ambiance agréable, qui ne peut que les motiver à accomplir la tâche demandée.

1
On va se laver les mains

Air traditionnel : Dans la ferme à Mathurin

On va se laver les mains
I a i a o
On fait vite, car on a faim
I a i a o
Du savon, par-ci, du savon par-là
On frotte, on mousse, on rince bien   (ou : on lave, on frotte,
I a i a o.   on essuie bien)

2
Savez-vous laver vos mains ?

Air traditionnel : Savez-vous planter des choux ?

Savez-vous laver vos mains ?
À la mode, à la mode
Savez-vous laver vos mains ?
À la mode de chez nous.

On les lave comme ça
À la mode, à la mode
On les lave comme ça
À la mode de chez nous.

3

Le blues du lavage des mains

(Se trouve sur le CD)
Paroles : Nicole Malenfant
Musique : Michel Bonin

Paroles	*Gestes*
Je relève mes manches pour laver mes mains. (bis)	Relever les manches.
	Ouvrir le robinet si ce n'est pas déjà fait.
Je mouille mes mains Je les mouille bien. (bis)	Mouiller les mains sous l'eau tiède du robinet.
Je mets du savon Au creux de mes mains. (bis)	Mettre dans une main du savon liquide pris dans un distributeur.
Je frotte mes mains Je les frotte bien. (bis)	Faire mousser le savon sur les mains, entre les doigts, sur les poignets et en tournant les doigts au creux des mains.
Je rince mes mains Je les rince bien. (bis)	Rincer les mains sous l'eau.
Et pour les sécher Je prends un papier. (bis)	Assécher les mains avec une serviette jetable.
Je sèche mes mains Je les sèche bien. (bis)	

Je jette le papier	Jeter le papier dans la
Quand j'ai terminé. (bis)	poubelle.
Oyé!	Apprécier l'odeur agréable
	de ses mains propres.
	Céder sa place au suivant
	ou fermer le robinet.

3.2   LE BROSSAGE DES DENTS

Quand on sait que la carie dentaire constitue un mal répandu chez 98 % de la population québécoise, la prévention s'avère plus que nécessaire pour en contrôler les causes. En ce sens, l'enfance constitue certes une période cruciale pour acquérir de bonnes habitudes en matière d'hygiène dentaire. Une statistique issue d'une enquête menée par le ministère de la Santé du Québec, en 1999, révèle que près d'un enfant sur deux a des dents cariées dès son entrée à la maternelle.

Pour préserver la santé dentaire des tout-petits, il est impératif de les initier d'abord à une bonne alimentation en réduisant, entre autres, la consommation de sucres raffinés particulièrement entre les repas, puis à l'apprentissage du brossage des dents dès le plus jeune âge. C'est le gage par excellence d'une protection contre les caries. Il faut éviter de poursuivre trop longtemps l'alimentation en purée ou hachée. La mastication des aliments stimule la salivation qui participe à l'élimination des déchets de la surface des dents.

Une bonne dentition et des gencives saines permettent d'épargner la perte prématurée de dents, d'éviter des problèmes de langage et les inconvénients liés à une mauvaise occlusion dentaire qui peuvent en découler, d'empêcher la douleur occasionnée par les caries, les obturations ou les extractions – souvent psychologiquement difficiles à vivre pour l'enfant – en plus de réduire les coûts élevés des soins dentaires.

En matière de sensibilisation, il n'est pas rare que le service éducatif soit le seul lieu où l'enfant est appelé à brosser ses dents et à apprendre à bien le faire. Après la clinique médicale ou le CLSC, le

CPE, la garderie, le SGMS ou l'école deviennent des sources importantes d'influence et de renseignements pour les parents concernant la santé dentaire de leur enfant.

En CPE ou en garderie, il est fréquent de voir les enfants se brosser les dents après le repas du midi, ce qui constitue une excellente habitude à prendre. Même si l'enfant le fait déjà le matin et le soir à la maison, le fait de voir les autres le sensibilise davantage aux bienfaits d'une telle pratique. Malheureusement, certains lieux ont aboli le brossage des dents par crainte de transmission de l'hépatite B ou du VIH alors que des mesures de prévention appropriées permettraient de bien contrôler les risques presque inexistants de contamination par ces virus. Dans les SGMS, cette activité de routine est généralement ignorée ; cette regrettable situation laisse à l'enfant la responsabilité de veiller seul à sa propre hygiène dentaire si les parents n'y voient pas à la maison.

Pour militer en faveur du maintien du brossage des dents à la garderie, considérons le fait que plusieurs enfants doivent veiller seuls à leur hygiène dentaire à la maison et que la moitié des enfants auront des dents cariées avant même d'entrer à l'école.

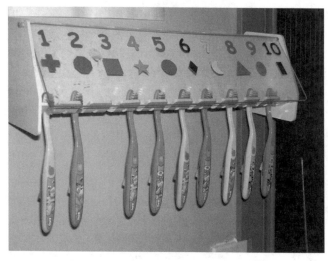

Il existe des méthodes hygiéniques pour ranger les brosses à dents.

S'il est vrai que le brossage quotidien des dents en services éducatifs requiert du temps et de l'énergie tant pour les enfants que pour l'éducatrice, il s'agit là d'un investissement qui en vaut la peine compte tenu des nombreux bienfaits que procure cette mesure de prévention des caries. En plus de préparer la venue des dents permanentes communément appelées dents d'adulte, les dents primaires ou dents de lait saines en place jusqu'à l'âge de 6 à 11 ans jouent un rôle essentiel dans la diction, la mastication et la digestion de l'enfant.

La dentition est plus qu'une affaire d'esthétique ; c'est un élément de première importance faisant partie de la santé globale des enfants et que les adultes chargés de leur l'éducation doivent avoir à cœur. Dans un souci d'éducation, il est souhaitable de conserver la routine du brossage de dents à la garderie, ne serait-ce qu'une ou deux fois par semaine ou en espaçant le tour de chacun des enfants tous les deux ou trois jours.

A.   Les moments pour se brosser les dents

On recommande de nettoyer gencives et cavité buccale avec une débarbouillette humide avant l'apparition des dents primaires pour initier l'enfant le plus tôt possible à de bonnes habitudes d'hygiène dentaire. Le nettoyage des dents à l'aide d'une brosse à dents peut débuter vers l'âge de deux ans. Pour les enfants qui fréquentent un service éducatif, on conseille un brossage des dents après le repas du midi, soit avant la sieste, en les supervisant de près. Même si la pratique est loin d'être courante en SGMS, elle devrait aussi avoir lieu après la période du dîner. Le brossage des dents devant se faire **au moins** deux fois par jour, il revient aux parents de voir au deuxième brossage quotidien, qui devrait se faire le soir avant le coucher de l'enfant ; c'est la période la plus importante pour contrer l'accumulation de la plaque dentaire.

B.   Le matériel et l'équipement

Pour obtenir une bonne santé buccodentaire, il est évident qu'une **brosse à dents** est indispensable. Les parents ont la responsabilité de fournir à leur enfant une petite brosse à dents avec une identification personnelle résistante à l'eau. On recommande de choisir une brosse à dents à petite tête facile à empoigner, avec des soies souples et douces en nylon et un manche droit en caoutchouc et antidérapant perforé à son extrémité pour faciliter son entreposage. Il est nécessaire de changer la brosse à dents au moins tous les quatre mois ou lorsque les soies commencent à être recourbées ou abîmées, ou lorsqu'une couche blanchâtre apparaît au fond (dépôt de dentifrice et de bactéries). Il ne faut jamais désinfecter les brosses à dents, mais plutôt les remplacer. En période d'épidémie, la brosse à dents doit être immédiatement remplacée par une nouvelle. La brosse à dents pour adultes ne convient pas aux petits car les poils sont trop durs et la tête trop large.

> Support à brosses à dents au mur, séchage des brosses à l'air libre, supervision de l'éducatrice pour éviter le contact et l'échange des brosses à dents sont indispensables au bon déroulement de l'activité du brossage de dents.

Pour prévenir la contamination bactérienne, il faut prévoir un système hygiénique de **rangement des brosses à dents** pour entreposer les brosses à dents après chaque utilisation. Afin que les soies sèchent à l'air libre, mais à l'abri de la poussière, les brosses doivent idéalement être accrochées séparément sur un support adéquat conçu de manière à ce qu'elles ne se touchent pas et ne dégoulinent pas les unes sur les autres. Il existe sur le marché des supports en acrylique pour accrocher les brosses à dents et qui répondent aux critères d'hygiène attendus. Il est important de faire l'installation d'un tel support au mur de manière à ce qu'il soit facile à décrocher pour en faire l'entretien.

Le support à brosses à dents ou les bouts protecteurs doivent être lavés une fois par semaine avec un trempage dans une solution désinfectante, pendant deux ou trois minutes pour ensuite être rincés à fond. En période de gastroentérites, de rhumes ou de maladies contagieuses, on recommande une désinfection plus fréquente.

L'utilisation d'un capuchon protecteur en plastique comme ceux qui sont vendus en pharmacie peut aussi être envisagée comme moyen d'entreposage, mais il faut savoir que les bactéries profiteront de l'humidité des soies et de l'herméticité du capuchon pour se reproduire allègrement, ce qui n'est pas l'idéal. Il en va de même avec les pochettes de plastique où sont remisées les brosses à dents après usage. Quant aux petits contenants comme ceux qui sont utilisés pour distribuer les médicaments en milieu hospitalier ou les contenants à pellicule à photos, ils peuvent, en plus d'être économiques, faire d'excellents bouts protecteurs aux brosses à dents. Prévoir à la base ou sur le côté un orifice gros comme une pièce d'un cent pour assurer un bon séchage. Il est évidemment nécessaire de les désinfecter ou de les renouveler chaque semaine pour réduire les risques de contamination.

L'éducatrice doit surveiller le brossage de dents et donner aux enfants des consignes claires afin d'éviter les échanges ou les prêts de brosses à dents, susceptibles de favoriser la transmission des microbes. Si les brosses à dents se touchent ou si un enfant utilise la brosse d'un autre enfant, il faut les jeter et en donner de nouvelles aux enfants.

La supervision de l'adulte est toujours requise dans l'activité du brossage des dents. Elle aura avantage à effectuer le brossage à tour de rôle avec un enfant à la fois.

Pour prévenir les caries, l'utilisation d'un **dentifrice** avec fluorure est indispensable. Il en existe différents types sur le marché : en pâte, en gel ou en combinaison des deux. Le sigle de l'Association dentaire canadienne apposé sur le tube assure une qualité adéquate du dentifrice. Les dentifrices en gel avec fluorure sont recommandés pour les enfants ; ils ont meilleur goût tout en étant moins abrasifs pour les dents. Il appartient généralement aux parents de faire l'achat du dentifrice pour leur enfant et de le fournir au service éducatif. En plus de nettoyer les dents, le dentifrice facilite l'action de la brosse à dents tout en laissant une sensation de fraîcheur et de propreté dans la bouche. Mais il faut rappeler aux enfants de ne pas l'avaler. Une trop grande ingestion de fluor peut entraîner une fluorose qui provoque une décoloration définitive des dents. Pour rincer leur bouche, les enfants utilisent un **verre** jetable ou un verre permanent personnel.

La supervision de l'adulte est toujours nécessaire dans l'activité du brossage des dents des enfants.

C. Les techniques de brossage des dents

Pour abréger le temps de distribution du dentifrice en services éducatifs, on peut utiliser un seul tube pour le groupe ; une fois qu'il est vide, il suffit de le jeter et de se servir d'un autre tube parmi ceux qui sont fournis par les parents. Pour éviter que l'orifice du tube de dentifrice entre en contact avec les brosses à dents, l'éducatrice doit procéder de la façon suivante : répartir, sur une languette de papier brun ou de papier ciré, une petite quantité de dentifrice suffisante pour tous les enfants. Découper chaque portion et l'appliquer sur les soies de la brosse à dents de chaque enfant ; cette manière de faire évite la transmission des maladies tout en réduisant le temps qui serait consacré à cette tâche si elle était faite en prenant chacun des tubes de dentifrice l'un après l'autre. Par souci péda-gogique, plusieurs services éducatifs optent cependant pour un tube de dentifrice par enfant pour favoriser le processus d'autonomie.

Même si la quantité de dentifrice recommandée pour les enfants est minime, soit l'équivalent de la **grosseur d'un grain de riz**, il est important de rappeler souvent aux enfants de ne pas l'avaler. Le dentifrice contient diverses substances tels des détergents, des abrasifs, des agents liants, des colorants, des agents de conservation et du fluor qu'il est préférable de ne pas ingérer. « Le dentifrice est fait pour te laver les dents et non pour être mangé. C'est comme le savon que tu prends pour net-toyer tes mains ; ça ne va pas dans ton ventre. » On demande aux enfants de cracher le dentifrice dans le lavabo pour ensuite se rincer la bouche à l'eau. On peut permettre aux enfants qui refusent le dentifrice de se brosser les dents seulement avec de l'eau, ce qui est nettement mieux que de ne pas les laver du tout. On conseille de bien rincer la brosse à dents après chaque nettoyage pour éviter le dépôt de dentifrice.

Bien qu'il n'y ait pas vraiment de consensus entre les spécialistes quant à la meilleure façon de se brosser les dents, il existe cependant des principes incontournables concernant cette technique. Pour les enfants de 2 et 3 ans, il convient de limiter à deux ou trois le nombre de consignes pour ne pas les décourager. On recommande de leur faire prendre la brosse par le manche en évitant de toucher aux soies avec leurs mains pour ne pas les contaminer. On peut proposer aux enfants un jeu simple, par exemple, jouer à caresser ou à chatouiller chacune des dents à l'aide de leur brosse à dents «magique» tout en gardant la bouche ouverte. Notons toutefois que la dextérité des enfants ne leur permet généralement pas d'effectuer un brossage de dents totalement efficace avant l'âge de six ans. Mot d'ordre: patience! Les éducatrices et les parents doivent donc terminer le travail pour s'assurer que les dents sont bien lavées. Il est recommandé de le faire en se plaçant derrière l'enfant, ce qui l'aide à apprendre les bonnes techniques. Une fois que l'enfant est devenu assez habile avec la brosse à dents, il est bon que les parents commencent à la maison à lui montrer la technique de soie dentaire pour nettoyer quotidiennement, de préférence avant le brossage du soir, les endroits non atteignables avec la brosse à dents. En plus d'un brossage quotidien, l'hygiène dentaire nécessite des visites régulières chez le dentiste, idéalement deux fois par année.

On peut enseigner quelques gestes techniques plus précis aux enfants d'âge préscolaire. On leur apprend à se brosser les dents en gardant la bouche ouverte dans le sens où les dents poussent, c'est-à-dire de haut en bas pour les dents d'en haut et de bas en haut, pour celles d'en bas, en partant toujours de la gencive; faire de même autant pour la face externe que pour la face interne des dents, en n'oubliant pas le dessus des dents que l'on frotte avec un mouvement horizontal de va-et-vient. Il faut calculer cinq mouvements pour chaque segment de dents. L'opération complète du brossage des dents requiert à peu près deux minutes par enfant.

L'enfant aimant beaucoup imiter les adultes, il est bon de donner l'exemple aux enfants en se brossant soi-même les dents devant eux. C'est un moyen valable de les entraîner à prendre de bonnes habitudes d'hygiène dentaire.

D. Astuces et petits jeux

- Mettre un miroir incassable à la disposition des enfants pour qu'ils puissent se voir en train de se brosser les dents.

- Demander à l'enfant de montrer les dents comme un tigre ou un léopard afin de bien brosser les dents d'en avant.

- Utiliser une marionnette en guise de mascotte pour faire la promotion et la vérification du brossage des dents. Lui donner un nom évocateur et lui prêter une voix amusante pour en faire un compagnon fidèle lors de cette routine.

- Jouer ou faire jouer le rôle du dentiste et de l'hygiéniste dentaire qui examine les dents brossées.

- Mettre à la disposition des enfants des petits carnets ou des calendriers dans lesquels ils peuvent dessiner une dent souriante une fois le brossage des dents complété.

- Organiser une visite chez une hygiéniste dentaire ou en inviter une à la garderie. Les CLSC, l'Ordre des hygiénistes dentaires du Québec[2] offrent gratuitement des services d'animation. Les collèges qui offrent le programme de Techniques d'hygiène dentaire organisent également ce type de visite.

- Utiliser un outil visuel original comme une grosse brosse à dents en carton pour rappeler aux enfants qu'il est temps de procéder à la tâche.

- Présenter un conte pour sensibiliser les enfants à l'importance de bien se brosser les dents[3].

---

2. Ordre des hygiénistes dentaires du Québec, 1290, rue Saint-Denis, bureau 300, Montréal (Québec) H2X 3J7 Tél.: 514 284-7639 poste 204 ou 800 361-2996. Téléc.: 514 284-3147. Courriel: info@ohdq.com Site Internet: www.ohdq. com.

3. On peut se procurer gratuitement le conte *Blandine fait briller ses dents* auprès de l'Ordre des hygiénistes dentaires du Québec. Voir les coordonnées à la note précédente.

- Ajouter un élément décoratif sécuritaire au manche de la brosse
  à dents : un ruban, un embout fait en pâte Fimo, etc.

E. Comptines et chansons

1
Savez-vous brosser vos dents ?

Air traditionnel : Savez-vous planter des choux ?

Savez-vous brosser vos dents ?
À la mode, à la mode
Savez-vous brosser vos dents ?
À la mode des savants.

On les brosse de haut en bas
À la mode, à la mode
On les brosse de haut en bas
À la mode des savants.

2
Brosse bien tes dents

(Se trouve sur le CD)
Paroles : Nicole Malenfant.
Musique : Michel Bonin

Papa me dit : « Brosse-bien tes dents »
Maman me dit : « Brosse-bien tes dents »
Grand-père me dit : « Brosse-bien tes dents »
Grand-mère me dit : « Brosse-bien tes dents »
La dentiste me dit : « Brosse-bien tes dents »
L'hygiéniste me dit : « Brosse-bien tes dents »
Mon chien me dit : « Wouf ! Wouf ! Wouf ! Wouf ! »

Alors je brosse, brosse, brosse, brosse
Brosse mes dents, puis tout le monde est content :
papa, maman, grand-père, grand-maman
La dentiste, l'hygiéniste, mon chien qui fait wouf, wouf
Et surtout mes vingt dents au sourire éclatant.

3.3   LA ROUTINE DES TOILETTES

La majorité des enfants d'âge préscolaire sont capables d'aller aux toilettes seuls lorsqu'ils en ressentent le besoin. Ils savent reconnaître les signes qui traduisent leur besoin d'élimination. Il arrive qu'un enfant se retienne d'aller aux toilettes parce qu'il est trop absorbé par une activité ou par crainte de déranger le groupe en pleine activité. On le verra alors se trémousser, toucher ses organes génitaux, s'accroupir, s'isoler. Un rappel discret de la part de l'éducatrice lui permettra de se rendre aux toilettes avant de poursuivre son occupation : « Je crois que, si tu vas aux toilettes maintenant, tu te sentiras mieux pour continuer ton jeu. »

Pour les débutants, une supervision plus étroite sera sans doute nécessaire pour cette activité de routine. Il est souhaitable d'habituer l'enfant de 2 et 3 ans à une certaine régularité qui lui apporte des repères temporels importants à cet âge : aller aux toilettes avant d'aller dehors, avant de s'installer pour la sieste, avant le long trajet de retour à la maison, etc. L'éducatrice devra lui apprendre à ne pas enlever tous ses vêtements lorsqu'il va sur le pot d'entraînement ou sur le siège de toilette. Régulièrement, elle vérifiera s'il doit aller aux toilettes en se basant sur les observations qu'elle est en mesure de faire auprès de l'enfant : « As-tu besoin d'aller aux toilettes ? » « Est-ce qu'il y a un pipi qui s'en vient ? » « Tes p'tits pets disent peut-être qu'il y a un caca qui veut sortir. Va à la toilette. »

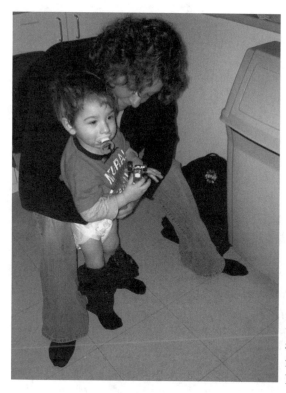

« En vieillissant, je me sens plus à l'aise de me faire changer la couche à l'abri des autres enfants. »

A.   L'utilisation des installations sanitaires

À elles seules, des toilettes adaptées à la taille des enfants de 2 à 6 ans, c'est-à-dire plus basses et plus petites, facilitent la tâche d'aller aux toilettes, à défaut de quoi une marche et des sièges adaptables seront nécessaires pour adapter les cabinets ordinaires. Le confort, une stabilité à toute épreuve et la facilité d'entretien priment dans les critères de choix pour effectuer l'achat de petits pots, de sièges d'appoint ou de toilettes en services éducatifs.

En outre, il est judicieux de prévoir une salle de toilette réservée aux éducatrices et idéalement située à proximité du local principal.

À l'exception des SGMS, les services éducatifs utilisent généralement les mêmes toilettes pour les garçons et pour les filles. Avant l'âge de six ans, les toilettes mixtes permettent aux petits d'apprendre à considérer comme normales les différences sexuelles. (Hendrick, p. 83) Quant aux toilettes ouvertes, elles offrent la possibilité de satisfaire une certaine curiosité. Il existe aussi des installations sanitaires sans porte avec seulement des cloisons latérales. Mais elles ne conviennent pas à tous les enfants. Il faut savoir que ces toilettes ouvertes ou semi-ouvertes peuvent poser des problèmes aux enfants qui ressentent un besoin légitime d'intimité. En effet, en raison de principes religieux, de tempéraments ou d'habitudes différentes à la maison, des enfants seront très mal à l'aise d'utiliser la toilette décloisonnée. On n'a qu'à se référer à nous, adultes, pour constater le malaise que provoque le fait d'aller aux toilettes sans pouvoir fermer la porte.

> Un enfant devrait toujours pouvoir choisir entre une toilette fermée ou ouverte sans avoir à se justifier pour autant. L'éducatrice demeure toutefois disponible pour aider l'enfant à s'essuyer ou à remonter son pantalon, au besoin.

Quand les installations sanitaires sont situées à l'extérieur du local, il importe que les enfants prennent l'habitude d'avertir leur éducatrice s'ils se rendent seuls aux toilettes. Un système de contrôle peut permettre aux enfants de signaler leur sortie et leur retour. On peut utiliser des cartons et deux pochettes ou crochets fixés au mur du local et accessibles aux enfants, l'un destiné aux garçons et l'autre aux filles ; ainsi l'enfant désireux de se rendre aux toilettes prend le carton correspondant à son sexe et se rend aux toilettes. À son retour, il remet le carton à sa place, permettant à un autre enfant de l'utiliser. On peut accrocher une épingle à linge sur un vêtement de l'enfant qui veut se rendre aux toilettes ou mettre à son cou un collier d'identification. Ainsi, il n'y a jamais plus d'un enfant à la fois à la même salle de toilettes, ce qui permet d'éviter le flânage et les accrochages entre enfants. L'éducatrice sait aussi lorsqu'il y a quelqu'un aux toilettes et assure ainsi une meilleure supervision.

Figure 3.1 Système de gestion de l'utilisation des toilettes situées à l'extérieur de la pièce

Il s'agit d'une sorte de passeport de circulation dans le service éducatif qui sert à contrôler les allées et venues des enfants lorsqu'ils vont aux toilettes. Il peut prendre la forme d'un collier ou d'une clé, ou encore d'une pince à linge qu'on veillera à rapatrier après usage. Enfin, divers procédés peuvent être envisagés pour éviter que les enfants aient à se placer en ligne et à patienter pour aller aux toilettes.

Lors de situations exceptionnelles où les enfants ont à attendre leur tour pour aller aux toilettes, des jeux simples et amusants les aideront à patienter ; cela permettra de limiter la montée des tensions générées par le rassemblement et l'inactivité. À cette fin, nous suggérons plusieurs idées au chapitre onze, où nous traiterons des attentes inévitables.

L'accès facile à une toilette à partir de la cour extérieure constitue un autre facteur facilitant la routine des toilettes. Il y a aussi le port de vêtements pratiques avec un élastique à la taille, en tissu extensible, sans boutonnage laborieux ou ceinture, qui rend la tâche plus facile. L'éducatrice verra à sensibiliser les parents en ce sens en temps opportun.

B.   Le changement de couche

Lorsque les couches ne contiennent que de l'urine et que les enfants qui en portent encore se tiennent bien à la verticale, il est plus facile de faire le changement de couche des petits de 2 et 3 ans en restant debout. Cette procédure réduit les maux de dos des éducatrices puisqu'elles n'auront pas à soulever les enfants vers la table à langer et qu'elles pourront effectuer la tâche assise sur une chaise ; en plus, la routine est moins longue. Pour les enfants en mesure de monter les marches, un marchepied évite également les soulèvements. Il faut s'assurer d'avoir à portée de la main tout le matériel nécessaire pour effectuer le changement de couche. Les effets personnels de l'enfant peuvent être rassemblés dans un petit panier que l'éducatrice place près d'elle avant de procéder au changement de couche. Ces précautions facilitent la tâche. Mais, en tout temps, il faut savoir préserver le besoin d'intimité de l'enfant. En ce sens, on évite de changer sa couche à la vue de tous.

Le lavage des mains de l'enfant et de l'éducatrice, la désinfection de la table à langer, le port de gants de protection en présence de blessures aux mains, de diarrhées, demeurent des précautions essentielles pour réduire la propagation des microbes favorisée par le port d'une couche.

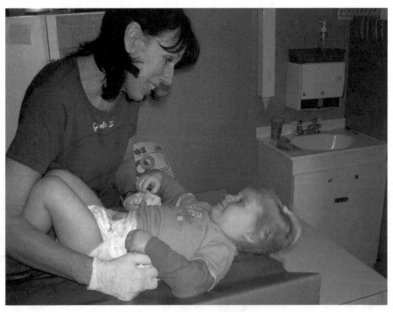

« J'aime le changement de couche car mon éducatrice prend le temps de me parler et de faire une petite chanson. »

Le changement de couche demeure un moment privilégié pour établir un contact personnalisé et chaleureux avec l'enfant. L'éducatrice profite de cette routine pour parler à l'enfant, pour s'intéresser à lui, pour faire équipe avec lui.

C. L'apprentissage à la propreté

Quand l'enfant reste sec pendant de longues périodes durant le jour, quand il peut informer son entourage qu'il a fait pipi dans sa couche, qu'il fait ses selles à heures régulières, on peut commencer l'apprentissage à la propreté. Pour faciliter cet apprentissage, il faut le rendre agréable. Contrairement à la toilette d'adulte, un petit pot ou une toilette miniature (siège d'appoint sur la toilette ordinaire) convient davantage à la petite taille de l'enfant. Féliciter l'apprenti, établir une routine, éviter de longues séances sur le petit pot, faire participer l'enfant (baisser son pantalon, verser le contenu dans la toilette et actionner la chasse d'eau) constituent des conditions propices de réussite.

Même en dehors de la période normale d'apprentissage de la propreté, il arrive qu'un enfant s'échappe dans sa culotte. Il ne faut surtout pas le réprimander ou l'humilier par des paroles ou des silences qui empireraient le malaise déjà grand de l'enfant. L'éducatrice doit le consoler immédiatement et l'aider à se changer sans délai, sans toutefois lui manifester une approbation tacite. Si la situation se répète plusieurs fois sans raison apparente, l'éducatrice devra en discuter calmement avec les parents. Des vêtements de rechange (bas, sous-vêtements, pantalon) venant de la maison remplaceront les vêtements souillés. Il est pratique d'avoir à portée de la main des vêtements appartenant au service éducatif qui serviront à dépanner un enfant qui n'aurait pas son propre rechange. On conseille de prendre la précaution d'étiqueter ces vêtements au nom du service éducatif pour s'assurer qu'il reviennent à la garderie.

Puisque que le souci du bien-être physique des enfants et l'apprentissage progressif de leur autonomie se trouvent au centre des préoccupations de l'éducatrice démocratique, cette dernière verra à effectuer l'apprentissage à la propreté et l'utilisation des toilettes en respectant leur développement global et en se concertant avec les parents.

D. L'hygiène et les autres tâches

Se laver les mains après être allés aux toilettes est loin d'être un réflexe acquis pour des enfants de moins de huit ans (et même pour des adultes). Les enfants développent de bonnes habitudes d'hygiène en observant les autres et en se faisant rappeler fréquemment la marche à suivre. L'éducatrice doit les sensibiliser en recourant à divers moyens qui incluent la répétition des mêmes consignes et la supervision du lavage des mains. Utiliser le papier hygiénique de la bonne manière et sans en gaspiller, s'essuyer d'avant en arrière pour les filles, relever le siège pour les garçons qui urinent debout et puis l'abaisser, tirer la chasse d'eau, se laver les mains, demeurent des gestes très routiniers, qui seront nécessaires toute la vie durant.

À trois ans, l'enfant peut aller seul aux toilettes. Il a toutefois besoin d'aide pour s'essuyer tant après une selle qu'un pipi. À quatre ans, il pourra s'essuyer seul après un pipi alors que ce n'est que vers l'âge de cinq ans qu'il pourra le faire en tout temps.

La désinfection des cabinets de toilettes est à faire adéquatement tous les jours et celle des pots d'entraînement et de la table à langer, après chaque utilisation. L'entretien d'une salle de toilettes ayant un plancher qui se lave bien est beaucoup plus facile. Par ailleurs, on recommande que la pièce bénéficie d'une aération et d'un éclairage appropriés ainsi que d'un décor invitant. La routine des toilettes sera alors une activité bien organisée qui pourra être supervisée avec professionnalisme.

E.   Les bons mots aux bons moments

Malgré la connotation grossière que les adultes portent habituellement aux termes «pipi» et «caca», le bambin a besoin qu'on utilise des mots simples pour traduire son besoin d'éliminer. Aller à la selle, faire ses besoins, uriner restent des expressions étrangères pour lui. Les mots familiers «pipi» et «caca» ont leur raison d'être lorsqu'ils sont utilisés pour la bonne raison et au bon moment. «As-tu envie de pipi?» demande une éducatrice à un enfant avant le début des jeux d'eau. L'enfant d'âge préscolaire qui commence à avoir plus de pudeur préférera tout simplement dire qu'il veut aller aux toilettes. Cependant, à divers moments de la journée, il s'amusera à jouer avec les mots pipi, caca, pet, fesses pour une raison différente de celle des tout-petits. Il sait que c'est une façon de faire réagir son entourage. Si l'usage des mots scatologiques devient problématique, l'éducatrice peut lui demander de réserver ces termes seulement lorsqu'il se trouve aux toilettes.

L'enfant d'âge scolaire sera généralement plus à l'aise d'entendre et d'utiliser des termes proches de ceux qui sont utilisés en médecine pour qualifier ses besoins de base; par exemple, aller à la selle, uriner, être constipé. «Tu dis que tu as mal au ventre. Est-ce que tu as fait des selles liquides? As-tu la diarrhée?»

3.4   LE MOUCHAGE

En services éducatifs et principalement en ce qui concerne les enfants âgés de moins de six ans, le mouchage est une activité qui se répète plusieurs mois par année. Que ce soit lors des nombreux rhumes, otites ou sinusites se succédant d'octobre à juin, ou en période d'allergies saisonnières (rhume des foins, réactions au pollen ou aux graminées) qui s'échelonne du printemps jusqu'à tard dans l'été, la pratique du mouchage revient plusieurs fois par jour.

Chaque fois qu'un enfant éternue ou que son nez coule, il y a risque de transmission d'une infection par les sécrétions nasales. Celles-ci peuvent contenir des virus dont on doit circonscrire la propagation en utilisant des mesures d'hygiène appropriées. L'éternuement dans les mains, l'écoulement nasal ou le contact des doigts avec du mucus favorisent la multiplication rapide des microbes dans les 30 à 60 minutes suivantes. Pour éviter le contact des mains avec les microbes lorsqu'on éternue, on éternue dans le pli d'un coude et on enseigne aux enfants à le faire.

Apprendre à se moucher fait partie des habiletés qui se développent durant la petite enfance. Ce n'est que vers cinq ans, que l'enfant le fera très bien et sans aide.

Dans bien des cas, les enfants ont besoin qu'on leur apprenne à se moucher et à bien le faire. On doit aussi leur montrer à éternuer sans papier mouchoir lorsqu'ils ne peuvent en utiliser un. En services éducatifs, c'est à l'éducatrice que revient la tâche d'enseigner aux enfants les règles d'hygiène concernant le mouchage. Mais, comme la santé des enfants concerne plus d'une seule personne, il est indispensable de faire un suivi avec les autres membres du personnel et avec les parents.

A.   Les moments propices pour se moucher

À partir de deux ans, l'enfant est généralement en mesure d'apprendre à se moucher, de commencer à savoir comment et quand le faire. Mais ce n'est que vers quatre ans qu'il fera le mouchage assez bien alors que, vers cinq ans, il le réussira efficacement.

Dans l'art de se moucher, il existe des pratiques simples à enseigner aux enfants et à appliquer soi-même. Nous serons d'accord pour reconnaître l'utilité du mouchage dans les situations suivantes :

— lorsqu'on éternue ;

— pour vidanger le nez qui coule de manière évidente ;

— pour vider le nez qui semble contenir des sécrétions moins apparentes, par exemple, lorsqu'on renifle plusieurs fois de suite ;

— pour se soulager lorsque le besoin se fait sentir ;

— pour nettoyer les narines qui semblent contenir des déchets telles des poussières et des sécrétions séchées.

B.   Le matériel et l'équipement

Pour leur côté pratique et hygiénique, on préférera les papiers mouchoirs aux mouchoirs en tissu. Évidemment, il ne faut pas utiliser le même papier plus d'une fois ou pour un autre enfant. On doit placer une boîte de papiers mouchoirs dans chacune des pièces du service éducatif de même que dans la cour extérieure, et ce, en toutes saisons. Il est nécessaire d'apporter des papiers mouchoirs lors des sorties au parc et des déplacements.

L'éducatrice doit amener les enfants à se moucher de manière autonome. Par conséquent, ils devraient avoir accès facilement et au besoin à la boîte de papiers mouchoirs. Il arrive fréquemment qu'on demande aux parents de fournir une boîte de papiers mouchoirs à leur enfant. Évidemment, il ne s'agit pas d'en étaler huit, dix ou vingt dans l'environnement, mais plutôt d'en sortir une à la fois et, une fois qu'elle est vide, de la remplacer par une autre. On évite la perte de la boîte de papiers mouchoirs en la fixant au mur ou sur un bout de comptoir.

Par souci d'écologie, on recommande l'usage de papiers mouchoirs fabriqués à partir de fibres recyclées.

Il importe de disposer d'une poubelle à couvercle, de préférence à pédale, protégée à l'intérieur par un sac de plastique. Chaque local ou lieu fréquenté par les enfants dispose d'une poubelle dont on fait la vidange et la désinfection tous les jours.

Si l'enfant ou l'éducatrice n'a d'autre choix que de toucher à l'ouverture de la poubelle pour y déposer son mouchoir en papier souillé, il est certain qu'il y aura contamination. Mais cela peut être évité avec une poubelle à pédale.

C.   Les techniques du mouchage

Premièrement, à l'aide d'un ou deux papiers mouchoirs assez grands et suffisamment épais pour que les doigts n'entrent pas directement en contact avec le mucus, couvrir le nez et les narines avec les deux mains placées de chaque côté. Deuxièmement, souffler doucement, une narine à la fois, en bloquant l'autre avec les doigts de l'autre main. En procédant ainsi, on évite de faire entrer les sécrétions nasales dans les trompes d'Eustache, ce qui diminue les risques d'infection de l'oreille moyenne. (Larose, *La Santé des enfants*, p. 65) La troisième étape consiste à jeter le papier mouchoir à la poubelle. Finalement, se laver les mains à l'eau courante et savonneuse.

Avec de l'aide, l'enfant de deux ans tente de se moucher sans toutefois comprendre qu'il doit souffler par le nez. Il s'essuie plus qu'il ne se mouche. À partir de quatre ans, il arrive seul à tenir son mouchoir, à souffler et à essuyer son nez.

Le mouchoir en papier ne constitue pas une barrière efficace entre les sécrétions nasales et les mains. Il est nécessaire de se laver les mains après le mouchage afin de minimiser les risques de contamination par les microbes.

Porter les doigts à son nez favorise le risque de blessures aux narines, d'où l'importance de garder les ongles courts, précaution qui contribue également à diminuer la quantité de germes sous les ongles.

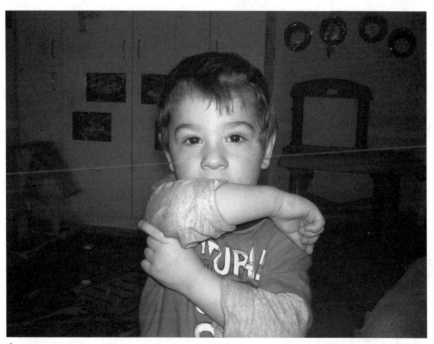

Éternuer dans le pli du coude diminue la propagation des microbes par les mains. L'éducatrice montre à l'enfant cette technique de prévention de maladies.

L'éternuement est un réflexe qui survient le plus souvent de manière soudaine, de sorte qu'on n'a pas le temps de prendre un papier mouchoir. Pour diminuer les risques de contamination des mains et la propagation des microbes, on suggère d'enseigner aux enfants à éternuer dans le pli du coude. Cependant, certains enfants semblent abuser de cette pratique et prennent la mauvaise habitude d'essuyer régulièrement leur nez qui coule avec leur avant-bras ou l'intérieur de leur coude. Il faut leur rappeler gentiment d'utiliser le papier mouchoir en leur expliquant que c'est la façon la plus hygiénique de se moucher.

D. Petit jeu pour s'exercer à se moucher

Voici un jeu à faire qui permettra aux débutants de s'exercer à bien se moucher.

Dessiner un drôle de petit fantôme sur un mouchoir de papier. Demander à l'enfant de chasser le fantôme, d'abord en soufflant sur celui-ci avec la bouche ouverte puis avec la bouche fermée. Ensuite, mettre le papier en avant de son nez et tenter de faire bouger le fantôme en soufflant dessus seulement par les narines. Finalement, souffler sur le fantôme directement dans le mouchoir, par une narine à la fois et en bouchant l'autre.

E. Comptines et chansons

1

Le lapin Dunécoquin

Air traditionnel : On va t'y n'avoir du plaisir

Je suis le p'tit lapin   (s'approcher de l'enfant en simulant
                                un lapin avec un papier mouchoir)

Lapin Dunécoquin
Je m'en viens moucher le nez de…   (prénom de l'enfant
                                          que l'on mouche)

Je mouche, je mouche,
Je mouche, je mouche,
Je mouche le nez de…   (prénom de l'enfant)

2
Va moucher ton petit nez

Air traditionnel : Marie avait un mouton

Va moucher ton petit nez, ton petit nez, ton petit nez.
Va moucher ton petit nez pour mieux respirer.

3
Les microbes à mes trousses

(Se trouve sur le CD)
Comptine de Nicole Malenfant

1) Les microbes sont à mes trousses
   Quand je tousse ou je me mouche.
   Ils sont là qui éclaboussent
   Quand je tousse ou je me mouche.

2) C'est un mouchoir en papier
   Qu'il me faut pour capturer
   Les microbes dans mon nez
   Qui me font éternuer.

3) Ils ont certainement la frousse
   Ces microbes qui éclaboussent
   Une fois emprisonnés
   Dans mon mouchoir en papier.

4) Quelques-uns se sont sauvés
   Pour aller vite se cacher.
   Je vais m'en débarrasser :
   Mes mains, je vais laver.
   Les microbes ne sont plus à mes trousses…

Chapitre 4

Les collations et les repas

CONTENU DU CHAPITRE

S'alimenter fait partie des besoins de base de tous les enfants auxquels il est essentiel de répondre par une nourriture saine et appétissante. Mais manger n'est pas qu'une nécessité pour leur croissance ; c'est aussi une source de plaisir et de bien-être, une activité sensorielle, sociale et émotionnelle qui offre une occasion propice d'apprentissage. L'éducatrice conscientisée à la pédagogie démocratique considère les collations et les repas comme des activités à part entière où les enfants prennent une place privilégiée. C'est pourquoi elle prend soin de les planifier soigneusement et de les préparer, tout comme elle le fait pour les autres moments de la journée.

L'éducation à l'alimentation débute dès le jeune âge alors que l'enfant commence à vivre différentes expériences et à apprendre par l'exemple. Un enfant qui fréquente un service éducatif à temps plein est appelé à y prendre près de la moitié de sa nourriture quotidienne et davantage s'il y déjeune, d'où l'importance de veiller à la qualité de ce qu'il mange et boit.

4.1   UNE ALIMENTATION SAINE

Plus que jamais, les spécialistes de la nutrition et même la population en général reconnaissent l'importance d'une saine nutrition pour contribuer au maintien d'une bonne santé. Par contre, le mode de vie des Nord-Américains révèle un écart important entre le discours et la réalité. Alors que le tiers des habitants de la planète meurent de faim en raison d'une pénurie d'eau et de denrées alimentaires, une autre partie tout aussi considérable, dont nous sommes, souffre de plus en plus de déficience alimentaire non par manque de nourriture ou d'aliments nutritifs, mais plutôt par surconsommation alimentaire ou mauvaise nutrition. Cet état de fait entraîne de nombreux troubles de santé : excès de poids, diabète, maladies cardiovasculaires, hypertension, hypoglycémie, problèmes digestifs, cholestérol, sédentarité excessive, fatigue chronique ou affaiblissement du système immunitaire.

Dans la plupart des cas, la difficulté de bien se nourrir vient d'une éducation alimentaire déficiente et d'un manque d'intérêt vis-à-vis de la nutrition. Même si une pomme coûte moins cher qu'un sac de croustilles, c'est souvent celui-ci qui remporte la faveur populaire.

Le contenu nutritionnel des aliments ingérés (vitamines, minéraux, acides gras essentiels, fibres, protéines) permet d'induire d'une manière efficace les mécanismes métaboliques qui contribuent au maintien d'une bonne santé. De plus, une alimentation équilibrée augmente les capacités d'attention et d'apprentissage des enfants (Hendrick, p. 72) et s'inscrit inévitablement dans une approche de santé globale. Ainsi, les adultes nourriciers devraient offrir aux enfants des aliments véritablement nutritifs et privilégier la fraîcheur et la variété, les groupes alimentaires et la réduction des calories vides en éliminant les boissons édulcorées aux fruits, les biscuits commerciaux très sucrés, les craquelins à saveur artificielle ainsi que les additifs chimiques comme les agents de conservation.

Tout comme pour les autres aliments, les desserts que l'on offre aux enfants devraient être nutritifs.

Les éducatrices en SGMS peuvent exiger que les parents et les traiteurs fournissent des collations et des repas nutritifs. Elles doivent expliquer clairement leur point de vue, s'y tenir et y revenir au besoin pour qu'on élimine les aliments camelotes : barres de chocolat, croustilles, desserts sucrés, boissons gazeuses. On peut fournir aux parents en quête d'idées une liste d'aliments recommandés pour garnir la boîte à lunch de leur enfant. La santé et le bon développement de l'enfant demeurent toujours les raisons qui justifient les demandes que le service éducatif fait aux parents en matière d'alimentation. Les SGMS qui offrent la collation aux enfants en après-midi ont la responsabilité de leur donner des collations variées et nutritives.

Puisque boire est aussi important que manger pour la santé des enfants, il faut leur offrir de l'eau régulièrement. Par temps chaud, l'éducatrice le fait plus souvent. Lors d'une sortie au parc, apporter de l'eau et des petits gobelets pour permettre aux enfants de s'hydrater.

> Comme le recommande le Guide alimentaire canadien, les collations et les repas doivent contenir des produits céréaliers, des fruits et des légumes, des produits laitiers ainsi que de la viande ou un substitut et les portions suggérées doivent être adaptées aux groupes d'âge. Les cuisiniers et cuisinières de même que les traiteurs qui préparent les repas doivent s'inspirer du Guide pour planifier leur menu, comme le demande la réglementation.

Il est tout à fait possible de consommer des mets-santé à prix abordables, savoureux et satisfaisants tant pour le corps que pour l'esprit et qui ne nécessitent pas une longue préparation. Il existe de nombreux ouvrages diététiques fort intéressants pouvant aider à préparer et à présenter les repas et les collations en services éducatifs. Les bibliothèques, les librairies et les centres de documentation des associations vouées à l'éducation à l'enfance en offrent plusieurs.

4.2 LES COMPORTEMENTS DES ENFANTS FACE À L'ALIMENTATION

Non seulement les premières années de vie sont-elles déterminantes pour le développement des enfants, mais elles jouent également un rôle considérable dans l'acquisition des habitudes et des connaissances alimentaires. En comprenant mieux les caractéristiques des enfants en

matière de nutrition, nous sommes davantage en mesure de les accompagner dans cet apprentissage crucial. Même si les enfants de 2 à 8 ans
affichent des différences individuelles en matière d'alimentation, il existe
des points communs dans leur comportement. L'encadré 4.1 en présente
quelques-uns.

Encadré 4.1   Caractéristiques communes des jeunes enfants en matière de nutrition

- Le fait de prendre les collations et les repas à heures régulières et prévisibles sécurise les enfants et non seulement ceux en bas âge.
- C'est bien connu, le sucre est la saveur préférée des enfants. Des études prouvent que cette préférence est génétique.
- Les enfants préfèrent les saveurs douces, salées et sucrées alors qu'ils ont, en général, une aversion pour les aliments exotiques, amers, trop assaisonnés ou relevés à moins qu'ils n'y aient été habitués dès leur tendre enfance, comme ceux qui sont issus de certains groupes ethniques.
- Les enfants ont un penchant pour le pain, les fruits, la viande, le beurre et un certain dégoût pour les légumes verts. Il existe cependant des manières de les amener à y goûter.
- L'estomac des petits étant petit, ils préfèrent ingurgiter de petites quantités de nourriture à la fois jusqu'à cinq ou six reprises par jour, d'où l'importance de leur offrir quotidiennement trois repas ainsi que deux à trois collations.
- Après l'âge d'un an environ, les enfants aiment pouvoir reconnaître les aliments qu'on leur présente. Il vaut mieux leur présenter de petites portions séparées et non mélangées en «gibelotte», couper les aliments en petits morceaux et non les écraser, ni les hacher ni les camoufler sous une montagne de ketchup ou de sauce.
- Les enfants préfèrent les aliments tièdes aux aliments chauds ou froids.

- Ils ont une préférence pour les textures molles et tendres au début de leur vie et commencent à apprécier les consistances croustillantes et croquantes au fur et à mesure qu'ils grandissent.

- Les enfants sont attirés par des aliments faciles à manipuler : soupe dans une tasse, bâton de grissol à tremper dans une tartinade au tofu, légumes coupés de façon à ce qu'ils puissent être pris avec les doigts, cubes de fromage, fruits en morceaux, craquelins de blé entier, petites pièces de viande, croquettes de poulet maison, cubes de tofu, tranches de pain brun, biscuits à l'avoine, etc.

- Les enfants mangeant d'abord avec les yeux, ils aiment bien les couleurs contrastantes des aliments, les napperons colorés, la vaisselle attrayante, les verres avec des motifs.

  On choisira la nourriture de l'enfant en fonction de sa texture, de sa couleur, de sa forme et de sa valeur nutritive.

- À partir d'un an et jusqu'à environ cinq ans, l'appétit des enfants peut fluctuer beaucoup selon leur dépense d'énergie, leur forme physique, leur rythme de croissance et leur niveau de fatigue. Et cela se passe bien au-delà de leur propre volonté. Ils peuvent même passer d'un extrême à l'autre : dévorer ou refuser de manger à l'intérieur d'un court laps de temps, bouder un aliment alors qu'ils l'appréciaient auparavant. Le refus de manger et les caprices alimentaires atteignent un stade critique durant la petite enfance, autour de trois ans (Petit, 1998). Un enfant fatigué, émotionnellement instable ou malade aura généralement peu ou pas d'appétit.

  En plus de la courbe de croissance « en dents de scie » caractéristique de la petite enfance, cette période de la vie est marquée par le passage de plusieurs infections (otites, gastroentérites, rhumes, bronchites, etc.), l'administration de vaccins, sans compter la prise de certains médicaments tels que les antibiotiques, l'acétaminophène (Tempra, Tylénol), les broncodilatateurs (les pompes de type Ventolin) qui sont, la plupart du temps, des inhibiteurs d'appétit chez les enfants.

Après une activité de grande dépense d'énergie, les enfants ont besoin de boire de l'eau. Il faut leur en offrir avant qu'ils ne se déshydratent.

4.3   L'ORGANISATION DES TÂCHES ET DU TEMPS

Il n'est pas tout de voir à bien alimenter les enfants; encore faut-il leur offrir un cadre apaisant pour faciliter la digestion. Les collations et les repas en services éducatifs devraient être des moments de répit agréables tant pour les adultes que pour les enfants. « Il faut se rappeler que manger représente l'un des merveilleux plaisirs de la vie. » (Petit, 1994, p. 47) Par conséquent, les éducatrices ont un rôle capital à jouer pour valoriser ce plaisir dans la vie de groupe en accordant une importance particulière à la gestion du temps et des tâches concernant les activités de repas et de collations. L'encadré 4.2 fournit quelques conseils à cet égard et l'encadré 4.3 montre comment susciter la participation des enfants lors des collations et des repas.

Encadré 4.2   Gestion du temps et des tâches pour les collations et les repas

- Il est préférable que les enfants de moins de quatre ans prennent leur repas ni trop tôt ni trop tard, soit vers 11 h 30, après avoir passé du temps à l'extérieur. Les enfants d'âge préscolaire peuvent manger plus tard, aux alentours de 12 h, pour ensuite commencer la sieste, vers 13 h 15. Bien entendu, chaque service éducatif doit planifier l'horaire des activités de repas **en tenant compte avant tout des besoins des enfants.**

- Prévoir 30 à 40 minutes pour le repas du midi et du soir*, 30 minutes pour le déjeuner[1] et 15 à 20 minutes pour chaque collation. Viser le juste milieu entre la course et le «flânage» à la table; on recommande qu'il y ait une horloge dans le local: elle permet de bien gérer le temps. Certains SGMS limitent à 20-25 minutes le temps consacré au dîner afin de permettre aux nombreux groupes qui doivent se succéder dans le même local de manger chacun leur tour. C'est une situation aberrante allant à l'encontre des valeurs de respect des enfants pourtant clamées dans les discours des gestionnaires. Qu'en est-il du bien-être de nos jeunes écoliers obligés d'avaler leur repas à toute vitesse?

- Idéalement, on devrait disposer de 15 minutes de jeu par rapport à l'horaire fixé pour commencer et finir le repas ou la collation, de manière à éviter de faire pression sur les enfants à cause du manque de temps. Le rythme de la vie des adultes souvent infernal n'a pas à être imposé aux enfants. **Certains services éducatifs devraient faire une analyse sérieuse des interventions qui se font dans leur milieu à l'heure des collations et des repas, afin d'adapter leur mode de fonctionnement aux besoins réels des enfants.**

---

1. Dans les services éducatifs qui accueillent des enfants à diverses heures de la journée, les enfants peuvent y prendre leur souper ou leur déjeuner. Il y a des SGMS qui offrent le déjeuner gratuitement par l'entremise d'organismes tel le Club des petits déjeuners du Québec.

- Pour réduire les temps d'attente lors de la collation de l'après-midi en SGMS, il vaut mieux dissuader les parents de fournir des plats à chauffer au micro-ondes.

- Autant que possible, prévoir pour les enfants en SGMS une sortie à l'extérieur d'au moins quinze minutes après le repas pour leur permettre de rééquilibrer leur énergie avant le retour en classe.

- Aviser les jeunes enfants du moment de la collation ou du repas : « Après le jeu de ballon, ce sera l'heure de prendre la collation. » Les enfants d'âge scolaire qui apprennent rapidement l'enchaînement des activités sauront quand s'installer eux-mêmes à la table.

- **Rappelons que le risque de contamination est considérable lorsqu'on mange directement avec ses mains, comme on le fait généralement à la collation. Avant la manipulation de nourriture, il faut donc se laver les mains avec du savon liquide extrait d'une pompe distributrice et faire laver celles des enfants, à l'eau chaude et savonneuse sous le robinet.** De plus, l'éducatrice doit se laver les mains entre chaque manipulation d'aliments différents, par exemple, quand elle prépare des morceaux de clémentines après avoir coupé des cubes de fromage. Le port de bracelets et de bagues est à proscrire car des résidus d'aliments pourraient s'y loger. De plus, une éducatrice ayant des lésions cutanées sur les mains doit porter des gants en latex.

- Enfiler un tablier ou un bavoir (une bavette) aux plus petits pour minimiser les saletés sur leurs vêtements, mesure tout indiquée lorsqu'il y a du macaroni au fromage et aux tomates au menu.

- Désinfecter la table où mangent les enfants avant qu'ils n'y prennent place. Vaporiser le désinfectant sur la surface de la table de manière à réduire la dispersion des gouttelettes dans l'air. Pour éviter d'avoir à trop se pencher, l'éducatrice pose un genou sur une chaise tout en vaporisant le produit.

- Limiter le temps d'attente avant, pendant et après la collation et le repas pour minimiser les comportements dérangeants des enfants et tenir compte de la patience dont ils peuvent faire preuve selon leur développement.

- Réduire au minimum le délai entre la préparation, le service et la dégustation des aliments afin d'éviter la prolifération des bactéries ; rappelons que les aliments faciles à contaminer – ceux qui ne sont pas conservés ou manipulés correctement – ne doivent pas être gardés dans la zone de danger (entre 4 °C et 60 °C) pendant plus de deux heures.

  Les personnes assignées à la préparation des collations et des repas doivent accorder une attention particulière aux règles de cuisson et de conservation des aliments et voir adéquatement à la salubrité et à l'hygiène culinaire, tout en tenant compte de la sécurité des enfants (aliments allergènes pour tel enfant, risque d'étouffement avec les crudités et certaines coupes d'aliments pour les tout-petits).

- Servir une petite quantité de nourriture dans les assiettes des enfants, quitte à les resservir ensuite. À partir d'un an, commencer par offrir une cuillerée à table de chaque aliment par groupe d'âge. Par exemple, **2** cuillerées à table de poulet, **2** cuillerées de riz et **2** cuillerées de haricots coupés en biseaux pour les **2** ans, etc. (Lambert-Lagacé, 1984) Même chose pour le lait ou le jus : il est préférable de remplir les verres au quart ou à la moitié au lieu de forcer les enfants à boire tout le contenu de leur verre plein. Cela suffit largement pour combler les besoins nutritionnels du jeune enfant. Même pour un enfant ayant un appétit normal, manger une pomme entière à la collation peut être trop. Quant aux enfants ayant un plus grand appétit, ils pourront être servis à nouveau, à leur demande. **Les éducatrices auraient tendance à servir trop de nourriture aux enfants lorsqu'elles-mêmes ont très faim. Plusieurs parents font de même lorsqu'ils préparent la boîte à lunch de leur enfant.**

  C'est à l'adulte de fournir la **qualité et la variété** des aliments alors qu'il revient aux enfants de déterminer la **quantité**. (Lambert-Lagacé, 1984)

- En SGMS, faire chauffer les plats des dîneurs dans le micro-ondes et les distribuer dans un délai raisonnable. La tâche sera plus facile si l'on a accès à plusieurs appareils et s'ils sont situés à proximité des tables de dîneurs. De plus, l'identification des plats au nom de l'enfant faite par les parents permet de repérer plus rapidement les propriétaires et d'éviter ainsi les interventions à distance : « À qui est ce plat-là ? »

- Pour éviter le décalage entre les premiers servis et les derniers, l'éducatrice demande aux enfants de commencer à manger une fois seulement le service terminé. De cette façon, on élimine les problèmes d'attente à la fin du repas et ce qui en découle.

- Établir une entente claire avec les parents d'enfants qui déjeunent au CPE, à la garderie ou au SGMS : Qui le fournit ? Coût supplémentaire ? Entre quelle heure à quelle heure ? Menu ? Etc.

- Habituer les enfants à boire de l'eau fraîche durant la journée : avant la collation, en rentrant de dehors et surtout pendant les journées chaudes d'été et les activités de grande dépense d'énergie. Il n'est pas nécessaire d'attendre que les enfants manifestent leur soif pour leur offrir de l'eau, car la sensation de soif traduit déjà un état de manque qu'il faut prévenir. (Petit, 1994, p. 108)

- Ne pas proposer de concours de vitesse aux enfants dans le but de les pousser à manger rapidement ou à vider leur assiette. Après les avoir invités calmement et fermement à goûter au moins chaque type d'aliments de leur dîner, il vaut mieux ne pas les réprimander et retirer leur assiette ou leur proposer de ranger leur boîte à lunch à la fin du repas. Leur préciser qu'ils n'auront qu'à se reprendre la prochaine fois.

- Pour réduire le plus possible les va-et-vient des enfants pendant les pauses alimentaires, demander aux enfants de faire signe à l'éducatrice lorsqu'ils ont besoin d'aide.

- Une fois la collation ou le repas terminé, amener les enfants à se laver le visage et les mains à l'aide d'une débarbouillette humide prévue pour chacun d'eux ou, idéalement, se laver **à l'eau courante et savonneuse** pour enlever les traces de nourriture et les bactéries. Éliminer catégoriquement l'utilisation de la même débarbouillette pour tous ou du nettoyage dans le même plat d'eau.

- Après le repas, amener les plus grands à rincer leur assiette sous l'eau du robinet et à la déposer dans le bac prévu à cet effet.

- Ramasser avec un balai tous les débris de nourriture tombés au sol ou sur les chaises, car ces aliments se contaminent rapidement et peuvent rendre malade celui qui serait tenté de les manger. Bien nettoyer la table et les chaises.

- Après la collation ou le repas, vider la poubelle où aboutissent les restes alimentaires et désinfecter le couvercle.

L'auto-service offre à l'enfant la possibilité de se familiariser avec les aliments et les portions. C'est un apprentissage des plus profitable à partir de l'âge de 2 $\frac{1}{2}$ à 3 ans.

Encadré 4.3   Comment susciter la participation des enfants lors des collations et des repas

- Distribuer et ramasser les verres (en CPE ou en garderie).
- Distribuer les plats chauffés à l'aide d'un cabaret (en SGMS).
- Pour les enfants d'âge préscolaire en CPE, disposer la nourriture dans des plats de service au milieu de la table ou sur une table adjacente pour les habituer à se servir eux-mêmes en appliquant la règle suivante : « Ce que tu mets dans ton assiette, tu le manges. »
- Amener les dîneurs à déposer leurs déchets dans un plat servant de poubelle installé au centre de la table pour éviter d'avoir à aller jusqu'à la grosse poubelle (en SGMS) ; inviter les enfants de 3 à 5 ans en CPE à jeter leurs déchets dans la poubelle après la collation ou le repas. C'est une bonne habitude à leur inculquer pour leur apprendre à prendre soin de leur environnement.
- Demander aux enfants de nettoyer leur place après avoir mangé, de ramasser ce qui traîne, d'essuyer la table et leur chaise.
- Pousser délicatement sa chaise en sortant de table.
- Balayer le plancher autour de la table.

4.4   L'ORGANISATION PHYSIQUE ET MATÉRIELLE

L'aménagement physique a une influence indéniable sur la qualité des moments passés à table. Par conséquent, il s'avère essentiel de faire des choix éclairés en ce qui a trait au déroulement des collations ou des repas en matière de lieu et de matériel. Tout d'abord, l'éducatrice doit appliquer le principe prioritaire de **sécurité** et faire preuve d'une vigilance accrue en tout temps. Les enfants sont davantage en sécurité lorsqu'ils demeurent assis tout au long de la collation ou du repas ; cela leur permet de mieux mastiquer et de bien avaler la nourriture. Bien entendu, les enfants ne devraient jamais se trouver en position couchée ou être en train de courir, de pleurer, de rire ou de chanter lorsqu'ils mangent ; de plus, ils ne devraient jamais être laissés seuls car, si un problème survient, l'éducatrice doit être prête à réagir promptement. Elle fait en sorte qu'aucun enfant en nourrisse un autre, peu importe l'âge. Par conséquent, elle interdit l'échange ou le partage de nourriture d'une assiette ou d'une boîte à lunch à l'autre, afin d'assurer, entre autres, une sécurité optimale aux enfants souffrant d'allergies alimentaires graves.

L'éducatrice élimine les risques de brûlure et d'incendie en n'utilisant pas de bougies allumées. Elle préfère l'emploi de petites lampes à piles pour créer un éclairage chaleureux.

> L'éducatrice ne devrait jamais rien tenir pour acquis en matière de sécurité des enfants à l'heure des collations et des repas. Elle assure une vigilance irréprochable de manière à éviter les étouffements et les blessures.

Il convient de planifier l'aménagement physique de manière à favoriser les échanges entre les convives. En plus de permettre de garder l'œil sur les enfants, la table de forme circulaire semble être la plus adaptée pour que chacun voie tout le monde. À défaut de quoi, l'éducatrice verra à faire asseoir les enfants de manière à avoir une bonne vue d'ensemble. Elle envisage la possibilité de répartir les enfants à différentes petites tables pour un meilleur confort.

Il vaut mieux éviter de prendre place au sol trop longtemps pour manger. Les enfants se fatiguent vite dans la posture assise sans appui dorsal. Toutefois, on peut organiser un pique-nique de temps en temps, ce qui leur procure un plaisir indéniable. Par ailleurs, il faut assurer une hygiène appropriée au fait de manger assis sur le plancher.

> Malgré leur commodité pour le rangement, les longues tables pliantes découragent les contacts interpersonnels. Par souci pédagogique, on préférera de plus petites tables circulaires, que l'on disposera en îlots pour encourager les échanges entre convives. Il existe sur le marché des tables circulaires, mobiles et pliantes à 8 ou 10 places, avec des sièges à dossier. Elles sont plus pratiques et plus confortables que les modèles ordinaires.

Parce que les collations et les repas sont des occasions propices pour le développement social, il convient de varier le **regroupement des enfants** lors de ces moments. Par exemple, on peut permettre aux enfants de manger à des petites tables de deux ou trois places pour leur offrir l'occasion d'établir un contact plus étroit avec divers compagnons.

Un système rotatif des places autour de la table favorise des rapprochements interpersonnels difficiles à faire autrement. De plus, la possibilité de prendre la collation ou le dîner à côté de l'éducatrice est très appréciée des jeunes enfants. Pour leur assigner rapidement une place ou pour contourner subtilement des conflits prévisibles entre voisins de table, on fait asseoir les enfants sur des chaises identifiées à leur prénom ou à leur symbole personnel.

Il importe de limiter le plus possible le **nombre d'enfants** qui mangent en même temps dans le même local, car un grand nombre d'enfants réunis dans un même lieu engendre une recrudescence de bruits, de tensions, de discipline et de désagréments pour tous. Souvent, il vaut mieux faire manger les enfants dans leur local habituel ou dans un autre local, au lieu de les regrouper en grand nombre dans une salle à manger exiguë, surpeuplée, impersonnelle et très bruyante.

Peut-on s'habituer à l'ambiance de certains locaux de dîneurs en milieu scolaire où des enfants de 5 à 12 ans se retrouvent à 80, 90, 100 et parfois davantage? Des enfants qui sont assis collés les uns à côté des autres, sans appui dorsal, dans un fracas insupportable, empressés d'avaler leur repas pour laisser la place au groupe suivant, éprouvant en plus de la difficulté à obtenir l'aide de l'éducatrice tellement elle a à faire comme concierge, serveuse, police ou médiatrice. Que penser aussi du fait que ces enfants doivent subir l'avalanche des consignes de discipline pour demander le calme ou pour prendre les présences, quand ce ne sont pas les menaces et les cris causés par un tel contexte de tension généralisée qui les accablent? La plupart des adultes fuiraient à toute allure s'ils se retrouvaient dans un tel environnement. On doit se demander honnêtement si ce type d'organisation prédispose vraiment les enfants à faire des apprentissages en après-midi.

Bien que cette description peut sembler exagérée, elle reflète malheureusement une réalité à laquelle doit se soumettre le personnel d'un bon nombre de SGMS et de services de dîneurs afin de répondre à la demande accrue des familles désireuses de faire dîner leur enfant à l'école. Cette augmentation de clientèle est venue aggraver une situation déjà inacceptable où le ratio autorisé est d'une surveillante pour 60 enfants inscrits uniquement au service des dîneurs et d'une éducatrice pour 20 enfants inscrits au SGMS. Dans un tel contexte, on retrouve également des problèmes relatifs aux locaux : pénurie, non-appropriation ou inaccessibilité, ce qui ne fait qu'amplifier la *déshumanisation du repas du midi*. Il va sans dire qu'une telle situation est inappropriée tant pour les enfants que pour les éducatrices et les surveillantes de dîner. En tant qu'agents d'éducation, il est grand temps de faire les réflexions qui s'imposent pour arriver à trouver des solutions viables pour tous.

Manger dans une salle réservée aux collations et aux repas peut présenter des avantages : salubrité accrue, proximité des lavabos, changement d'environnement brisant la monotonie du local habituel. Cependant, l'intimité qui se dégage d'un repas pris en petits groupes dans un espace personnalisé est impossible à retrouver dans une grande salle à manger avec beaucoup d'enfants. Par contre, les enfants sont portés à être plus distraits dans leur local où se trouvent des objets de jeu attirants pour eux. Pour faire un choix éclairé quant au lieu où prendre les repas, l'éducatrice doit prendre plusieurs facteurs en considération, dont le plus important demeure le bien-être des enfants.

Pour que le moment de manger soit favorable à la détente et à l'échange avec les pairs, et pour bien digérer, on doit **réduire le plus possible les bruits** contrôlables. Que ce soit la musique de fond de longue durée, les bruits d'appareils électroménagers, les voix autoritaires omniprésentes ou les bruits incommodants de vaisselle. Dans certains services éducatifs, on utilise la télévision et les vidéocassettes à l'heure du midi pour occuper les enfants à qui l'on interdit de bavarder entre eux. En pareil cas, la règle veut généralement que tout le monde mange en silence ou en chuchotant, en regardant l'émission ou la vidéo et seulement si le bruit environnant est inexistant ou, à tout le moins, faible. Est-ce vraiment l'idéal pour les enfants que de les placer devant le petit écran alors qu'ils y passent déjà en moyenne près de 30 heures en moyenne par semaine ? Cela représente plus du tiers de leur vie passée à regarder passivement des images qui banalisent souvent la violence, le sexisme et le racisme. Voilà un exemple flagrant de contradiction entre les valeurs prônées et celles qui sont véritablement véhiculées sur le terrain. Malgré des progrès considérables réalisés ces dernières années, il reste encore beaucoup à faire pour assurer une cohérence pédagogique dans les services éducatifs.

Il est important de procurer aux enfants un **espace minimal vital** pour qu'ils puissent manger avec aisance, en évitant de les entasser « comme des sardines » les uns à côté des autres. Un **mobilier approprié** ajoutera au confort des enfants. On choisit alors des chaises robustes, munies d'un dossier droit et adaptées à leur taille pour que leurs pieds touchent le sol. On réduira ainsi le risque de renverser les verres et les dégâts tout en augmentant le plaisir de manger. Les éducatrices devraient aussi avoir à leur disposition une chaise adaptée à leur taille et à la hauteur des enfants pour qu'elles puissent s'asseoir confortablement pendant la collation et le repas.

Apprécier le moment des collations et des repas n'est pas toujours facile. Une table qui arrive au menton, des chaises trop basses qui obligent les enfants à s'asseoir sur les genoux, un siège d'appoint non sécuritaire qui fait basculer les enfants sur le côté, une surface de table rugueuse, des bancs qui ne permettent pas de s'adosser en mangeant, une position prolongée assise, ou un environnement bruyant sont loin d'être des conditions propices au confort et à la détente des enfants et des éducatrices lors des collations et des repas, qui reviennent plus de 600 fois par année en services éducatifs.

De la **vaisselle facile à manipuler et incassable**, solide et à large rebord, est mise à la disposition des jeunes enfants. À l'occasion, il est intéressant de manger dans une assiette spéciale aux formes ou aux couleurs originales, et de boire dans une petite coupe en plastique. Il est conseillé de rassembler dans un bac le matériel nécessaire au service du dîner : ustensiles, plats de nourriture, verres.

Pour assurer un minimum de **salubrité**, il est conseillé de faire porter un tablier aux plus petits et de placer sous leur table une nappe de plastique pour faciliter le nettoyage du plancher souillé par les débris de nourriture qu'ils laissent tomber par maladresse ou inattention. Évidemment, un plancher facile à laver est ce qu'il y a de mieux, surtout en milieu familial. On recommande de garder à portée de la main des papiers absorbants et un **linge à nettoyer** au cas où un dégât surviendrait. Lorsque l'enfant d'âge préscolaire et scolaire est à l'origine d'un dégât, on conseille de le faire participer au nettoyage.

Dans les situations difficiles, l'éducatrice principale devrait pouvoir compter sur une **aide temporaire**, par exemple, lors du repas avec huit bambins, dans le cas d'un groupe de dix enfants de 4 et 5 ans très agités, ou bien lorsqu'il y a plusieurs plats à faire chauffer au micro-ondes.

Dans un contexte difficile, l'éducatrice peut parfois recourir à un **système de renforcement positif** pour encourager les enfants à adopter les comportements souhaités à l'heure du midi. Il peut s'agir du privilège de s'asseoir à côté de l'éducatrice ou de prendre place à la table d'honneur selon le mérite accordé. On peut identifier les enfants récompensés pour leur bon comportement en leur faisant porter un collier ou un macaron. Les enfants devraient alors savoir à l'avance quel comportement méritoire est souligné. Bien entendu, ce comportement doit correspondre aux valeurs éducatives du milieu et à l'âge des enfants. Le défi pourrait consister à bien nettoyer sa place pendant les quatre premiers jours de la semaine pour devenir admissible au privilège accordé le cinquième jour. En tout temps, l'éducatrice doit s'abstenir d'accorder des privilèges pour la nourriture ingérée : « Si tu manges tout ce qu'il y a dans ta boîte à lunch» ou pour la vitesse d'exécution: «Le premier qui finira de manger.» Les concours de silence sont à proscrire. Le but visé par un système d'émulation est de stimuler les enfants, d'encourager leurs efforts et non de les humilier, de les sous-estimer ou de les réprimer. Précisons qu'un tel moyen demeure inefficace s'il n'est pas accompagné d'autres types de stratégies et si ce sont toujours les mêmes enfants qui sont récompensés.

Pourquoi ne pas laisser la collation libre après le lever de l'après-midi? On peut alors l'offrir dans un intervalle de temps de 30 à 45 minutes. En pareil cas, l'éducatrice offre à ceux qui ne mangent pas la possibilité d'avoir accès à un espace et à du matériel de jeu. Il serait regrettable que ces enfants s'ennuient à patienter à table pendant que les autres mangent, à moins que ce ne soit leur choix.

Pour apporter de la nouveauté aux collations et aux repas, on peut changer le **décor ambiant** en aménageant, par exemple, un espace champêtre printanier en plein hiver ou un environnement exotique.

En prenant place à table avec les enfants et en mangeant avec eux,
l'éducateur ou l'éducatrice participe à la création d'un climat
convivial et chaleureux à l'heure du repas.

4.5   LA PRÉSENCE BIENVEILLANTE DE L'ÉDUCATRICE

Il appartient à l'éducatrice d'organiser les tâches, de gérer le temps, de prévoir un aménagement spatial et du matériel appropriés pour assurer le bon déroulement des collations et des repas. Outre l'environnement qu'elle organise, ses attitudes ont une importance capitale dans l'ambiance recherchée. Il est difficile d'envisager le déroulement calme d'une collation ou d'un repas avec une éducatrice qui s'active sans cesse pendant que les enfants mangent. **L'éducatrice devrait tenir compagnie aux enfants en s'assoyant avec eux pour prendre la collation ou le repas.** L'atmosphère risque ainsi d'être plus calme. Il y aura moins de déplacements, moins d'incitation à se lever et davantage de contacts interpersonnels constructifs. Faut-il rappeler que les collations et les repas sont des moments éducatifs comme les autres ?

La présence de l'éducatrice à table nécessite souvent l'utilisation d'une table d'appoint, fixe ou roulante et d'un plateau pour déposer les plats de service. Pour limiter les déplacements, **il importe d'avoir à portée de la main tout le matériel nécessaire pour accomplir les diverses tâches à partir de la table**.

> L'éducatrice est en grande partie responsable de la création d'une atmosphère détendue et conviviale à l'heure des collations et des repas.

Il importe d'agrémenter la pause alimentaire de sourires et de regards complices, de petites touches d'humour et de tendresse. Le sens du merveilleux a également sa place lors des collations et des repas. On peut prendre une voix fantaisiste, jouer à être à un restaurant chic, nourrir une conversation détendue. Le partage d'une collation ou d'un repas devient alors un moment très agréable lorsqu'une bonne organisation et de bonnes attitudes sont au rendez-vous.

Il est insensé d'exiger le silence absolu à la table, sauf en de rares occasions et pour un temps très limité, mais on peut fournir aux enfants des moyens appropriés pour susciter leur collaboration pour obtenir le calme recherché : donner l'exemple en chuchotant, les féliciter pour leurs bons comportements, les inviter à se calmer au début du repas en déposant leur tête sur la table pendant deux minutes, se détendre soi-même comme éducatrice en prenant quelques respirations lentes et profondes, recourir à une marionnette pour les rappeler à l'ordre d'une façon amusante, démarrer des sujets de conversation intéressants pour eux, proposer un repas ou une collation spéciale telle «une collation toute en sourire».

Les enfants d'âge préscolaire sont particulièrement actifs pendant les conversations à l'heure des collations et des repas. Il importe d'aider les plus silencieux à prendre eux aussi part aux échanges en leur posant des questions ou en leur adressant des remarques simples et personnalisées, sans toutefois les obliger à se livrer. Les enfants aiment les échanges informels où ils sont amenés à parler de leur intérêt du moment : anniversaire prochain, sortie au cinéma en famille, visite chez grand-papa, animal domestique, activité nouvelle du matin, événement prochain.

De temps en temps ou lors d'une occasion spéciale, il peut être intéressant de décorer la table avec des napperons plastifiés, qui pourraient avoir été fabriqués par les enfants, ou avec une nappe de plastique aux motifs attrayants, un petit bouquet de fleurs sauvages cueillies lors d'une promenade (vérifier cependant les allergies au pollen). Il peut aussi être indiqué de tamiser l'éclairage, de mettre pendant quelques minutes une musique douce qui plaît aux enfants, d'organiser un piquenique dans la cour extérieure, autrement dit de **briser la monotonie des routines alimentaires en apportant un brin de nouveauté dont les enfants de trois ans et plus se réjouissent généralement.**

4.6   L'ÂGE « CRITIQUE » DE 2 ANS

Le rythme de croissance du bébé ralentit après l'âge de un an, il est donc normal de voir l'appétit des enfants diminuer de manière significative jusqu'à cinq ans. Au lieu de s'en préoccuper, il vaut mieux adapter les portions en fonction de cette nouvelle donnée.

Les premières années de vie étant déterminantes dans la relation qu'établit l'enfant avec la nourriture, on doit faire des choix alimentaires éclairés en tenant compte de la santé des enfants. Les intervenants concernés – éducatrices, parents, cuisinières, responsables de la gestion, membres du conseil d'établissement ou du conseil d'administration – ont intérêt à se concerter pour prendre les meilleures décisions qui soient en matière d'alimentation. Ces décisions ont une incidence sur le développement de l'enfant, plus particulièrement sur sa capacité d'attention et de concentration et sur sa motivation.

Lorsque l'enfant a atteint l'âge de un an, il arrive que certains parents se préoccupent moins de la qualité de son alimentation, même s'ils ont apporté une grande attention à ce point pendant les premiers mois de sa vie. Raison de plus pour qu'en services éducatifs on redouble d'efforts pour offrir et promouvoir une saine nutrition.

La créativité émergente des enfants de 1 an et demi à 2 ans les porte à faire des expériences avec leur nourriture (étendre, transvaser, renverser le lait dans l'assiette, jouer avec la cuillère, etc.). Il vaut mieux leur signifier clairement ce que l'on attend d'eux et voir à réorienter leur attention de manière positive. « Tout à l'heure après la collation, tu pourras t'amuser avec la pâte à modeler, mais maintenant je veux que tu manges ta compote de pommes avec ta cuillère. »

Il n'est pas facile de garder un enfant de deux ans assis à table pendant 30 à 40 minutes, d'autant plus que certains d'entre eux utilisent encore la chaise haute à la maison. Il faut user de beaucoup de patience, de douceur et faire des rappels pour leur permettre d'effectuer ce nouvel apprentissage. Il est primordial de limiter le temps assis à table, tout en ne pressant pas les enfants. La règle d'or, c'est la persévérance, car la plupart des enfants finissent par s'adapter d'une manière ou d'une autre aux attentes réalistes de leur éducatrice.

Les enfants de deux ans n'aiment pas se salir ; il est donc fréquent de les voir réclamer une débarbouillette pendant le repas pour se laver la bouche et les mains. Il faut alors raisonnablement le leur permettre avant de continuer le repas.

Jusqu'à trois ans, il est normal que les enfants se salissent en mangeant. On peut leur faire porter des bavoirs et placer des nappes de plastique sous la table pour faciliter le nettoyage après le repas. C'est vers l'âge de deux ans que les petits commencent à se démarquer dans leurs goûts alimentaires. Ils expriment des préférences, refusent de manger certains aliments qu'ils acceptaient auparavant, ont tendance à redemander toujours la même nourriture. Cela s'ajoute aux manifestations qui caractérisent cette période du développement marquée par le besoin d'affirmation.

Routine, précision et stabilité étant le propre des bambins, il vaut mieux garder le même ordre de présentation des aliments, les mêmes habitudes de service, les mêmes gestes et rituels, les mêmes lieux et le même mobilier. (Betsaler et Garon, 1984) Il est fréquent d'observer le refus face à la nouveauté chez les enfants de deux ans. Passer de la chaise haute à la table ordinaire, délaisser le biberon ou la tasse à bec pour le verre ordinaire, remplacer la nourriture en purée par celle qui est préparée pour tout le monde, faire apprécier de nouvelles saveurs, voilà des changements qu'on devrait introduire entre l'âge de un et deux ans alors que les enfants sont plus ouverts. Néanmoins, tous les groupes alimentaires devraient avoir été introduits avant l'âge de deux ans. Puisque vers deux ans et demi les enfants ont toutes leurs dents de lait, on devrait avoir totalement éliminé les purées.

La période précédant et suivant le dîner peut être difficile pour l'éducatrice qui veille sur des enfants de 1 an et demi à 2 ans et demi. Les changements de couche à faire pour quelques-uns, la séance sur le pot d'entraînement pour d'autres, la faim difficile à supporter, la fatigue accumulée de la matinée, les tensions entre pairs qui en découlent, de même que la fatigue et la faim de l'éducatrice mettent sa patience à rude épreuve. C'est pourquoi une organisation à la fois rigoureuse et souple du dîner dans son ensemble – avant, pendant et après – s'avère indispensable pour traverser sans trop de heurts ce moment souvent exigeant de la journée. Il en va aussi du mieux-être des enfants.

L'éducatrice cerne les priorités pour la période entre la fin du repas et le début de la sieste, et fait en sorte que les enfants ne soient pas laissés à ne rien faire et sans repères.

4.7   LE PEU D'APPÉTIT, LE REFUS DE MANGER, L'ENFANT DIFFICILE

Les « caprices » et les refus alimentaires des enfants passent rarement inaperçus aux yeux de l'éducatrice qui se demande alors comment agir pour amener les « petits appétits » à se nourrir. Doit-elle ignorer, insister, faire entendre raison à l'enfant, argumenter, proposer un compromis, moraliser, affronter ou faire de la diversion ? Autant de questions qui méritent une réponse éclairée.

> Dans la plupart des cas, il n'y a pas lieu de s'inquiéter du refus de manger d'un enfant ou de son petit appétit. Éviter d'y accorder trop d'importance et proposer calmement à l'enfant de goûter aux aliments.

Plusieurs ouvrages de référence proposent des solutions et des pistes de réflexion très utiles pour intervenir en toute connaissance de cause face au désintéressement alimentaire des enfants. Tout d'abord, les auteurs nous invitent à **observer l'enfant concerné de manière objective pour vérifier son niveau d'énergie physique dans l'ensemble de la journée.** Peut-il courir, rire, bouger avec entrain, participer aux activités proposées ? Si oui, il vaut mieux ne pas s'inquiéter outre mesure du fait qu'il mange peu dans une journée. Toutefois, il est prudent d'étudier l'évolution de la situation et d'assurer un suivi avec les parents.

On peut expliquer le refus de manger par des caprices alimentaires passagers ou des situations de vie anxiogènes comme la séparation des parents, un changement d'éducatrice ou un déménagement. Par contre, si l'enfant semble exagérément fatigué ou refuse de participer à des activités physiques, s'il démontre une difficulté persistante à se concentrer, s'il a des troubles fréquents de l'humeur et du sommeil, s'il semble souffrir d'une insuffisance de poids, s'il a mauvaise mine sans présence de symptômes pouvant signifier une infection passagère et qu'aucun moyen ne réussit à le faire manger, il est urgent d'en parler aux parents pour les inciter à consulter sans tarder un spécialiste de la santé. Dans les autres cas, le peu d'élan à l'égard de la nourriture doit être dédramatisé. Pour faire face aux caprices alimentaires des jeunes enfants, rien ne vaut de bonnes attitudes empreintes de compréhension et d'amour, nous rappelle la nutritionniste Louise Lambert-Lagacé (1984).

A. Particularités associées au tempérament de l'enfant

Les caractéristiques propres à la personnalité de l'enfant sont souvent en cause dans son manque d'appétit. On voit des bébés qui déjà sont des mangeurs enthousiastes. (Essa, p. 335) En effet, dès les premières tétées, les premiers aliments solides offerts, ces enfants montrent un intérêt évident pour la nourriture. Alors que d'autres inquiètent leurs parents en raison de coliques persistantes, de régurgitations répétées, d'intolérances alimentaires ou parce qu'ils sont difficiles à nourrir. Chaque enfant est unique dans la manifestation de ses attitudes face à la nourriture. Pour certains, manger sera facile et agréable alors que, pour d'autres, ce sera le contraire.

Les particularités alimentaires propres à chaque enfant font partie de son unicité, que l'éducatrice doit comprendre et considérer avec beaucoup de discernement tout en collaborant avec les parents.

Un enfant étiqueté tôt comme « difficile » aura tendance à l'être ou à le devenir. (Essa, p. 335) Il décodera les inquiétudes les plus subtiles de son entourage face à ses limites alimentaires. Il constatera qu'on le traite de façon différente des autres enfants : on le supplie de manger par divers moyens, on lui demande de goûter aux aliments, de finir son verre de lait. Avec perspicacité, il se peut que cet enfant boycotte les stratégies utilisées pour faire réagir davantage ses parents et son éducatrice.

B. Particularités associées à l'âge de l'enfant

L'âge des enfants peut expliquer leurs caprices alimentaires. Rappelons-le, les enfants en bas âge n'ont besoin que de petites portions de nourriture pour suffire à leurs besoins physiologiques. Il est fréquent de voir un enfant âgé entre un et six ans refuser ou préférer des aliments pour des raisons d'affirmation et d'autonomie caractéristiques de son développement socioaffectif. Sa réaction sera d'autant plus marquée s'il constate chez l'adulte nourricier une anxiété due à son comportement alimentaire difficile.

Accepter sans en faire de cas le refus alimentaire de l'enfant est souvent la meilleure attitude à adopter lorsqu'il s'agit d'un enfant en bonne santé. Préserver un rapport sain à la nourriture en évitant de faire pression sur l'enfant pour qu'il mange. Plus on contraint l'enfant à manger, plus il manifeste de la fermeture. C'est une stratégie qui a depuis longtemps démontré son inefficacité.

C. L'art d'observer les enfants

« Cet enfant-là ne mange jamais rien », serions-nous portés à dire d'un enfant difficile face à la nourriture. Pourtant, dans la réalité, il peut en être tout autrement. Il est plus facile de généraliser une situation dérangeante que de s'arrêter aux faits, que de l'analyser pour tenter de réellement l'améliorer. Est-ce que cet enfant dont il est question ne mange **vraiment** jamais rien? Une observation menée de manière systématique et professionnelle s'impose pour démêler les perceptions et les faits réels. L'encadré 4.4 fournit quelques points de repère à ce sujet.

Encadré 4.4   Questions à se poser face à un enfant qui refuse de manger

Qu'est-ce qu'un enfant difficile face à la nourriture ou qui a des caprices alimentaires?

- Un enfant qui lambine devant son assiette?
- Un enfant qui dit ne pas aimer ce qu'il y a dans son assiette mais qui finit par manger?
- Un enfant qui refuse de manger des légumes verts?
- Un enfant qui joue avec sa nourriture?
- Un enfant qui n'avale pas facilement la nourriture, qui mâche longtemps?
- Etc.

Quels aliments refuse-t-il? Quels aliments préfère-t-il?

- Yogourt?
- Viandes rouges?
- Fruits de la famille des agrumes?
- Etc.

Comment se manifestent ses limites alimentaires?

- En silence?
- Par des plaintes et des récriminations?
- Par de la tristesse?
- En pleurant intensément?

- Par du découragement ? Avec moins d'aliments dans son assiette, la situation s'améliore-t-elle ?
- En gardant longtemps sa nourriture dans sa bouche ?
- En se montrant agressif, entêté ? En jouant avec sa nourriture ?
- En ayant des haut-le-cœur ?
- Etc.

S'agit-il d'une situation récente ? Quand a-t-elle débuté ?

À quelle fréquence apparaissent les comportements observés pendant une semaine ?

- Deux fois au dîner, trois fois à la collation ?
- Surtout en début de repas ?
- Etc.

Qu'arrive-t-il lorsque l'enfant se comporte ainsi ?

- Mange-t-il de façon sélective ?
- Parle-t-il beaucoup ou peu lors des collations et des repas ?
- L'éducatrice finit-elle par lui faire avaler deux ou trois bouchées ? Comment s'y prend-elle ?
- Les autres enfants lui disent-ils de manger ?
- L'atmosphère générale est-elle détendue ou plutôt tendue ?
- Etc.

Une fois les informations objectives recueillies, l'éducatrice procède à une analyse rigoureuse des résultats pour obtenir un portrait plus juste de la situation. Partager son expérience d'observation et son plan d'intervention avec d'autres éducatrices et la responsable du service éducatif ne pourra qu'être bénéfique à la démarche menée auprès de l'enfant concerné. L'échange de renseignements, l'encouragement apporté par les collègues rendront certainement le programme d'aide plus efficace. Évidemment, les parents doivent être avisés, car le problème détecté et les mesures mises en place se répercutent d'une manière ou d'une autre sur la vie familiale.

D. État général de la situation

En matière d'alimentation, il est important de tenir compte **des habitudes et des attitudes habituelles de l'enfant à la maison**, car il existe bel et bien des différences personnelles dans ce domaine, tant chez les enfants que chez les adultes. A-t-il bon appétit ? À quelle heure prend-il son déjeuner avant de quitter la maison le matin ? A-t-il déjà mangé des poires ? Comment se passent les repas chez lui ? Voilà des exemples de questions à poser aux parents et dont les réponses peuvent grandement éclairer l'éducatrice qui cherche à comprendre les réticences alimentaires de l'enfant.

Dans certaines familles, les habitudes nutritionnelles sont particulières : surconsommation de fast-food, mets épicés, absence de légumes au menu, repas pris à heures variables, aliments différents liés à une culture différente, ce qui a pour conséquence que la nourriture servie en services éducatifs ou les manières de vivre les repas ne plaisent pas nécessairement aux enfants vivant dans ces familles concernées. Malgré cette situation souvent déplorable pour la santé des enfants, il faut continuer à leur offrir des aliments santé dans un cadre structuré en évitant à tout prix « la pression pour manger, la contrainte, le chantage, l'attention excessive donnée à l'enfant pour son refus de manger ». (Petit, 1994)

E. Quelques stratégies utiles

« Mange car ton papa ne viendra pas te chercher tout à l'heure » ou « Mange ta viande sinon tu ne pourras pas grandir et aller à la maternelle. » « Il faut que tu manges ton brocoli pour avoir droit à ton dessert. » « Qui va terminer son repas le premier ? » sont des phrases récupérées qui n'ont rien d'éducatif. Elles doivent être bannies des interventions de l'éducatrice démocratique.

De quelque façon que ce soit, la punition, la compétition et les récompenses ne devraient être associées à l'acte de manger. Il faut éviter d'appliquer une conséquence directe (priver l'enfant d'une sortie) et le faire plus tard (refuser la collation de l'après-midi à un enfant qui n'avait pas mangé ses légumes le midi). De même, on devrait limiter le recours à des astuces telles «une bouchée pour maman», jouer à l'avion avec la cuillère pour faire ouvrir la bouche de l'enfant, s'asseoir près de l'enfant pour le stimuler sans cesse. Bien qu'elles soient justifiées, ces stratégies peuvent finir par nuire à l'établissement d'un rapport sain avec la nourriture. Peu importe les comportements alimentaires des enfants, ceux-ci doivent favoriser dès les premières années de leur vie, une relation positive avec le geste de manger, le temps des repas, les aliments, le fait de prendre soin de soi en se nourrissant, les sensations éprouvées (satiété, faim, aversion, préférence). Ce n'est certes pas le marchandage, le chantage ou les détours répétés de l'adulte qui aideront l'enfant en ce sens. **Il importe donc que l'éducatrice dédramatise la situation devant le refus ou le peu d'ardeur de l'enfant pour manger et qu'elle explique clairement son point de vue aux parents en cherchant avec eux comment agir pour le développement harmonieux de l'enfant.**

Quand les difficultés sont graves et que la situation nous dépasse, il convient d'en discuter avec les parents et de leur proposer de consulter un spécialiste de la nutrition ou un pédiatre.

On ne le dira jamais assez : le fait de prendre les collations et les repas dans une **atmosphère agréable** contribue au plaisir de manger, à celui de goûter aux aliments, à aider à penser à autre chose qu'à son dégoût pour tel ou tel aliment. L'éducatrice veille à réduire le bruit, prend le temps pour cette activité et s'assoit avec les enfants à table.

On peut demander à l'enfant de faire un effort pour goûter à un aliment, en l'encourageant avec une **fermeté calme**. Par exemple, on lui demande de prendre deux bouchées pour deux ans, trois bouchées pour trois ans. Le cas échéant, il vaut mieux, à la fin de la collation ou du repas, retirer la nourriture sans commentaire ni manifestation quelconque de désapprobation. Il faut à tout prix éviter la lutte de pouvoir, sans toutefois céder aux mille et une demandes de l'enfant. On peut alors dire à l'enfant : « Tu te reprendras la prochaine fois », ce qui l'amènera probablement à vivre la conséquence naturelle de son refus de manger, c'est-à-dire ressentir la faim jusqu'au prochain repas ou jusqu'à la collation. Les enfants connaissent mieux que quiconque leur appétit. (Petit, 1996) **Encourageons davantage les bons comportements alimentaires avec un sourire, un regard approbateur et tentons d'ignorer ceux qui nous contrarient ou nous préoccupent tout en encourageant les efforts pour goûter aux aliments.** « En tant qu'éducatrice, nous travaillons au cœur d'un processus à long terme. Faisons preuve de patience pour enseigner aux enfants et leur démontrer par l'exemple ce qui est bon pour eux. » (Petit, 1998)

Continuer à offrir à l'enfant les aliments qu'il bannit, car les goûts changent et le refus est rarement permanent. « Il faut persévérer et continuer de présenter un aliment rejeté. Il suffit parfois de le présenter sous une autre forme ou une autre texture pour voir l'enfant s'y intéresser. » (Petit, 1996). Éviter de demander à l'enfant s'il veut manger tel aliment mais plutôt lui en offrir une petite quantité en l'invitant calmement à y goûter, sans toutefois le forcer. De son côté, Joanne Hendrick (1993) suggère un petit truc pour inciter un enfant qui refuse de manger parce qu'il n'aime pas ce qui se trouve dans son assiette : « Je pense que tu aimeras y goûter lorsque tu seras grand. » On peut dire aux enfants, par exemple, que le nouveau pain offert à la collation ce matin est comme un aliment d'adulte et qu'il pourra y goûter lorsqu'il le décidera lui-même. Ou lui dire que le poivron qui se trouve dans son assiette aimerait bien faire son travail qui est de l'aider à digérer et que, pour cela, il doit aller dans son estomac. « Le poivron adore que tu le manges, car il fait son travail. » Une touche de fantaisie peut plaire à certains enfants. Inviter l'enfant à goûter à un aliment sans toutefois l'obliger à l'aimer fait partie des stratégies qui peuvent l'amener à une plus grande ouverture alimentaire. Dans le cas d'un enfant qui ne veut manger que le dessert, on peut lui permettre de prendre une portion de dessert équivalente à ce qu'il a mangé pour le plat principal.

Il n'est pas bon d'introduire plus d'un nouvel aliment à la fois et, lorsqu'on le fait, il faut alterner avec des aliments familiers et demeurer réaliste face à nos attentes d'adulte. Les tout-petits préfèrent généralement s'en tenir aux mêmes aliments et affinent peu à peu leurs goûts en vieillissant. On pourrait dire qu'il y a des préférences à chaque période de la vie. L'apprentissage du goût s'échelonne dans le temps. Les champignons, les olives, le camembert et les moules marinières ne figurent pas au palmarès des préférences alimentaires des jeunes enfants. De plus, il est prudent de **préparer les enfants à l'arrivée d'un nouvel aliment** en prenant le temps de le présenter la veille ou durant la matinée. Très probablement que les pois chiches figurant au menu du midi recevront un meilleur accueil si on les a d'abord présentés lors d'une causerie enrichie d'images, d'observation et de manipulation de spécimens, d'identification des lieux et des modes de culture. Il ne faut pas oublier que les moyens pédagogiques adaptés au niveau de développement des enfants auront davantage d'effet sur leur réceptivité. On verra, dans la dernière partie de ce chapitre, quelques activités d'apprentissage susceptibles d'éveiller l'intérêt des enfants pour les nouveaux aliments.

Les présentations visuelles attrayantes et **les mises en situation amusantes** stimulent les enfants à goûter aux aliments : des tranches de tomates pareilles à des roues de camion, de la luzerne comme les cheveux d'un bonhomme, une pomme coupée en étoile, des morceaux de fromage découpés avec un emporte-pièce, de la vaisselle colorée, un napperon personnalisé, un verre attrayant. Il peut aussi s'avérer efficace de rappeler aux enfants, sans pression aucune, qu'ils ont besoin de manger tel aliment pour rester en bonne santé ou pour nourrir les muscles de leurs jambes, leur permettant ainsi de courir vite.

En plus de réduire le gaspillage, les petites portions découragent moins les enfants que des assiettes surchargées. Des aliments séparés réussissent à capter l'attention d'un bon nombre d'enfants alors que les mets mélangés les rebutent.

Donner soi-même l'exemple en consommant devant les enfants la même nourriture qu'eux, ou encore **placer les petits mangeurs près des gros mangeurs** pour stimuler ceux qui ont moins d'appétit, ne peut qu'être bénéfique pour stimuler les plus réticents à manger. On ne doit pas sous-estimer l'influence qu'exerce l'éducatrice sur son groupe ; son attitude, verbale ou non verbale – intérêt, rejet, dégoût masqué, indifférence face aux nouveaux aliments et aux nouvelles saveurs – est déterminante pour les enfants. L'éducatrice non convaincue de l'influence de son exemple sur les enfants devrait tenter l'expérience ; le modèle qu'elle présente aux enfants leur communique ou non le plaisir de manger, de découvrir des goûts différents.

Après une période de jeux à l'extérieur, offrir aux enfants de l'eau à boire, et ce, en toutes saisons, surtout aux plus petits qui ne savent pas encore reconnaître leur soif. S'il est assoiffé, l'enfant aura du mal à manger avec appétit.

Quand l'enfant d'âge préscolaire a la possibilité de se servir lui-même en CPE ou en garderie, il accepte mieux de manger ce qui se trouve dans son assiette. Il est sage de commencer cette pratique en se limitant à une seule partie du repas, par exemple, le plat principal. Il semble plus difficile d'envisager une telle approche avec des enfants de moins de 2 $\frac{1}{2}$ ans. Pour que la procédure remporte le succès escompté, on doit l'accompagner de règles claires et simples :

- Prenez au moins un peu de tout.

- Ne prenez que la quantité que vous pouvez manger.

- Vous pourrez vous servir une deuxième fois si vous avez encore faim.

La patience de l'éducatrice lors des premières expériences du genre est un gage de réussite. Au début, il est normal que les enfants se servent trop malgré les consignes établies et qu'ils soient maladroits et échappent de la nourriture à côté de leur assiette. N'oublions pas qu'ils sont en période d'apprentissage et que l'expérience en vaut souvent la peine en dépit des inconvénients passagers.

Les enfants aiment se sentir utiles. Ils prennent plaisir à servir leurs compagnons à l'heure du dîner.

Les enfants étant mieux disposés à manger la nourriture qu'ils ont aidé à préparer, on peut prévoir des **expériences culinaires simples à faire avec les enfants** : préparer des brochettes de fruits, mettre des cubes de fromage dans les pâtes alimentaires, couper les champignons pour la sauce à spaghetti, etc. Ils seront davantage motivés à consommer la nourriture qu'ils auront préparée pour une collation ou un repas.

L'éducatrice inquiète du comportement alimentaire d'un enfant peut utiliser un **tableau de renforcement**. Elle y place un autocollant chaque fois que l'enfant goûte à chacun des aliments lors des repas et des collations. Mais, avant d'adopter cette méthode, on doit informer l'enfant et ses parents. **De plus, il faut s'assurer du caractère confidentiel de la démarche en évitant d'exposer le tableau à la vue de tous.** Afin d'augmenter les chances de réussite du programme, commencer par offrir des aliments que l'enfant aime et lui faire choisir et apposer lui-même l'autocollant mérité sur le tableau. Cette approche persuasive fonctionne mieux avec des stratégies parallèles et gagne à être accompagné de **renforcement verbal**. «Tu as goûté à un peu de viande, au riz et à une fève verte. Bien…» À mesure que les mauvaises habitudes diminuent, on abandonne graduellement l'utilisation du tableau qui n'aura bientôt plus sa raison d'être, de même que le renforcement verbal systématique.

F.   Le vécu de l'enfant

Tenir compte du vécu de l'enfant – situation familiale anxiogène, stress occasionné par des perturbations au CPE ou à l'école – s'avère sans doute essentiel pour cerner les causes de changements dans les habitudes alimentaires. On sait bien que les émotions altèrent grandement l'appétit. En période d'intégration ou de perturbation grave, ce n'est pas le moment de modifier les comportements alimentaires rapportés de la maison ou d'un autre service éducatif – utilisation prolongée d'un biberon, ingestion exclusive de pain et de pâtes, etc. – Il vaut mieux retarder la démarche d'ajustement à une période ultérieure plus favorable.

G.   Les préférences alimentaires

Les enfants ont bel et bien des préférences alimentaires tout comme les adultes. Les friands de choux de Bruxelles, de lentilles ou de foie de bœuf sont généralement peu nombreux chez les personnes de tous âges. Il vaut mieux alors apprêter ces aliments de manière appétissante : crème de brocoli ou chou-fleur gratiné, cubes de foie apprêtés avec une sauce savoureuse, pâté chinois aux lentilles, etc. Toutefois, certains enfants et adultes refuseront de manger divers aliments comme le navet, le poisson, les tomates, les oignons, etc., **car les aversions alimentaires réelles et définitives existent** réellement. N'est-ce pas ce que signifient les dictons populaires : «Tous les goûts sont dans la nature» et «Les goûts ne se discutent pas».

H. Les situations temporaires

Finalement, il faut savoir que **plusieurs caprices alimentaires ne seront que passagers**. Jusqu'à l'âge de cinq ans, les enfants se développent rapidement ; ils ont des pics et des creux de croissance qui les font passer d'une étape à l'autre et, souvent, sans prévenir leur entourage. S'adapter aux fluctuations alimentaires des enfants est aussi le lot des éducatrices. Néanmoins, il demeure important de continuer à leur proposer régulièrement des aliments dits «impopulaires», sans toutefois les obliger à les manger. Quelques enfants auront besoin d'apprivoiser un nouvel aliment en ne faisant que le regarder dans leur assiette pendant un certain temps avant de se décider à y goûter.

4.8 LES HABITUDES ET LES RESTRICTIONS ALIMENTAIRES

Considérer et incorporer au menu certaines particularités alimentaires d'enfants de cultures différentes est important pour leur intégration sociale ; cela peut également profiter à l'ensemble du groupe. Patates douces en purée, mangues, variété de laitues, pain pita, couscous, bagel, haricots rouges, blé bulgur apportent de la variété aux repas ainsi que des textures, des couleurs et des saveurs différentes qui stimulent la curiosité des convives.

Les restrictions alimentaires justifiées par des traditions ethniques, des principes religieux ou des valeurs familiales (pas de porc, pas de sucre raffiné, etc.) devraient être prises en considération dans la limite du raisonnable. Il n'en demeure pas moins que, sur ce point, une entente claire doit être prise avec les parents pour éviter tout malentendu. (Betsaler et Garon, 1984)

4.9   L'EXCÈS ALIMENTAIRE

« On croirait que cet enfant n'a pas de fond » ou encore « Il a les yeux plus grands que la panse », dit-on d'un enfant enclin à la gourmandise. Celle-ci se caractérise par un élan irrésistible vers la nourriture, qui va bien au-delà des besoins du corps. L'enfant montrant une tendance à la gourmandise manifeste une réaction d'emballement à la vue de la nourriture, demande souvent à quelle heure il va manger, a peur de manquer de nourriture, s'empresse de tout avaler ce qu'il a devant lui, en redemande plus d'une fois, s'empare de la nourriture avec une certaine nervosité. On reconnaît la goinfrerie par un très grand attrait pour la nourriture qui se manifeste par la compulsion, le gavage, la consommation de très grandes quantités de nourriture, un empressement à manger nettement incontrôlé.

Avec l'aide de ses parents et des éducatrices, l'enfant peut entretenir une relation harmonieuse avec la nourriture sans nuire à sa santé. Partageant avec lui ses collations, souvent le dîner et parfois même le déjeuner et le souper, l'éducatrice est bien placée pour aider l'enfant à apprivoiser son rapport de dépendance face à la nourriture. « Il faut travailler avec l'enfant pour développer chez lui l'écoute des sensations corporelles liées à l'alimentation et l'aider à percevoir la sensation du fond du ventre, la sensation du plein et de vide. » (Petit, 1994, p. 57)

Faire la distinction entre le goût et le besoin corporel de manger s'apprend dès le plus jeune âge. « Tu aimes tellement cet aliment que c'est difficile pour toi de t'arrêter d'en manger. Sens-tu la faim dans ton corps ? Que te dit ton ventre ? Qu'il a faim, qu'il en a assez ou qu'il en veut encore ? As-tu encore de la place pour une deuxième pomme ? Es-tu rassasié ? » On a intérêt à vite faire usage du mot « rassasié » en présence des enfants afin qu'ils le comprennent bien et l'utilisent à bon escient pour décrire leurs véritables sensations corporelles. Ce terme évoque très bien la sensation physique de plénitude et de satiété ressentie une fois que le corps a eu suffisamment de nourriture ; le mot **satisfait** quant à lui fait référence davantage au désir, au goût et à l'idée de manger. Devant un enfant gourmand, on peut recourir à plusieurs méthodes d'intervention éducative telles que :

- cultiver la modération alimentaire sans culpabilisation ni comparaison entre pairs, proposer des compromis : « Je vais t'en garder un peu pour demain, car je sais que tu aimes beaucoup cet aliment » ;

- faire des choix-santé ;

- accorder une valeur à la dégustation des aliments et au plaisir de manger ;

- prendre le temps de savourer ce qu'on ingère ;

- éduquer à l'autoobservation des signes physiologiques de la faim et de la satiété.

Pour avoir un rapport sain avec la nourriture, l'enfant doit apprendre la sagesse face à la nourriture. (Petit, 1994, p. 59) La tâche de l'éducatrice consiste donc à **encourager l'enfant à savourer pleinement les aliments, à prendre le temps de mastiquer sa nourriture, à ressentir pleinement le plaisir de manger** sans besoin de s'empiffrer ou de perdre le contrôle. Elle l'amène à décoder et à prendre en considération les signes corporels de satiété ressentis (nausées, sensation d'être plein, ventre gonflé, sensation de pantalon trop serré) et à tenir compte des aversions personnelles pour certains aliments. Outre ces attitudes, l'activité physique régulière devrait faire partie du programme de santé d'un enfant porté à la gourmandise.

Certains enfants mangent beaucoup sans être obèses alors que d'autres semblent avoir un surplus de poids sans pour autant manger exagérément. Néanmoins, la plupart des enfants qui mangent trop risquent de souffrir d'un problème de poids à un moment ou l'autre de leur vie. Les enfants aux prises avec un surplus de poids sont susceptibles d'avoir des problèmes sociaux. (Essa, p. 347) Ils sont perçus comme différents et se déprécient souvent eux-mêmes. Ils ont de la difficulté à suivre les autres dans les activités physiques, ils sont plus vite essoufflés et moins agiles. Par conséquent, ils développent rapidement une préférence pour les jeux plus statiques. Les moqueries et les comparaisons des pairs risquent également d'affecter sérieusement leur estime personnelle.

Parce qu'il est associé à un plaisir, le comportement alimentaire est difficile à modifier. Mais, si l'on s'en occupe dès la petite enfance, alors que l'adulte peut encore contrôler l'alimentation de l'enfant, les chances de réhabilitation sont plus grandes.

> Manger modérément, accorder de l'importance à la qualité des aliments et non seulement à la quantité tout en répondant aux besoins fonctionnels du corps est avant tout une question de santé et non de poids et d'esthétique.

Pour mener efficacement une démarche de modération alimentaire chez un enfant, une collaboration étroite avec les parents et l'ensemble du personnel éducateur est indispensable. L'aide d'une spécialiste en diététique infantile du CLSC peut sans doute s'avérer utile pour assurer la réussite de ce type de programme.

4.10   LA BOÎTE À LUNCH EN SERVICE DE GARDE EN MILIEU SCOLAIRE

Comment bien garnir la boîte à lunch de son enfant qui fréquente le service de garde de son école pendant plus de 200 jours durant l'année ? C'est un défi de taille pour les parents, le plus souvent pour les mères de famille, qui ont à remplir jour après jour la boîte à lunch de leur enfant d'aliments nutritifs, variés, attrayants et appréciés.

Les habitudes alimentaires de la famille se répercutent directement dans le contenu de la boîte à lunch. Les collations et les repas qu'on y trouve en disent long sur les habitudes alimentaires à la maison. Un lunch-santé n'est pas nécessairement long à préparer, mais requiert plus de planification qu'un mets commercial à réchauffer au micro-ondes et accompagné de biscuits Oréo pour le dessert.

Pour que les aliments se conservent bien dans la boîte à lunch, il faut appliquer avec soin des principes de salubrité appropriés : réfrigération adéquate, boîte à lunch de qualité, etc. Une bonne boîte à lunch possède des caractéristiques précises. Elle est rigide, dispose d'une isolation thermique, est d'un format assez grand, sans être encombrante, est munie d'une doublure intérieure en vinyle qui se nettoie facilement et a une fermeture éclair solide, résistante et simple à manipuler. De plus, elle possède une pochette pour y placer un sac réfrigérant.

Encadré 4.5   La boîte à lunch : précautions à prendre pour éviter les risques d'intoxication (à l'intention des parents)

- Nettoyer quotidiennement la boîte à lunch et les contenants isothermiques (thermos) en utilisant une eau additionnée de bicarbonate de soude (petite vache) ; cette mesure a aussi l'avantage d'enlever les mauvaises odeurs.

- Conserver les aliments périssables (trempette, sandwich, yogourt, etc.) au frais en plaçant les contenants entre deux petites boîtes de jus congelés ou deux sachets réfrigérants (*ice pack*).

- Laver fruits et légumes avant de les mettre dans la boîte à lunch.

- Nettoyer le dessus des boîtes de conserve avant de les ouvrir.

- Garder la boîte à lunch au réfrigérateur le plus longtemps possible avant de consommer les aliments.

- Se débarrasser des aliments le moindrement douteux.

Lors des repas au SGMS, certains enfants ont bon appétit alors que d'autres goûtent à peine aux aliments même si leur boîte à lunch est remplie à craquer et que les parents exigent que leur enfant mange tout. L'éducatrice se sent souvent obligée de stimuler l'enfant à manger au-delà de sa faim. On voit également la situation contraire où des enfants affamés ou bons mangeurs doivent se contenter d'un simple sandwich avec une mince tranche de saucisson de Bologne et d'un breuvage aux fruits. Que faire en pareil cas? C'est avant tout une affaire de gros bon sens. On peut demander aux parents de mettre moins de nourriture dans la boîte à lunch en leur expliquant le problème que vit leur enfant. Il est plus délicat d'expliquer à des parents que leur enfant n'a pas assez à manger et que sa nourriture est de piètre qualité. Cette situation reflète souvent une réalité familiale difficile: pauvreté, négligence, problèmes de santé d'un parent, famille monoparentale, enfant laissé à lui-même dans la préparation de son lunch. L'éducatrice doit essayer de comprendre le contexte dans lequel vit l'enfant et discuter du problème avec la directrice de l'école ou la responsable du service de garde. Par la suite, on pourra alors envisager une conversation avec les parents dans le but que leur enfant ait suffisamment de nourriture dans sa boîte à lunch. De plus, on pourra aider les parents à profiter des services d'aide alimentaire offerts aux plus démunis dans la plupart des municipalités.

4.11   LES BONNES MANIÈRES À TABLE

Éduquer l'enfant à la politesse contribue à son développement, affirme Jovette Boisvert (p. 37), psychologue. Dire **merci, s'il te plaît, excuse-moi, bonjour** s'apprend à travers l'exemple donné par l'adulte et bien au-delà d'une discipline imposée. L'imitation constitue sans aucun doute un puissant outil d'apprentissage du «savoir-vivre» chez les enfants: manger la bouche fermée, laisser sa nourriture dans son assiette entre deux bouchées, demander une deuxième portion avec un «s'il vous plaît», remercier pour le verre de lait qui vient d'être servi, éviter de siroter son verre de jus. On ne doit pas accepter les gestes tels que lancer de la nourriture, jouer avec les patates pilées, cracher son morceau de pomme, roter bruyamment et on doit indiquer calmement à l'enfant le comportement attendu : « Je veux que ta nourriture reste dans ton assiette. » « Mâche bien ton morceau de pomme, puis avale-le. » « Prends ta cuillère pour manger tes patates. » « Tu dois dire "Excusez-moi" lorsque tu fais du bruit comme ça avec ta bouche. »

La discipline et l'exemple ne sont pas les seules conditions à l'apprentissage de la politesse, précise Boisvert (p. 37). Il faut aussi tenir compte de l'âge de l'enfant et de son tempérament : lenteur, difficulté à maîtriser ses émotions ou à tenir compte de l'autre. À partir de trois ans environ, l'enfant arrive à se rendre compte qu'être impoli peut blesser, irriter ou rendre l'autre mal à l'aise. Par exemple, le fait de mâcher bruyamment sa nourriture avec la bouche grande ouverte peut dégoûter les autres et même les empêcher de poursuivre leur repas. Inversement, manger convenablement rend plus agréable l'atmosphère des repas et l'enfant « impoli » sera le premier à en profiter. L'éducatrice a tout avantage à montrer à l'enfant qu'il a un rôle à jouer dans le plaisir que procurent les collations et les repas. Souligner positivement les bons comportements et les gestes de politesse encouragera l'enfant à se conduire comme on le souhaite. Avant tout, manger doit demeurer une activité agréable où il fait bon partager et être ensemble, et où l'éducation à la politesse se fait dans le respect de soi et des autres dans une optique à long terme de la maturation sociale de l'enfant.

En général, un enfant commence à manger proprement vers l'âge de trois ans, c'est-à-dire qu'il arrive à garder la nourriture dans son assiette ou dans sa bouche sans trop en échapper sur le sol, sur ses vêtements ou sur la table. Bien entendu, les aliments salissants comme le spaghetti ou ceux qui sont difficiles à saisir avec une cuillère ou une fourchette comme les potages laisseront certainement quelques traces sur la table, sur la bouche des enfants et au sol. Mais, règle générale, après trois ans, le « salissage » devient beaucoup moins important.

Hormis son jeune âge, l'enfant peut manger malproprement à cause de difficultés de coordination attribuables à des problèmes moteurs ou de perception visuelle. Il manifeste alors de la difficulté à manier les ustensiles, à les tenir correctement ou à bien diriger la nourriture à sa bouche. Il est possible qu'un problème de retard dans le développement soit la cause de ces difficultés, mais seul un examen approfondi de la situation par un professionnel de la santé permettra de poser un diagnostic.

S'il a déjà remarqué que son comportement suscite des réactions chez les autres et que cela semble lui procurer certains avantages, il se peut que l'enfant cherche à attirer l'attention des adultes et des autres enfants en mangeant malproprement. Enfin, le problème peut résulter de la combinaison des deux premières causes, soit une difficulté motrice associée à un besoin d'attention.

L'environnement où se prennent les collations et les repas influence les enfants à manger correctement ou non. Ils saisissent vite l'importance que l'éducatrice accorde à la propreté en servant les aliments avec soin, en créant une ambiance décontractée, en dressant une belle table; ces attitudes prédisposent les enfants à bien se comporter à table. Ensuite, il faut offrir aux enfants de la **vaisselle adaptée** à leurs capacités comme des petites cuillères et fourchettes, des assiettes et des bols faciles à manier, c'est-à-dire de petite taille, de faible poids et incassables. Les enfants seront mieux à même de prendre leur nourriture si elle est servie dans des **plats appropriés**. Par exemple, une gélatine aux fruits servie dans une soucoupe sera difficile à prendre, une soupe servie dans un bol large posera des problèmes aux enfants et entraînera plus facilement de la malpropreté. Finalement, **les aliments coupés en petits morceaux** conviendront mieux à l'habileté motrice des plus malhabiles. Les sandwichs, par exemple, sont plus faciles à prendre et à manger s'ils sont coupés en quatre.

On peut axer l'**apprentissage systématique de la propreté** sur le problème que l'enfant doit corriger. Par exemple, s'il a de la difficulté à prendre les aliments avec sa cuillère ou sa fourchette, il doit alors apprendre à s'en servir convenablement, de la même manière qu'il effectue d'autres apprentissages. L'aide de l'éducatrice est des plus utiles pour montrer à l'enfant comment éviter de se salir.

4.12 LES ALLERGIES ET LES INTOLÉRANCES ALIMENTAIRES

Au Québec, l'allergie alimentaire concerne deux enfants sur 1 000. Elle se caractérise par une réaction importante, voire fatale, de l'organisme en présence de certaines substances alimentaires perçues comme des agresseurs par le corps qui tente de se défendre de manière intense en produisant des anticorps. Les allergies aux arachides et à l'ensemble des noix, aux poissons et aux fruits de mer, aux œufs et aux produits laitiers sont les plus couramment observées chez les enfants en bas âge. Quant à l'intolérance alimentaire (un enfant sur 1 000), elle s'avère moins grave et nettement moins dangereuse pour la santé. Dans ce cas-ci, il s'agit plutôt de réactions de l'organisme qui ne dispose pas des enzymes nécessaires à la digestion des aliments allergènes. Parmi ceux-ci, on compte principalement le lait de vache et ses dérivés, le blé entier, le maïs, le soja, le chocolat, les agrumes, les kiwis, les fraises et les colorants alimentaires.

Quelques médicaments peuvent également susciter des allergies ou des intolérances chez les enfants, comme certains antibiotiques ; au moment de l'administration des premières doses, on conseille d'être particulièrement attentif. On suggère de laisser aux parents le soin de commencer à donner le nouveau médicament et de le faire à la maison afin de vérifier la présence ou l'absence d'effets secondaires. Les symptômes cliniques qui peuvent survenir dans les cas d'allergies ou d'intolérances alimentaires et médicamenteuses appartiennent soit aux malaises gastro-intestinaux, comme des ballonnements, des diarrhées, des crampes intestinales, soit aux problèmes cutanés, comme des irritations, des éruptions, de l'eczéma, des plaques sur la peau, soit aux difficultés respiratoires, qui sont sans contredit les plus graves, comme les difficultés à respirer, les crises d'asthme, le gonflement des cavités buccales et de la gorge. Maux de tête, irritabilité et fatigue figurent également sur la liste des manifestations potentielles.

La réaction d'allergie ou d'intolérance peut survenir immédiatement ou à retardement, soit de deux à 24 heures après l'absorption de l'aliment pathogène. Elle a tendance à s'intensifier au fil des consommations répétées, une première réaction allergique annonçant très souvent des réactions subséquentes plus fortes. Toutefois, ces problèmes alimentaires sont plus fréquents avant l'âge de six ans et tendent à disparaître à mesure que l'enfant grandit. On a remarqué qu'ils apparaissaient le plus souvent dans les familles où des allergies sont ou ont été présentes. Malheureusement, les allergies aux arachides et aux produits de la mer peuvent persister toute la vie durant. Un coroner a déjà fait la recommandation aux services éducatifs accueillant des enfants de moins de six ans (cet avis ne touchait pas les services de garde en milieu scolaire) d'éliminer tous les aliments pouvant contenir une quelconque trace d'arachides, de noix ou de graines à cause des problèmes graves et des risques d'étouffement dus à leur présence. (Petit, 1994, p. 210)

L'allergie et l'intolérance alimentaire doivent toujours être diagnostiquées professionnellement par un médecin ou une personne diplômée en nutrition et faire l'objet d'un suivi rigoureux. L'intolérance au lait rapportée uniquement par les parents n'est souvent réelle que dans 25 % des cas. (Petit, 1994, p. 208)

Encadré 4.6   Interventions de l'éducatrice dans les cas d'allergies ou d'intolérances alimentaires²

- Demander aux parents un avis médical en bonne et due forme quant au type d'allergie de l'enfant :
  - signes et manifestations courantes ;
  - aliments à éliminer et leurs dérivés ;
  - substituts de valeur nutritive comparables ;
  - procédure officielle à suivre en cas de réactions.
- Afficher clairement à la cuisine et à la vue de toutes les personnes qui côtoient les enfants, y compris les remplaçantes, les noms des enfants allergiques, leur photo et la liste des aliments problématiques.
- Toujours lire plus d'une fois la liste des ingrédients contenus dans les produits commerciaux (les biscuits au chocolat et même les popsicles peuvent contenir des traces d'arachides) pour s'assurer de ne pas donner d'aliments allergènes aux enfants concernés.
- Dès qu'il le peut, conscientiser l'enfant à ses allergies et l'amener à en parler de lui-même pour susciter une vigilance chez les gens de son entourage.
- Faire porter un bracelet MedicAlert à l'enfant gravement allergique.
- Savoir en tout temps où se trouve la seringue à injection d'adrénaline (Épipen) et apprendre à s'en servir le cas échéant.
- Toujours apporter l'Épipen avec soi lors de sorties à l'extérieur du service éducatif.
- Veiller à faire remplacer l'Épipen en tenant compte de la date d'expiration.

---

2. On peut joindre l'Association québécoise des allergies alimentaires au 514 990-2575. Site Internet : www.aqaa.qc.ca. Courriel : info@aqaa.qc.ca. On peut se procurer le bulletin *Les Mets sages* publié quatre fois par année.

4.13   LES RISQUES D'ÉTOUFFEMENT

Certains aliments comportent des risques d'étouffement importants, surtout pour les enfants de moins de trois ans. Chaque année au Québec, près de cinq enfants âgés entre 2 et 5 ans meurent d'axphysie à cause de l'obstruction des voies respiratoires par un aliment ou un objet, alors que 200 autres doivent subir une intervention chirurgicale pour retirer un aliment ou un objet coincé dans l'œsophage, le larynx ou les bronches (Hôpital Sainte-Justine). La prévention constitue le moyen par excellence pour entraîner une diminution si ce n'est une disparition de si tristes statistiques. On peut enseigner aux enfants comment mastiquer ; cela fait partie des mesures préventives à envisager.

Parmi les aliments à risques jusqu'à quatre ans mentionnons, entre autres, les aliments de forme cylindrique comme les **saucisses** entières ou coupées en rondelles qu'il faut trancher sur le sens de la longueur, les **raisins frais entiers** à couper en deux ou en quatre s'ils sont très gros, les aliments durs comme les **crudités** (carottes, navet, céleri, chou-fleur et brocoli) qu'il vaut mieux faire blanchir, c'est-à-dire faire tremper dans l'eau bouillante pendant environ deux minutes avant de les servir), les **légumes en feuilles** qu'on doit couper, toutes les sortes de **noix**, le **maïs soufflé**, les **gros morceaux d'aliments** comme les cubes de viande, sans oublier les bonbons durs, les croustilles (chips), les raisins secs, les arêtes de poissons, les petits os ainsi que les noyaux de fruits et les cœurs de pommes.

Les amuse-gueules ou les décorations utilisant des **cure-dents** présentent également des risques d'étouffement. Il vaut mieux les éliminer complètement de l'environnement de l'enfant.

Un refus soudain d'avaler, une salivation accrue, des douleurs au thorax, une difficulté à respirer ou une respiration bruyante de même qu'un pourtour de bouche et des lèvres bleutées peuvent signaler la présence d'un corps étranger dans les voies respiratoires. Lorsqu'un enfant semble s'être étouffé avec un aliment ou un objet, il faut d'abord bien observer ses réactions. S'il tousse, pleure ou respire, il faut éviter d'utiliser les mesures d'urgence habituelles. En présence d'indices ne démontrant qu'une obstruction partielle des voies respiratoires, il faut plutôt encourager l'enfant à tousser en l'aidant à se pencher vers l'avant et en s'abstenant de lui donner des tapes dans le dos ou de le bouger brusquement, car cela pourrait déplacer le corps étranger et obstruer ses voies respiratoires. Il est important d'aider l'enfant à rester calme et d'aviser rapidement les services médicaux d'urgence qui évalueront la meilleure conduite à adopter en pareille situation.

Si la respiration semble s'être arrêtée, que l'enfant ne parle ni ne pleure ou qu'il émet un faible son aigu, il faut procéder le plus rapidement possible à la manœuvre de Heimlich en gardant un grand contrôle de soi, ce qui augmentera l'efficacité de la technique d'urgence. L'encadré 4.7 décrit cette manœuvre.

Encadré 4.7   Manœuvre de Heimlich

- Si l'enfant est conscient, l'adulte se place debout ou à genoux derrière la victime et entoure sa taille de ses bras.
- Avec une main fermée (poing serré) placée juste au-dessus du nombril de l'enfant, le pouce sur l'abdomen, il appuie sur celui-ci avec l'autre poing en donnant des poussées rapides vers le haut (mouvement en J) jusqu'à l'expulsion du corps étranger.
- Continuer les pressions jusqu'à ce que l'objet soit expulsé.
- Plus la taille de l'enfant est petite moins la pression doit être forte.
- Si l'enfant perd connaissance, il faut appeler les secours médicaux d'urgence (911).
- L'éducatrice doit réclamer l'aide d'autres adultes pour veiller sur les enfants de son groupe et demander à un enfant plus vieux d'aller aviser une éducatrice ou crier elle-même « à l'aide ! ».
- Une fois la manœuvre réussie, on recommande de consulter un médecin pour qu'il vérifie les voies respiratoires de l'enfant afin de s'assurer qu'elles sont libres de tout débris.

On doit mettre à jour ses connaissances en premiers soins en suivant un cours de rappel tous les trois ans tel que prescrit par la Loi sur les services de garde à l'enfance et le Règlement sur les SGMS. Les éducatrices en prématernelle et en maternelle gagnent à être habilitées à intervenir adéquatement dans les cas d'urgence.

4.14   L'ÉDUCATION À L'ALIMENTATION

L'alimentation compte parmi les thèmes les plus populaires auprès des enfants. La nourriture fascine les petits autant que les grands car elle est rattachée à une notion universelle de plaisir. En services éducatifs, on gagnerait à aborder ce sujet tout au long de l'année et quotidiennement, en lui accordant une place bien plus importante que celle qui lui est habituellement réservée dans la programmation officielle des activités. De nombreuses occasions s'offrent à l'éducatrice de faire de l'alimentation un sujet captivant pour les enfants. De plus, on peut traiter de la nutrition en diversifiant les approches, ce qui offre de multiples possibilités pédagogiques.

A.   Faire participer l'enfant à son alimentation

L'enfant peut apprendre beaucoup en participant à la préparation des collations et des repas. « Préparer des aliments demeurera toujours une action passionnante pour l'enfant âgé de 2 à 12 ans. » (Petit, 1994, p. 63) Pour capter l'intérêt des enfants les jours de pluie, pour apporter un brin de nouveauté dans la monotonie du train-train quotidien, rien de tel que de demander aux enfants de laver et de disposer des fruits dans une assiette de service, de découper des formes dans de la pâte à pain commerciale (de type Pillsburry) pour ensuite les faire cuire et les déguster, etc. En plus d'aider au développement d'habiletés motrices, tout ce qui entoure de près ou de loin la préparation des aliments aide à faire croître l'autonomie, le sentiment de compétence et de fierté personnelle de l'enfant, ce qui est important dans le développement des habiletés socioaffectives. L'encadré 4.8 propose quelques idées pour faire participer l'enfant.

Encadré 4.8   Participation de l'enfant

La nourriture :

- Aider à laver les fruits.
- Aider à disposer les fruits ou les légumes dans une assiette individuelle ou collective.
- Décorer l'assiette avec des petits fruits secs.
- Peler des fruits faciles à peler comme des clémentines. Au besoin, l'éducatrice fait une première entaille dans la pelure pour faciliter la tâche de l'enfant.
- Verser du jus dans son verre avec un pichet de taille adaptée. Une tasse à mesurer en plastique de 500 ml peut très bien faire l'affaire.

Les soins et les gestes entourant les collations et les repas :

- Se laver les mains avant et après.
- Mettre une jolie nappe ou des napperons personnalisés ; décorer le centre de la table d'un bouquet de fleurs sauvages ou fabriquées par les enfants.
- Collaborer au service, en partie ou en totalité (distribuer les verres ou les couverts).
- Faire circuler un plat de nourriture d'une convive à l'autre.
- Se servir soi-même à partir d'une table où sont disposés les plats d'aliments.
- Se desservir.
- Essuyer la table.
- Balayer le plancher.
- Replacer les chaises.
- Se brosser les dents.

B. La conscience alimentaire

C'est d'abord par **l'exemple vivant** que l'enfant apprend les bonnes habitudes de vie. Le modèle dont il dispose l'aide à acquérir des habitudes et attitudes alimentaires bien plus que ne le font les paroles moralisatrices ou les discours. En servant elle-même d'objet de référence, l'éducatrice peut contribuer à la démarche de santé de l'enfant.

Le principe de cohérence entre la parole éducative – « manger une pomme est bon pour la santé, les bonbons favorisent la carie dentaire, les aliments gras favorisent l'embonpoint, etc. » – et la réalité est mis à rude épreuve lors de fêtes spéciales organisées en services éducatifs où, souvent, les enfants reçoivent des messages contradictoires. Des croustilles, des desserts très sucrés, des boissons gazeuses, du chocolat ornent la table lors des occasions « spéciales ». Ainsi, on crée une confusion dans l'esprit des jeunes. On pourrait imaginer le raisonnement d'un enfant de quatre ans : « Mon éducatrice m'enseigne par toutes sortes d'activités aussi intéressantes les unes que les autres que le Coke n'est pas bon pour la santé, mais par contre elle me dit que je peux en prendre aujourd'hui parce qu'il s'agit d'une fête qui souligne la semaine des CPE. Je ne comprends pas vraiment pourquoi. En plus, elle aussi en boit et elle a l'air de bien aimer ça. » Puisqu'ils ont une mission éducative de grande valeur auprès des enfants et de leur famille, les CPE, les maternelles et les SGMS devraient faire l'effort constant de privilégier le choix et la consommation d'aliments-santé lors de fêtes ou d'occasions spéciales et même lors de campagne de financement.

On estime à deux ou trois le nombre d'aliments à calories vides que chaque enfant consomme quotidiennement (Petit, 1994, p. 224), soit à la maison, soit au restaurant. Sans préconiser l'interdit absolu de ces aliments, les adultes des services éducatifs ont un rôle à jouer avant tout par l'exemple et en étant cohérents dans les valeurs éducatives qu'ils mettent de l'avant, valeurs qui doivent également se refléter dans les « journées spéciales ». Les enfants d'âge préscolaire et scolaire peuvent participer à l'élaboration du menu comprenant essentiellement des aliments nutritifs en incluant quelques petites gâteries. Tout est question d'équilibre.

Prêcher davantage par l'exemple que par la parole, développer plus de conformité entre ce qui est dit et ce qui est appliqué, voilà l'attitude que devrait adopter l'éducatrice soucieuse de professionnalisme.

C. Les activités éducatives

a) Causeries

En services éducatifs, les moments passés à table, qui totalisent près de deux heures par jour (deux collations d'une demi-heure chacune et le repas du midi de 45 minutes environ), sont des occasions propices pour parler des aliments avec les enfants, en se questionnant à leur sujet, en les observant à partir des cinq sens. En présence des enfants, l'éducatrice a avantage à faire preuve de curiosité face à l'alimentation ; cela permet d'ouvrir sur des connaissances des plus fascinantes. (Petit, 1994, p. 218) Pour ce faire, on conseille d'employer un langage précis et juste pour décrire les aliments et les actions se rapportant à la cuisine : sauce au lieu de *gravy*, grumeaux à la place de *mottons*, mélangeur au lieu de *blender*, *du cantaloup* et non pas *de la cantaloupe*, tout en considérant le niveau de développement des enfants. Plusieurs maisons d'édition intéressées par la littérature enfantine publient des albums consacrés à l'alimentation et à des sujets connexes, et ce, pour différents groupes d'âge. Pour connaître les titres existants et les parutions récentes, on peut contacter son association professionnelle, la bibliothèque du quartier ou Communication jeunesse.

L'éducatrice peut commencer à développer le sens critique des enfants de quatre ans et plus, en ce qui concerne les produits alimentaires et la publicité ou les produits qu'ils retrouvent dans leur assiette ou leur boîte à lunch : trop de sucres, manque de vitamines, excès de gras nuisibles à la santé, etc. Les enfants d'âge scolaire peuvent apprendre à lire et à analyser les étiquettes sur les contenants d'aliments.

b) Activités variées

En utilisant des circulaires publicitaires distribuées par les marchés d'alimentation, on peut proposer aux enfants de découper des photos d'aliments pour susciter divers apprentissages, tout en les guidant selon leurs intérêts et leurs capacités. Les activités de découvertes sensorielles s'avèrent intéressantes pour les enfants de même que des expériences culinaires simples. Rappelons que les activités proposées doivent s'inspirer des observations recueillies auprès des enfants quant à leurs goûts et à leurs capacités.

Quand l'éducatrice montre et explique aux enfants les aliments qui se retrouveront dans leur assiette, ceux-ci sont plus réceptifs à y goûter.

Encadré 4.9   Idées d'activités sur le thème de l'alimentation

- Découper des images d'aliments, les regrouper par catégories (produits laitiers, fruits et légumes, viandes et substituts, pains et céréales et aliments camelotes) puis les coller sur un carton. Les afficher sur le mur du local pour susciter des échanges verbaux. Ou se monter un album personnel d'aliments sains. Faire des classifications par couleur, par forme ou par volume.

- À partir d'images d'aliments, réaliser un mobile collectif à suspendre.

- Fabriquer un jeu de cartes pour faire des devinettes ou pour regrouper les aliments selon leur couleur, leur goût, leur forme, etc.

- Faire des casse-tête maison avec des images d'aliments collées sur un carton.

- Créer un jeu de parchési (serpents et échelles) avec les quatre groupes alimentaires et les aliments-camelotes.

- Décrire un aliment à partir d'une image ou d'un spécimen réel : forme, couleur, grosseur, odeur, texture, provenance, culture, transformation, valeur nutritive.

- Comparer les caractéristiques d'une variété d'un même aliment, par exemple des nouilles de formes différentes, du pain de blé entier, de seigle, d'avoine, des pommes, etc.

- Faire un jeu de reconnaissance olfactive ou tactile d'aliments préalablement observés et identifiés.

- Préparer des recettes faciles et nutritives : biscuits à l'avoine, gélatine-santé, salade de fruits, muffins aux bleuets, trempette au yogourt, punch aux fruits, coulis de fruits, roulades de faïtas, etc.

- Faire du jardinage : faire pousser dans le local de la luzerne, du persil, des haricots.

- Aller au marché acheter des légumes dont la cuisinière aura besoin pour cuisiner un plat.

- Fixer sur la table des images plastifiées rappelant les attitudes et les gestes exigés à l'heure du repas : rester assis, manger avec sa cuillère, laisser la nourriture dans l'assiette.

N.B. Les activités d'impressions réalisées avec de la gouache et des morceaux de fruits ou de légumes, la confection de colliers ou la fabrication de maracas avec des pâtes alimentaires sèches ne devraient avoir lieu qu'à l'occasion seulement afin de sensibiliser les enfants à l'importance de ne pas gaspiller la nourriture.

L'heure des collations et des repas offre de nombreuses occasions d'explorer les aliments avec les **cinq sens**. Par la **vue**, l'éducatrice peut amener les enfants à observer et à décrire les aliments à l'aide d'un vocabulaire propre aux éléments visuels de la nourriture : les couleurs (rouge, vert, jaune, etc.), les nuances de couleurs (pâle, foncé, fade, vif, etc.), les textures (cuit, cru, croustillant, solide, mou, liquide, purée, tendre, etc.), les aspects (brillant, lisse, épais, limpide, etc.), les formes et les volumes (gros, petit, boule, cube, carré, bâtonnet, rondelle, tranche, cercle, ovale, épais, mince, ondulé, allongé, court, bombé, etc.).

En employant fréquemment les expressions « ça a l'air appétissant », « ça donne le goût de manger » « ça te fait une belle assiette », etc., on attire l'attention des enfants sur ce qui se trouve sur la table.

D'autres suggestions s'ajoutent à la liste des idées mettant en valeur les aliments. On peut faire écho aux remarques des enfants ayant trait aux perceptions visuelles des aliments : les taches sur la pelure de banane, les rayures sur l'écorce de la clémentine, les petites graines dans le morceau de kiwi, les morceaux de fruits dissimulés dans le yogourt. On peut présenter des fruits (oranges, pommes) ou des légumes (carottes, choux-fleurs) avec une touche créative, par exemple en quartiers, en demi-tranches, en triangles, en lanières, en tranches horizontales avec un centre en forme d'étoile pour les pommes, ou selon un arrangement original (en bonhomme, en couronne, en visage, en maison) ou en disposition variée (autour d'une assiette, en brochette). C'est tellement plus amusant de manger des roues (rondelles) de camion en banane ou des chenilles (bâtonnets) en fromage ! Aussi, on peut utiliser des emporte-pièces en forme de cœur pour tailler des sandwichs ou former des biscuits et des moules à glaçons pour faire de la gélatine-santé.

S'arrêter pour sentir les odeurs qui se dégagent lors de la préparation et du service des aliments, prendre le temps de humer la nourriture avant de manger, de comparer les arômes et les senteurs, voilà des possibilités à exploiter pour ce qui est de l'**odorat**. On peut ajouter des commentaires ou des questions se rapportant aux perceptions olfactives : « Ça sent bon ! » « Qu'est-ce que ça sent ? » « La tranche de pain n'a pas la même odeur que le cube de fromage. » « D'où vient cette odeur ? » « Sens-tu l'odeur d'oignon qui vient de la cuisine ? » « Hum ! Ça sent l'orange ! Qui en a pour sa collation ? »

Pour stimuler le sens du **goût**, on peut poser des questions afin de sensibiliser les enfants à la saveur des aliments. « Est-ce que c'est sucré, salé, piquant, amer, sur, acide ? Trop salé ? Trop sucré ? Est-ce que ça goûte brûlé ? Quels assaisonnements y a-t-il dans ce mets ? De la menthe ? De l'ail ? Du thym ? De la cannelle ? » Amener les enfants à détecter les sensations de chaud, de tiède et de froid ajoute au développement des perceptions gustatives. Pour ce qui est du **toucher**, on peut stimuler la perception des sensations tactiles des enfants lorsqu'on manipule et qu'on mange les aliments : « Est-ce dur ou mou ? Comment est le yogourt glacé dans ta bouche ? » Les mots décrivant les consistances et les textures (moelleux, grumeleux, onctueux, crémeux, épais, caoutchouteux, piquant, fondu, fondant, sablé, lisse, doux, fibreux, dur, mou) servent à mettre en évidence les sensations tactiles.

Même l'**ouïe** a sa place dans l'exploration sensorielle des aliments. Par exemple, en portant attention aux sons que font certains aliments lorsqu'on les manipule ou les mange : « Écoute les sons que fait ton craquelin lorsque tu le croques. » Il est possible de commenter verbalement les perceptions auditives associées aux aliments : mijoter, frire, bouillonner, bouillir, mastiquer, siroter, broyer, croquer, couler, croustillant, croquant, pétillement, émiettement.

c) *Matériel pour les jeux symboliques*

On reconnaît d'emblée l'importance et la popularité des jeux où les enfants de 2 à 8 ans sont appelés à faire semblant. Les activités symboliques dans le coin maison peuvent être enrichies par des accessoires se rapportant à la cuisine : aliments en plastique, boîtes de conserve vides et sécuritaires, pots de plastique récupérés, vrais ustensiles comme des pinces à spaghetti, cuillères de bois, passoires, presse-ail, louches, moules à gâteaux, boîtes d'aliments vides (céréales, riz, pâtes alimentaires, œufs, préparation à muffins). Pour faire la joie des enfants, compléter le centre d'intérêt en y ajoutant du matériel issu de la vie familiale tel des plateaux de service, des tabliers, des mitaines à four, des napperons, divers contenants en plastique ou des livres de recettes avec illustrations.

Aménager un coin épicerie vraisemblable avec une étagère, un panier ou un chariot, une caisse enregistreuse jouet ou de fabrication artisanale, de faux billets de banque, des crayons et du papier pour faire semblant de faire la liste d'épicerie, des circulaires de marchés d'alimentation, des étiquettes pour afficher les prix, des sacs à emballer, pour jouer à l'épicier ou au client ; ce jeu devient rapidement une activité très prisée des jeunes enfants lors des ateliers ou des jeux libres.

d) *Visites éducatives*

Se rendre chez le boulanger du quartier pour goûter au pain frais qui vient de sortir du four, faire une visite dans un verger ou une cabane à sucre, visiter une fruiterie, faire un tour au supermarché pour repérer les aliments-santé, visiter la cuisine d'un restaurant lors des périodes d'achalandage réduit, voilà de bons moyens de susciter l'intérêt, en plus de favoriser de nombreux apprentissages chez les enfants. Pour assurer leur réussite, il faut préparer minutieusement ces sorties.

4.15 JEUX AVANT, PENDANT OU APRÈS LE REPAS

Le jeu du téléphone

Faire un jeu qui crée un calme avant de commencer à manger. Assis autour de la table, un enfant choisit un mot et le chuchote dans l'oreille de son voisin. Celui-ci le murmure à son tour à son voisin. Le dernier joueur dit à voix haute le mot qu'il a entendu. Quelle surprise de constater à quel point le premier mot s'est transformé! Avec un enfant de 2 ans, lui chuchoter un mot simple qu'il répète immédiatement.

Un message muet

Sans le moindre son, prononcer un mot ou une courte phrase en exagérant l'articulation. Les enfants tentent de décoder le message.

Jouer au restaurant

Il ne suffit pas d'annoncer ce jeu pour que les choses se mettent en place. L'éducatrice doit vraiment faire en sorte qu'elle et les enfants s'y intéressent vraiment; le jeu peut consister à distribuer un dessin au début pour faire patienter les clients, passer sa commande au serveur ou à la serveuse, dire merci lorsqu'on est servi, parler calmement pour ne pas déranger les autres clients, payer l'addition à la fin. La motivation réelle de l'éducatrice est garante du plaisir que tous éprouveront à vivre une telle expérience théâtrale. Variantes: parler avec des mots qui finissent en «o» comme en italien; porter un déguisement.

Le jeu du douanier

L'éducatrice en SGMS vérifie la qualité et le contenu de la boîte à lunch des enfants pour dépister, entre autres, la présence d'arachides ou de traces d'aliments allergènes. Elle peut aussi détecter les moins bons aliments à consommer: liqueur douce, chocolat, croustilles, etc.

Quels sont les ingrédients?

Nommer les aliments que l'on retrouve dans son assiette. Avec quoi fait-on une sauce à spaghetti, une trempette?

Comme un aveugle

Inviter les enfants à manger les yeux fermés quelques instants afin d'être plus attentif aux sensations perçues : salé, sucré, amer, acide, doux, dur, croustillant, collant, mou, juteux, etc.

Comment est ton appétit ?

Inviter les enfants à évaluer leur appétit avant de manger : petit, moyen, gros ?

Un pique-nique

Faire un pique-nique dans le local en imaginant un environnement spécial : au bord de la mer, dans un champ de blé doré, à l'orée d'une forêt, sur une autre planète, en camping d'hiver, etc. Créer l'ambiance recherchée avec du matériel : dessins, affiches, photos, tissus, sons enregistrés, déguisements, etc.

Offrez souvent des activités qui sensibilisent les enfants à l'alimentation. Que c'est amusant de revêtir une toque de cuisinier pour apprendre le nom des ingrédients d'une recette !

Une débarbouillette aux mille facettes

Après l'avoir utilisée en fin de repas pour essuyer sa bouche, s'amuser à plier sa débarbouillette de diverses manières : en carré, en losange, en rouleau, etc. La transformer en douillette lorsqu'elle est prête à partir pour la lessive.

Une formule appétissante

« Bon appétit… Merci… » aux enfants donne le signal de commencer à manger en plus de leur enseigner une règle de politesse sous forme de devinettes.

Devinettes à volonté

Nommer les aliments sur la table ou dans l'assiette. « Qu'est-ce qui est petit comme cela ? Qu'est-ce qui est blanc et liquide ? Qu'est-ce qui est cru ? »

Voici ce que je veux manger

Sur une feuille, chaque enfant dessine à sa manière un aliment qu'il aimerait manger. Il remet ensuite sa commande à la serveuse.

Un tableau de tâches

Afficher au mur un tableau de tâches que les enfants se partagent avant, pendant ou après le repas : distribuer les napperons, ramasser les débarbouillettes, nettoyer la table, etc. Les tâches sont représentées à l'aide d'images représentatives ou de photos que l'on appose à côté du pictogramme ou de la photo de chaque enfant.

Ma bouche est-elle propre ?

Après le repas, demander à un compagnon si sa bouche est bien débarbouillée.

4.16   COMPTINES ET CHANSONS

Chanter ou rythmer un texte pour signaler ou agrémenter le début d'une collation ou d'un repas met beaucoup d'atmosphère lors de ces moments importants de la journée.

1

Bon appétit

Air traditionnel : Frère Jacques

Bon appétit, bon appétit
Les amis, les amis.
Mangez pas trop vite, mangez pas trop vite
C'est si bon, c'est si bon.

2

Chanson du p'tit creux

Paroles : Nadine Boulianne
Air traditionnel : Y'a un rat sur mon toit

J'ai un p'tit creux dans mon bedon
Je l'entends qui glougloute
J'ai un p'tit creux dans mon bedon
Je l'entends glouglouter.
J'entends, j'entends, j'entends mon ventre qui chante.
J'entends, j'entends, j'entends mon ventre glouglouter.
J'ai faim ! (en parlant)

3

Attention, c'est la collation

(comptine)

Que va-t-on mettre de bon dans notre bedon ?
Des biscuits ?
Non…
Des carottes ?
Non…
Des bonbons ?
Non…
Du fromage ? (nom de l'aliment qui sera mangé pour la
collation)
Oui…
Et maintenant… mangeons.

4
Qu'est-ce qu'on mange ?

Air traditionnel : La peinture à l'huile

J'entends dans mon ventre
Un petit glou glou
Il me dit : « Qu'est-ce qu'on mange ? »
J'ai une faim de loup.
Je m'assois en silence avec mes amis.
Ça sent bon « Qu'est-ce qu'on mange ? »
J'ai une faim de loup.

5
Bona bona

(comptine)

Éducatrice	*Enfants*
Bona bona	Pétit
Pétit pétit	Bona
Merci à qui ?	À… (prénom de la cuisinière)
De la part de qui ?	Des amis
Qui sont…	Les plus beaux, c'est vrai.

6
Dînez !

Un nez
Deux nez
Trois nez
Quatre nez
Cinq nez
Six nez
Sept nez
Huit nez
Neuf nez
Dix nez (dînez).

7

Bonhomme, bonhomme

Air traditionnel: Bonhomme, bonhomme sais-tu jouer?

Bonhomme, bonhomme sais-tu manger? (bis)
Sais-tu manger de cette *pomme*[1]-là? (bis)
Miam, miam, miam[2] de cette pomme-là? (bis)
Bonhomme?
Bonhomme, bonhomme
Mange ta pomme
Pour ta collation.

1. Peut être remplacé par un autre aliment.
2. Peut être remplacé par une autre onomatopée comme crac, crounch, croc, etc.

8

Parce qu'on a faim

Air traditionnel: Violette à bicyclette

On n'est pas des p'tits castors
Donnez-nous d'la bouffe
Donnez-nous d'la bouffe
On n'est pas des p'tits castors
Donnez-nous d'la bouffe
Parce qu'on crie fort. (cris)
On n'est pas des p'tites grenouilles
Donnez-nous d'la bouffe
Donnez-nous d'la bouffe
On n'est pas des p'tites grenouilles
Donnez-nous d'la bouffe
Parce qu'on se grouille. (se trémousser sur sa chaise)
On n'est pas des p'tits lapins
Donnez-nous d'la bouffe
Donnez-nous d'la bouffe
On n'est pas des p'tits lapins
Donnez-nous d'la bouffe
Parce qu'on a faim. (frottement circulaire sur le ventre)

9
Les glouglous de mon ventre
(Se trouve sur le CD)
Paroles : Nicole Malenfant
Musique : Monique Rousseau

L'entendez-vous ce petit bruit
Ce petit bruit de rien du tout ?
L'entendez-vous ce petit bruit
Qui fait gligli, qui fait glouglou ?
Serait-ce un dindon
Qui glougloute dans mon bedon ?
Ou serait-ce donc
Un mouton glouglouglouton ?
Eh ! bien non…
Car c'est mon ventre affamé qui vient tout juste de parler
Et il me dit sans hésiter qu'il veut tout simplement manger.
Bon appétit à vous les petits glouglous…

10
Bon appétit à toi
(Se trouve sur le CD)
Paroles : Nicole Malenfant
Musique : Michel Bonin

Le ciel a besoin d'étoiles pour éclairer la nuit
La terre a besoin de soleil pour faire pousser les fruits
Mes yeux ont besoin du jour pour voir au loin là-bas
Mon cœur a besoin d'amour pour t'ouvrir grand les bras.
Mes poumons ont besoin d'air pur pour rire et puis chanter
Mon corps a besoin de nourriture pour vivre en santé.

Merci la vie de me donner tout ça
Merci pour ce repas
Merci à toi d'être là tout près de moi
Et bon appétit… à toi.

Chapitre 5

La sieste ou la relaxation

CONTENU DU CHAPITRE

Parmi les besoins de base des enfants figurent le sommeil et le repos. Les personnes qui s'occupent d'enfants en bas âge s'entendent pour reconnaître la nécessité de la sieste ou d'une relaxation au cours de la journée. En effet, après le repas du midi, soit vers 12 h 30, les enfants montrent généralement des signes de fatigue, qui peuvent se manifester par une baisse d'attention, de l'apathie, de l'irritabilité, même de l'agitation. Cette période correspond à un moment où la propension au sommeil est la plus grande et où se trouvent réduites les performances intellectuelles et physiques chez les personnes de tous âges. (Challamel et Thirion, p. 86 et site Prosom) Marquée par la fatigue, cette phase coïncide avec une baisse de vigilance généralisée qui se manifeste durant le jour entre 11 h et 14 h et durant la nuit entre 2 h et 5 h, que les spécialistes des rythmes biologiques ont pu valider de manière scientifique.

5.1   LE BESOIN DE SE RÉGÉNÉRER

Le besoin de repos en mi-journée provient d'une fatigue biologique normale qui n'est cependant pas l'apanage des jeunes enfants. Présent à tout âge, ce besoin se manifeste par des signes tant physiologiques que comportementaux. On dénote le ralentissement des réflexes, le relâchement du tonus musculaire, les bâillements, les soupirs, des picotements dans les yeux, le rougissement des arcades sourcilières, une impression de froid, le regard furtif, l'intolérance au bruit, une perte ou une diminution de l'appétit, une réduction de la concentration, une baisse de motivation, une humeur irritable ou de la nervosité.

Comme les journées en services éducatifs sont bien remplies par toutes sortes d'activités et de contraintes, la capacité d'adaptation dont les enfants font preuve entraîne une fatigue normale. On n'aurait qu'à suivre un enfant pendant une journée complète pour évaluer l'ampleur des exigences auxquelles il doit faire face. En effet, il y a de nombreuses règles inhérentes à la vie de groupe, de multiples consignes à respecter concernant la sécurité, la discipline ou la participation, du matériel à partager, des pairs à considérer, des déplacements à faire. L'enfant doit aussi tenir compte du fonctionnement différent de celui de la vie familiale et auquel il doit rapidement s'adapter, du niveau de bruit souvent élevé, du nombre d'adultes différents qu'il côtoie, que ce soit le personnel qui se relaie pour le dîner, pour la pause de l'éducatrice ou pour l'accueil ou la fermeture. Compte tenu de cette réalité que vivent bon nombre d'enfants en services éducatifs, la sieste en mi-journée, avec ou sans sommeil, s'impose. Elle permet de minimiser les effets cumulatifs de la fatigue et de rééquilibrer la forme physique et psychique.

5.2   LE SOMMEIL DES ENFANTS

Comme chez les personnes en général, le besoin de sommeil chez les enfants diffère en fonction de l'âge, du tempérament, du rythme biologique, de l'énergie dépensée, de la santé et même de l'hérédité. Aussi, le trait typique du petit ou gros dormeur, du lève-tôt ou du lève-tard, est déjà décelable chez le jeune enfant.

Le sommeil se déroule en cycles distincts. Chez les enfants, la durée approximative de chaque cycle est de 90 minutes, qui se répète durant la nuit autant de fois que l'organisme en a besoin pour récupérer, pour compléter la maturation de fonctions biologiques et psychiques, et qui permettent à l'enfant de grandir. Chaque cycle de sommeil est composé de cinq stades (figure 5.1).

I	II	III	IV	V	Phase intermédiaire
Phase de somnolence Endormissement	Sommeil lent léger	Sommeil lent profond (sécrétion de l'hormone de croissance)	Sommeil paradoxal (rêves)	Sommeil lent léger	Éveil ou début d'un autre cycle Reprise du sommeil léger

**Figure 5.1 Les phases d'un cycle normal de sommeil
(environ 90 minutes)**

Le sommeil et le repos contribuent à la santé de l'enfant au même titre que l'alimentation et l'hygiène; ils participent au maintien de son équilibre tant physiologique que psychologique en plus de participer au développement de ses fonctions mentales, comme la mémorisation et la concentration. Selon les phases particulières du sommeil, le cerveau de l'enfant continue à assumer des fonctions essentielles comme la sécrétion de l'hormone de croissance qui, comme son nom l'indique, favorise la croissance physique en plus de participer à la réparation des tissus et des cellules usées. Grâce au sommeil, s'effectuent l'enregistrement et l'organisation des informations acquises au cours de la journée, de même que la résolution des tensions accumulées le jour. «Le sommeil, le bon sommeil, est indispensable à la fabrication du cerveau.» (Challamel et Thirion, p. 13) Force est de constater que le sommeil et le repos participent directement à la croissance et à la santé de l'enfant. Ils ne sont ni plus ni moins que la continuité de son développement global.

«Est-ce que cet enfant a assez dormi? A-t-il besoin de se reposer cet après-midi?» demeurent des questions que se posent souvent les éducatrices ou les parents. **En réalité, les seuls indices vraiment révélateurs d'un sommeil suffisamment long et réparateur sont la bonne forme de l'enfant pendant la journée et un réveil où il est alerte et bien disposé.** (Prosom)

Le besoin de sommeil des enfants pendant la journée en services éducatifs varie, comme on l'a vu, en fonction de l'âge, mais aussi de la durée du sommeil de nuit, de la dépense d'énergie physique durant la matinée et de la forme générale. Certains enfants, surtout à partir de quatre ans, cessent de dormir pendant la sieste de l'après-midi alors que d'autres en auront besoin jusqu'à six ans. (Challamel et Thirion, p. 86) Néanmoins, on peut estimer le besoin de sommeil des enfants de 2 et 3 ans à 14 heures par jour, réparties sur une nuit et une sieste en début d'après-midi. Quant aux plus âgés, ceux de 4 à 6 ans, leur besoin de dormir se situe à peu près à 12 heures par jour, également étalées sur une nuit et une sieste ou une relaxation, selon le cas. Vers 10 ans, neuf ou dix heures de sommeil quotidien suffisent généralement. Précisons que ces données ne sont que des moyennes et ne constituent nullement des normes et des recommandations à appliquer comme telles. Enfin, ajoutons que le besoin de dormir chez les enfants diminue au fur et à mesure qu'ils avancent en âge, pour se stabiliser à environ huit heures par jour à l'âge adulte.

Encadré 5.1   À quoi sert le sommeil chez le jeune enfant ?

- Récupération pour le corps et le cerveau
- Mémorisation et intégration des apprentissages
- Maturation du système nerveux et fabrication du cerveau
- Sécrétion de l'hormone de croissance
- Renforcement du système immunitaire, donc prévention des maladies
- Régularisation de l'humeur

A.   La sieste des enfants qui dorment

Si l'enfant dort durant la sieste de l'après-midi, il est recommandé de le laisser dormir au moins le temps d'un cycle de sommeil (70 minutes pour les 2 ans, 90 minutes pour les plus vieux), à défaut de quoi il vaut mieux le réveiller après 15 ou 20 minutes pour éviter d'avoir à le faire à un moment inopportun, comme durant la phase paradoxale. Contrairement aux idées préconçues, la sieste faite durant la journée ne diminue généralement pas le temps de sommeil nocturne, surtout si elle a lieu aussitôt après le repas du midi et qu'elle ne se prolonge pas au-delà d'un cycle, c'est-à-dire environ 90 minutes. (Prosom, fiche 3, p. 9) Supprimer le sommeil de l'après-midi chez un enfant qui en a réellement besoin, en croyant qu'il s'endormira plus tôt ou plus facilement le soir venu ou qu'il dormira plus tard le matin, entraîne l'effet contraire. **Dès lors qu'on habitue l'enfant à s'opposer à son besoin de dormir le jour, il est porté à agir de la même manière à l'heure du coucher, le soir.**

Il incombe à l'éducatrice de veiller au bon développement de l'enfant. Par conséquent, elle doit permettre à l'enfant de dormir lorsqu'il en manifeste le besoin.

Entre la fin du repas du midi et le début de la sieste, des jeux calmes sur le matelas sont tout désignés.

B. La sieste des enfants qui ne dorment pas

Même si l'on s'attend à ce que tous les enfants s'allongent au début de l'après-midi, et ce, jusqu'en maternelle, il ne peut être question de les obliger à rester inoccupés pendant deux heures sur leur matelas. Après un temps de repos d'une durée maximale d'une heure, les enfants qui ne dorment pas devraient être autorisés à s'occuper à des jeux tranquilles sous la supervision d'une éducatrice et, idéalement, dans un autre local. Jusqu'à 3 ans et demi ou 4 ans, la plupart des enfants dormiront une à deux heures pendant la sieste de l'après-midi ; les plus âgés se contenteront de moins et souvent ne dormiront pas du tout. Cependant, ils apprendront à rester tranquilles pendant 30 à 45 minutes, attitude qui peut contribuer à développer leurs capacités d'attention, d'écoute et d'observation. (Larose, *La santé des enfants*, p. 75)

La période de relaxation des enfants qui ne dorment pas gagne à être bien planifiée car « le seul fait de s'étendre ne procure pas nécessairement une détente ». (Lauzon, p. 234) Certains exercices amusants de respiration et de gymnastique douce adaptés aux enfants peuvent les amener à se relaxer avec efficacité. Dans cette perspective, on trouvera dans le présent chapitre ainsi qu'au chapitre 12 des idées de jeux permettant de favoriser une sieste agréable.

Un enfant qui ne s'endort pas durant la première demi-heure de la sieste n'a probablement pas besoin de sommeil, ce qui est souvent le cas des enfants de quatre ans et plus et de ceux qui se sont levés tard le matin. On ne devrait pas l'obliger à rester plus longtemps sur son matelas, surtout s'il semble y être mal à l'aise, et lui offrir d'autres moyens de prolonger son temps de repos. Des « boîtes de jeu de réveil » peuvent lui être offertes pour l'occuper calmement avant le lever de ses compagnons.

Plusieurs services éducatifs préconisent une période de détente d'une durée d'une demi-heure à trois quarts d'heure entre 13 h et 14 h 30, pendant laquelle l'enfant éveillé demeure tranquille sur son matelas. Cette période est suivie de jeux calmes le plus souvent solitaires

– dessin, casse-tête, lecture – dans un coin du local réservé à cet effet ou idéalement dans une pièce avoisinante où une éducatrice assure une surveillance appropriée. Certains autres services font faire une courte sieste aux enfants plus vieux seulement trois jours par semaine, soit au début, au milieu et à la fin de la semaine. Considérant le fait que les enfants sont généralement plus fatigués les lundi et vendredi, certaines éducatrices font reposer les plus vieux seulement lors de ces journées.

On ne peut commander le sommeil des enfants ni obliger leur cerveau à dormir, mais on peut favoriser le sommeil grâce à des conditions gagnantes comme la pénombre, le calme, la tendresse, la stabilité, des consignes données avec douceur et conviction. Des ordres comme : « Couche-toi… Ferme tes yeux puis dors… Arrête de bouger… », des gestes qui cherchent à immobiliser l'enfant sur son matelas ou des massages brusques ou rapides n'aident certainement pas l'enfant à entrer dans un état de détente.

> Il est essentiel de comprendre la nature du sommeil et du repos de l'enfant pour établir une organisation adéquate de la sieste et pour adopter des attitudes qui permettront d'atteindre les objectifs visés.

Comme la plupart des gens, les enfants d'âge scolaire auraient avantage à se relaxer en début d'après-midi avant la reprise des activités d'apprentissage formel. Leur concentration serait certainement améliorée s'ils pouvaient profiter des bienfaits d'exercices de respiration et d'étirement qui aideraient à diminuer les tensions accumulées durant la première partie de la journée. En début d'après-midi, on devrait tout au moins proposer aux écoliers des activités ne demandant pas une attention soutenue, par exemple, une lecture à leur libre choix ou des révisions, en évitant le plus possible les acquisitions nouvelles et les grandes dépenses d'énergie. Les soucis de performance, les examens et la productivité n'ont pas leur place à cette heure de la journée.

5.3   LES DEMANDES DES PARENTS

En raison de la difficulté qu'ils éprouvent lors du coucher le soir ou du lever le matin, il n'est pas rare de voir des parents exaspérés demander à l'éducatrice de supprimer ou d'écourter la sieste de leur enfant. On a avantage à en discuter avec eux afin de trouver une solution qui respecte avant tout le besoin vital de repos de l'enfant concerné. Il arrive aussi que des parents demandent à l'éducatrice de faire dormir leur enfant à la sieste alors qu'il n'en a pas l'habitude, parce qu'il s'est couché tard la veille ou qu'il a passé une mauvaise nuit. On peut proposer aux parents un compromis entre la suppression totale de la sieste et le *statu quo*. Par exemple, 30 minutes de repos sur le matelas suivies d'activités apaisantes pourraient satisfaire tout le monde tout en ne nuisant pas à l'enfant. Malheureusement, le sommeil ne se déplace ni se récupère. **C'est la forme générale de l'enfant au cours de la journée qui doit dicter la nécessité soit d'une véritable sieste soit d'un simple repos en après-midi.**

Il arrive que l'éducatrice cède à la demande du parent et réveille l'enfant ou le garde éveillé. Il se peut que le parent insiste auprès de son petit en lui exigeant de ne pas dormir. Par conséquent, l'enfant peut s'agiter pour combattre le sommeil et devenir anxieux. On sait qu'un enfant contrarié devient vite grognon et irritable. Les fins de journée deviennent alors difficiles tant à la garderie qu'à la maison.

Est-ce qu'un parent demanderait à l'éducatrice de ne pas faire manger son enfant le midi pour qu'il ait un meilleur appétit au souper ? Certainement pas alors que dormir est tout aussi important que manger. D'autant plus que l'enfant que l'on prive de sommeil l'après-midi risque de s'opposer également au sommeil le soir.

En tant que professionnel de l'enfance, il importe d'informer les parents de l'importance du sommeil chez l'enfant. Pour adopter les mêmes discours et prendre les mêmes mesures, tout le personnel doit se rallier aux mêmes prises de position qui auront été clairement établies dans un document officiel, dont les parents prendront connaissance.

Rien n'est plus utile qu'une entente écrite élaborée consciencieusement par les membres de l'équipe, pour prendre position face aux parents qui demandent de retirer ou de réduire la sieste de leur enfant. Les informations que l'on y retrouve font valoir la primauté des besoins de l'enfant.

On doit user de beaucoup de discernement pour que les parents et l'ensemble du personnel concerné s'entendent clairement sur la durée de la sieste d'un enfant qui ne dort pas. Si l'éducatrice juge qu'il a besoin d'une sieste traditionnelle, elle devra le dire aux parents clairement et avec délicatesse en invoquant les motifs réels et les besoins de l'enfant : « la sieste favorise la concentration et l'attention de votre enfant, régularise son humeur pour le reste de la journée, ce qui peut être très apprécié à l'heure du souper en famille, abaisse son niveau de frustration dans le contexte de la vie en groupe, évite un surmenage qui compliquerait le coucher du soir ».

Les suggestions de l'encadré 5.2 fournissent des pistes de réflexion intéressantes lorsque les éducatrices et les parents doivent prendre ensemble une décision éclairée sur l'attitude à adopter lors de la sieste d'un enfant dont le coucher ou le sommeil nocturne semble difficile.

Encadré 5.2 Attitudes à adopter avec les parents qui ont des problèmes de sommeil avec leur enfant

- Rassurez les parents sur le fait qu'il est normal de rencontrer des problèmes à faire dormir leur enfant. Plus du tiers des consultations en pédiatrie concernent des troubles de sommeil.

- Informez les parents sur le fait qu'il est normal qu'un enfant en bas âge refuse d'aller au lit. À deux ou trois ans, le bambin devient particulièrement curieux face à son environnement. Il est maintenant conscient que la vie continue même s'il dort, alors il ne veut rien manquer. C'est aussi l'âge des cauchemars qui débute et qui peut se prolonger jusque vers huit ans. Une imagination débordante ou des peurs (du loup, des voleurs, des fantômes, etc.) font que l'enfant refuse d'aller se coucher et de se laisser aller au sommeil. Heureusement, dans la plupart des cas, ces problèmes de sommeil ne sont que passagers et négligeables. Si nécessaire, les parents peuvent se renseigner auprès de professionnels de la santé.

• Écoutez les parents et soyez empathique avec celui qui a de la difficulté à coucher son enfant le soir. La réalité quotidienne de plusieurs d'entre eux est très exigeante, comme en témoigne une journée-type d'une mère de famille monoparentale ayant deux enfants.

Il est 6 h. Martine se lève. Elle prend sa douche à toute vitesse, prépare le déjeuner, réveille les enfants, fait le lunch pour elle et le plus vieux, fait ensuite les lits, donne la bouffe au chat, prend son déjeuner en rappelant aux enfants d'en faire autant, ramasse ce qui traîne, quitte la maison en s'assurant de ne rien oublier, va reconduire le plus âgé au service de garde scolaire, amène la cadette au CPE, se sent coupable de la laisser en pleurs, se dépêche pour se rendre au travail, affronte l'embouteillage de la circulation matinale, travaille sous pression une bonne partie de la journée. Ouf !... Pendant sa pause-café bien méritée, Martine prend un rendez-vous chez le dentiste pour les enfants. À 16 h 45, elle quitte son boulot en toute hâte, pense au souper et à tout ce qui l'attend à la maison pendant la demi-heure passée dans l'embouteillage, arrête chez le nettoyeur et à l'épicerie, reprend les enfants, prépare le souper tout en essayant d'écouter le récit de la journée des enfants, soupe en tentant de garder son calme malgré les disputes des enfants, ramasse et lave la vaisselle, aide le plus vieux à faire ses devoirs, fait prendre le bain de la petite tout en faisant une brassée de lavage, prépare les enfants à se coucher, perd patience auprès de sa cadette qui ne veut pas aller au lit, se sent coupable parce que sa fille pleure, tente d'ouvrir le courrier qui s'est empilé depuis trois jours, prend les messages laissés sur la boîte vocale, etc. Ouf ! À 20 h 30, la journée n'étant pas encore terminée, Martine, à bout de souffle, espère avoir quelques minutes à elle seule avant d'aller au lit... à la condition que sa petite de trois ans cesse de réclamer bisous, toutous, doudous, pipi et verre d'eau comme elle le fait depuis une demi-heure. Elle souhaite aussi qu'aucun imprévu ne se pointe à l'horizon, car elle sent qu'elle ne peut en supporter davantage. Elle pense aux cauchemars répétitifs de son plus vieux qui l'inquiètent depuis deux semaines. Il est 21 h 30. Martine repense à sa journée… Elle se sent dépassée et incompétente de ne pas arriver à tout faire comme elle le souhaiterait. Entre deux réflexions, elle se rappelle qu'elle doit penser à apporter des vêtements de rechange au CPE comme l'a demandé l'éducatrice de sa fille. Voilà que son plus vieux se réveille en pleurs. Il a encore fait un cauchemar. Martine prend le temps de le rassurer. Puis, elle se rappelle de penser à remplir le formulaire de vaccination contre la méningite qu'il doit rapporter à l'école. Ouf !… Martine se met au lit. Le sommeil tarde à venir tellement elle est fatiguée.

De toute évidence, cette femme vit un stress constant en raison des mille et une tâches inhérentes à ses responsabilités professionnelles et familiales. Juger ce parent qui a de la difficulté à endormir son enfant le soir ne ferait qu'accroître son sentiment d'incompétence, qui pourrait dégénérer en méfiance envers l'éducatrice. Si la mère se sent écoutée et comprise, elle sera davantage disposée à considérer le point de vue qu'on veut lui faire valoir pour le bien de son enfant. D'un autre côté, plusieurs parents voient peu leur progéniture durant une journée et se sentent coupables d'être peu présents, alors ils hésitent à utiliser une attitude ferme et constante lorsqu'arrive l'heure du coucher des enfants. S'ils sentent qu'on comprend leur réalité, les parents apprécient qu'on les informe et acceptent mieux de collaborer. Lorsque l'éducatrice adopte des attitudes favorables, elle vient en aide aux parents.

- Essayez de trouver un compromis raisonnable avec les parents, une solution de rechange lorsqu'ils vous demandent de réveiller leur rejeton en cours de sieste. On peut leur proposer, par exemple, de raccourcir la période de repos de leur enfant s'il ne dort pas après une demi-heure ou tout au plus trois quarts d'heure passés sur son matelas, ce qui arrive souvent chez les enfants de quatre et cinq ans. Des activités tranquilles, en solitaire, peuvent remplacer le reste de la sieste traditionnelle : regarder des livres, faire un casse-tête, dessiner, câliner des peluches. Pour l'enfant d'âge préscolaire qui ne dort pas, le temps d'attente passé sur son matelas à ne rien faire semble interminable, ce qui peut l'amener à détester la sieste. Il est inconcevable d'obliger un enfant à demeurer ainsi pendant plus d'une heure. On doit lui proposer autre chose qui considère ses besoins particuliers.

- Expliquez aux parents que le temps de relaxation prévu à l'horaire de l'enfant ne sert pas à vous dégager de votre tâche, mais bien à répondre au bien-être de l'enfant. Tracez-leur un portrait d'une journée à la garderie : consignes, bruits, interactions, frustrations, activités. Ainsi, les parents seront plus conscientisés à l'importance d'un temps de détente en mi-journée.

- Proposez de la documentation aux parents – livres, sites Internet, coordonnées d'associations, articles de revue affichés sur le babillard – portant sur le lien qui existe entre le repos de l'enfant et son bien-être. Les mécanismes qui régissent le sommeil sont souvent méconnus. Une meilleure connaissance du sujet permettra d'éviter les inquiétudes inutiles et le sentiment d'impuissance face aux difficultés vécues. En aidant l'enfant à acquérir de bonnes habitudes de sommeil dès son jeune âge, le parent peut lui éviter de vivre des problèmes d'insomnie plus tard dans sa vie.

- Sans toutefois chercher à jouer à l'experte en la matière, suggérez aux parents de modifier les habitudes de l'enfant et de la famille pendant la soirée afin de favoriser le calme nécessaire avant d'aller au lit. Informez-les sur les signes d'endormissement : bâillements, affaiblissement du tonus musculaire, frottement des yeux. Proposez-leur d'installer, à la même heure et sur une base régulière, un rituel empreint de douceur et de complicité : consacrer un peu de temps à l'enfant en début de soirée, fermer le téléviseur et faire cesser les jeux vidéo une demi-heure avant le coucher, prévenir l'enfant du coucher dix minutes avant la mise au lit, tamiser la lumière ambiante, mettre une musique relaxante, faire sa toilette, lire une histoire apaisante qui plaît à l'enfant, baisser la voix, mettre soi-même son pyjama. L'enfant vit le moment du coucher comme une séparation que le parent peut adoucir en utilisant des moyens qui sécurisent l'enfant : la poupée, le nounours, la veilleuse, la doudou ou le drap préféré, la porte entrouverte, le jouet familier non dangereux. Les médicaments ou les sirops pour dormir ne doivent être administrés que sur ordonnance. Certaines tisanes tièdes ou chaudes, pas trop concentrées et légèrement sucrées avec du miel, peuvent favoriser le sommeil. La camomille, la fleur d'oranger et le tilleul sont parmi les plus réputées. Par contre, la menthe est à déconseiller en raison de ses propriétés stimulantes. Grâce aux divers renseignements recueillis sur le sujet, il est fort à parier que le parent mieux renseigné trouve lui-même la solution au problème de son enfant qui ne veut pas aller au lit le soir ou qui s'endort tard.

Encadré 5.3   Suggestions de rituels du dodo du soir à l'intention des parents

▲ Loïc, 4 ans. Début du rituel vers 19 h 45, fin à 20 h 15.
- Bain supervisé par papa.
- Pyjama.
- Petite collation.
- Brossage des dents supervisé par papa et toilettes.
- Histoire apaisante au lit avec maman.
- Câlins de papa et maman.
- Bisous et « Bonne nuit. Fais de beaux rêves mon beau garçon. »

▲ Simon, 8 ans. Début du rituel à 20 h, fin à 20 h 30.
- Douche prise seul (quoiqu'un bain est plus relaxant).
- Pyjama.
- Brossage des dents seul et toilettes.
- Lecture apaisante faite seul dans le lit de l'enfant.
- Câlins de maman. Petites confidences (on se raconte un beau moment de la journée).
- Bisous et « Dors bien, Simon. Je t'aime. »

▲ Laura, 2 ½ ans. Début du rituel environ à 19 h 15, fin à 19 h 45.
- Bain et jeux d'eau accompagnés de maman.
- Brossage des dents fait par maman et toilettes.
- Petit massage avec musique relaxante appréciée par l'enfant.

- Câlins et chanson favorite de l'enfant chantée par maman dans le lit de l'enfant.
- Installation de l'animal en peluche dans les bras de Laura.
- Bisous et «Bonne nuit, mon ange. Fais de beaux rêves.»

Notes. Il est inutile de faire un long cérémonial de préparation à la mise au lit. On doit miser sur la qualité du temps passé avec l'enfant durant ce moment. La détente du parent est nécessaire au succès du rituel. Si l'enfant ressent du stress de son parent, la mise au lit risque d'être difficile. Il est important de terminer le rituel dans le lit où l'enfant passera la nuit. Éviter de mettre l'enfant au lit trop tôt. Entre la sieste de l'après-midi et le coucher du soir, au moins cinq heures doivent s'écouler. Le rituel sera d'autant plus efficace s'il est répété et respecté de soir en soir.

5.4　L'ORGANISATION SPATIALE

Les enfants qui dorment toujours bien pendant la sieste auront avantage à être installés près des murs ou éloignés du centre du local pour qu'ils ne soient pas dérangés par ceux qui se lèveront en cours de sieste. S'assurer qu'aucun objet ne tombe sur l'enfant pendant la sieste, que ce soit un jouet dans une étagère, une punaise d'une affiche ou une chaise qu'on aurait mise sur la table. Généralement, les enfants se sentent plus sécurisés s'ils prennent la même place d'une sieste à l'autre. L'éducatrice doit voir à assigner le meilleur emplacement possible pour chaque enfant afin de lui offrir des conditions favorables pour créer le calme en lui. Le plan des places qui sont attribuées aux enfants devrait être affiché au mur pour la commodité des remplaçantes. Il n'est pas rare de voir des enfants de 4 ou 5 ans demander des changements de place à la sieste. L'éducatrice peut faire des essais et juger de la pertinence du maintien ou non du *statu quo*. Il n'y a pas de règle absolue à appliquer. Chaque situation fera l'objet d'une évaluation sur mesure.

Il arrive qu'un enfant fasse une meilleure sieste s'il est placé le long d'un mur, dans un coin de la pièce, avec la partie supérieure de la tête contre un mur ou entouré d'une étagère basse. Plusieurs essais seront souvent nécessaires pour arriver à offrir à l'enfant l'emplacement le plus approprié pour lui.

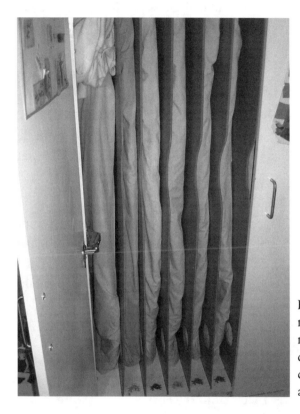

En plus d'assurer une meilleure hygiène, le rangement des matelas dans des casiers indivi-duels facilite la tâche avant et après la sieste.

5.5   LE MATÉRIEL ET L'ÉQUIPEMENT

Il ne suffit pas d'adopter de bonnes attitudes pour aider les enfants à avoir une sieste réparatrice ; il faut aussi la faciliter en leur offrant un matériel approprié, des matelas ainsi que des draps propres et confortables. En fait, il est primordial de leur fournir les meilleures conditions matérielles possibles pour les aider à bien se relaxer. On doit utiliser un matelas douillet et en bon état recouvert d'une housse lavable, le tout pouvant se transporter et se ranger facilement. Chaque matelas doit être identifié par le prénom ou le symbole attribué à l'enfant qui en fait usage. Les matelas doivent être rangés sans housse et soumis à la désinfection entre chaque utilisation, si on ne peut les ranger dans une armoire à compartiments individuels. Dans pareil cas, les housses sont retirées une fois par semaine et retournées aux parents pour qu'ils les lavent.

On demande aux parents de fournir une couverture ou un drap par enfant pour que celui-ci puisse se couvrir confortablement; il est souhaitable d'avoir de la literie de rechange en cas de besoin. La literie doit être lavée une fois par semaine – ce qui relève habituellement de la responsabilité des parents – ou plus souvent si elle a été salie, et doit être rangée dans un casier individuel, un panier ou un sac hermétique pour éviter le contact direct avec les autres literies.

En maternelle où l'on ne dispose pas toujours de matelas pour la sieste, une grande serviette en ratine, même si ce n'est pas l'idéal, permet à l'enfant au moins de s'étendre au sol pendant une quinzaine de minutes. Mais un confort accru assurera une meilleur repos à l'enfant et l'amènera à être plus alerte pour l'après-midi.

Une chaise berçante confortable peut être utile à l'éducatrice pour bercer un bambin ayant de la difficulté à se calmer.

5.6   LA PRÉPARATION ET LE DÉROULEMENT

Entre le réveil des enfants, le matin, et le début de la sieste à 13 h, six ou sept heures se sont écoulées pendant lesquelles les enfants ont été sollicités de toutes parts. Au-delà de la planification du déroulement de la sieste, il est nécessaire de revoir l'organisation des activités dans leur ensemble. L'encadré 5.4 décrit quelques conseils à ce sujet.

Encadré 5.4   Quelques conseils pour bien organiser les activités de détente

- Durant la première partie de la journée, mettez en place un horaire des activités avec des repères prévisibles et sécurisants pour les enfants. Soignez le climat affectif du groupe et des relations que vous avez avec chacun des enfants : confiance, humour, plaisir, tendresse.

- Dans la matinée, prévoyez des jeux physiques qui intéressent les enfants, idéalement lors d'une période à l'extérieur. Les enfants ont besoin de dépenser leur énergie dans un espace sécuritaire et adapté à eux.

- En tout temps, proposez un endroit de détente dans le local principal, dans un coin ou près d'un mur garni de coussins douillets où les enfants peuvent prendre une pause et s'éloigner temporairement des autres, au besoin.

- Offrez des temps de pause aux enfants à intervalles de 60 ou 90 minutes. Il peut s'agir de courtes activités de deux à dix minutes qui invitent les enfants à reposer leur cerveau après une période d'attention soutenue : déposer sa tête sur ses bras sur la table ou faire des jeux de respiration ou d'étirement. Ces arrêts régénèrent tant le corps que l'esprit, déchargent la tension au fur et à mesure tout en prévenant l'accumulation de fatigue qui constitue un obstacle à la qualité de la sieste, l'après-midi.

- Planifiez une période de transition entre le dîner et la sieste en prévoyant des jeux libres calmes qui plaisent aux enfants. Après avoir passé près de 45 minutes assis à la table pour le repas du midi, les enfants ont besoin de se dégourdir un peu avant de s'immobiliser sur leur matelas. C'est ce que leur permettent, entre autres, les tâches reliées à l'hygiène personnelle : aller aux toilettes, se brosser les dents, se laver les mains, se déchausser. Toutefois, il vaut mieux ne pas étirer indûment cette période pour profiter des conditions optimales de récupération offertes par l'assouvissement de la faim et de la soif et un niveau de fatigue suffisant. Ce qui vaut particulièrement pour les plus jeunes.

- Installez une routine prévisible et stable pour la période de préparation à la sieste; cela aide à créer un climat de confiance et de sécurité nécessaire pour que les enfants se laissent aller au repos. Les enfants doivent saisir clairement ce qu'on attend d'eux à ce temps de la journée: être calme, aller aux toilettes, installer son matelas, s'occuper avec des «boîtes à jeux de dodo», aller chercher son animal en peluche. Au besoin, il faut rappeler les consignes d'une voix posée et convaincante sans chercher à culpabiliser les enfants. Une affiche attrayante placée à la vue des enfants peut les aider à se retrouver dans les tâches à faire durant la période de préparation à la sieste, à condition qu'on leur rappelle de la regarder tout en les aidant à la comprendre.

- Quarante-cinq minutes peuvent être nécessaires pour aider les enfants à se préparer à la sieste et à s'endormir. Durant la première moitié de l'année, il est préférable de s'en tenir aux mêmes gestes pour préparer les enfants à faire une sieste régénératrice. Par la suite, on peut apporter de petites variations au début de la sieste en prenant soin de les inclure graduellement en tenant compte de la réceptivité des enfants.

- Chez les enfants d'âge préscolaire, commencez le temps de repos sur le matelas au plus tôt vers 13 h. Dans le but de faciliter le temps de pause de quelques éducatrices, quelques CPE ou garderies choisissent malheureusement de faire commencer la sieste trop tôt, sans tenir compte des signes d'endormissement des enfants. Le repos des enfants plus âgés ne devrait pas débuter avant 13 h 15 ni durer plus d'une heure pour ceux qui ne dorment pas.

- Éliminez les sources de stimulation sensorielle: éclairage, bruit de la radio ou de la télévision, circulation et déplacement, jouets sonores, fortes voix, y compris celles des adultes, nombre élevé d'enfants dans une même pièce, bruits domestiques en milieu familial.

- Placez sur la porte d'entrée principale une note indiquant aux visiteurs de frapper au lieu de sonner; baissez la sonnerie du téléphone.

- Installez les matelas et la literie avec la participation des enfants; veillez à respecter une distance confortable entre chaque matelas, soit un minimum de deux pieds, mesure qui évite également la propagation des infections. Autant que possible, prévoyez le même endroit pour chaque enfant chaque jour. Un endroit spécial, sous une table, par exemple, dans un coin favori des enfants peut être attribué à chaque enfant à tour de rôle. Il peut arriver que l'enfant d'une éducatrice en milieu familial préfère dormir dans sa propre chambre à coucher et non dans la pièce où se trouvent les autres enfants.

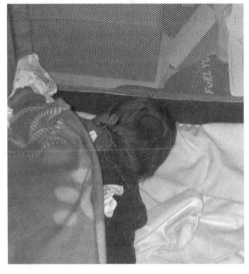

En milieu familial, un parc sécuritaire peut faciliter la sieste d'un tout-petit.

- En milieu familial, installez les tout-petits en lieu sûr et évitez les grands lits.
- Aérez la pièce entre la période du dîner et du début de la sieste pour assurer une meilleure qualité de l'air ambiant ; évitez les courants d'air et les planchers froids ainsi que la ventilation dirigée directement sur les enfants.

Respectez les habitudes de réconfort propres à chaque enfant au début de la sieste : se bercer, se balancer en rythme, enrouler une mèche de cheveux autour de son doigt, s'autostimuler (se masturber), jouer avec ses mains, se blottir contre son toutou personnel, se retourner plusieurs fois, en autant que ce soit sécuritaire et hygiénique et non dérangeant pour les autres enfants.

- Permettre le recours à des objets transitionnels qui devront être faciles à laver et à ranger dans les casiers personnels. Faites en sorte que l'objet de réconfort de l'enfant – doudou ou animal en peluche – demeure au service éducatif, car, en son absence, l'enfant aura de la difficulté à profiter de la sieste. On pourrait remettre à l'enfant son objet fétiche seulement lorsqu'il se trouve bien installé sur son matelas dans le but de l'inciter à se préparer dans un délai raisonnable.

- Pour favoriser le calme, suggérez aux enfants de se masser le visage, les mains ou les pieds, selon leur préférence. Montrez aux enfants des moyens de se détendre par eux-mêmes pour éviter de les rendre dépendants des gestes de l'éducatrice ou d'un pair. Le massage du dos des enfants en début de sieste ne devrait être utilisé qu'occasionnellement et non comme un moyen systématique de détente. Si vous massez le dos d'un enfant, restez à l'écoute de ses réactions verbales et non verbales, car la sensibilité et le besoin d'être touché diffèrent de l'un à l'autre. Certains enfants n'apprécient pas ce type de contact, qui les empêche même de se laisser aller au sommeil.

Il vaut mieux aider l'enfant à apprendre à se détendre par lui-même que de le conditionner à une habitude d'endormissement exigeant une intervention directe de l'adulte.

Si vous jugez nécessaire d'endormir les bambins en les caressant, évitez toutefois de le faire en position fléchie ; assoyez-vous confortablement à ses côtés avec le dos bien en appui ou demandez la collaboration d'un enfant plus vieux.

- Contribuez à l'ambiance générale de relaxation en posant vous-même des gestes délicats, en prenant une voix douce, en chantant une berceuse.

Les voix autoritaires ou culpabilisantes, les menaces ou l'humiliation, les bavardages excessifs entre éducatrices n'ont pas leur raison d'être en services éducatifs, encore moins à l'heure de la sieste.

- Tournez sur le côté les enfants qui dorment toujours sur le ventre, les pieds tournés vers l'extérieur ou l'intérieur pour éviter des problèmes orthopédiques ultérieurs.

- Assurez une surveillance directe et constante des enfants pendant tout le temps de la sieste. Veillez à respecter le ratio en vigueur dans les règlements gouvernementaux au cas où une situation d'urgence exigerait l'intervention expresse des éducatrices. Qu'arriverait-il avec 30 enfants dans un même local s'il n'y avait qu'une seule éducatrice lors d'une situation d'urgence (détresse respiratoire d'un enfant, évacuation forcée, évanouissement de l'éducatrice)?

Adoptez des mesures de sécurité rigoureuses en tout temps lors de la sieste : pendant la préparation, l'installation des enfants, le repos, le lever et le rangement du matériel. Apportez une attention particulière afin de prévenir les chutes dues aux chaussettes glissantes et contrez le risque d'étouffement causé par des bijoux portés par les enfants ou des boutons décoratifs sur les vêtements et sur des objets transitionnels des enfants.

- Confiez le rituel de la sieste à une éducatrice connue et appréciée des enfants pour satisfaire leur besoin de sécurité affective.

- Permettez à un enfant qui dérange de faire sa sieste dans un autre local. Un changement peut l'amener à cesser son comportement dérangeant tout en accordant un répit à l'éducatrice.

- Si possible, étendez-vous vous-même sur un matelas libre pour faire un petit repos tout en continuant à veiller sur le groupe d'enfants. Avec 10 à 11 heures de travail par jour, les éducatrices en milieu familial, par exemple, ont besoin de s'arrêter un peu pendant la sieste des enfants dans une chaise confortable tout en supervisant le repos des enfants.

- Profitez de la sieste. Fermez vos yeux quelques minutes sans toutefois dormir. Remplissez les carnets de bord des enfants tout en assurant une surveillance adéquate.

- En collaboration avec les membres de l'équipe et les parents, planifiez et appliquez un plan d'intervention éclairé pour l'enfant qui présente un comportement dérangeant : autostimulation excessive, crise, surexcitation.

Il est important de noter et de communiquer aux parents les problèmes particuliers qui surviennent durant la sieste de leur enfant : nervosité, changement dans les habitudes de sommeil ou de repos, pleurs inhabituels, pipi sur le matelas. Les parents ainsi informés pourront aider l'éducatrice à comprendre ce qui se passe et assurer un suivi à la maison.

« Je suis encore tout endormi. Heureusement que mon éducatrice me laisse me réveiller à mon rythme. »

5.7   LE LEVER

Après une sieste, les enfants ont besoin de temps pour retrouver leurs « esprits » avant de poursuivre des activités libres, de préférence calmes. La meilleure façon de s'éveiller est de le faire spontanément, c'est-à-dire entre deux cycles, alors que le sommeil redevient léger. L'idéal est de laisser les enfants se lever par eux-mêmes et à leur propre rythme dans les limites du gros bon sens, il va sans dire. Certains auront besoin d'un peu d'aide pour passer d'un état de conscience à un autre, retrouver leurs effets personnels et remiser leur matelas au bon endroit. Si l'on doit réveiller un enfant pour une raison valable, il vaut mieux le faire progressivement en employant une voix douce et des gestes calmes ; on peut lui offrir diverses possibilités – se lever tout seul, accepter de l'aide, commencer par telle tâche – dans le but de susciter sa collaboration.

Le réveil échelonné donne l'occasion à l'éducatrice d'accorder de l'attention et de l'aide à chaque enfant. À moins d'une situation particulière, il n'est pas souhaitable de laisser un enfant dormir après 16 h, ce qui pourrait alors perturber son sommeil de nuit.

5.8 AUTRES FACTEURS À CONSIDÉRER

Divers éléments extrinsèques ou intrinsèques à l'enfant viennent influencer la durée et la qualité de sa sieste. L'encadré 5.5 en fournit des exemples ; prenons le temps de les étudier de près.

Encadré 5.5 Les éléments qui influencent la qualité du repos

- De mauvaises habitudes d'endormissement comme le besoin de se faire frotter le dos, la nécessité d'avoir un silence complet, la peur de la pénombre.

- Les saisons, le manque d'ensoleillement ou les changements brusques de température qui agissent sur le métabolisme, influent sur le besoin de dormir ou de se reposer. On sait que la chaleur et l'ensoleillement de l'été diminuent le besoin de sommeil tant chez l'enfant que chez l'adulte. (Challamel et Thirion, p. 190)

- Des conditions environnementales qui nuisent au repos. En effet, un matelas trop petit, un plancher froid, l'absence de couverture, le port de chaussures, le bruit et le peu d'espace entre les matelas n'aident en rien le bien-être de l'enfant.

- Certaines décorations ou certains bourrages posés sur les vêtements des enfants nuisent à leur confort ; même constat avec les habits trop serrés. Aviser les parents pour qu'ils choisissent des vêtements confortables pour la sieste de leur enfant.

- Le tempérament et la programmation génétique propres à chaque personne influencent son attitude face à la sieste : tendance à la combativité, petit dormeur ou gros dormeur, couche-tard ou couche-tôt, lève-tôt ou lève-tard.

- L'expérience personnelle où le lit ou le matelas est associé à un lieu de punition ou d'abandon.

- Le contexte comme la période d'adaptation dans un nouveau service éducatif, la fréquentation irrégulière rendant plus difficile l'acquisition de la routine de la sieste, la présence d'une remplaçante inconnue, les malaises physiques de l'enfant comme l'eczéma ou le nez bouché, une situation de vie anxiogène tels le divorce des parents, un séjour prochain à l'hôpital.

- L'ingestion de trop de gras ou de sucre qui surcharge ou stimule l'organisme, et rend la digestion plus difficile. À l'inverse, un appétit inassouvi ou une soif non étanchée crée un inconfort nuisant au sommeil ou à la détente de l'enfant.

- L'absence ou l'insuffisance de temps de récupération pendant la journée entrave le rythme naturel de sommeil. Contrairement à ce qu'on serait porté à croire, le surmenage et l'excès de fatigue compliquent l'apaisement chez l'enfant à l'heure de la sieste ou de la relaxation. En ce sens, il est recommandé de proposer une activité calme aux enfants à peu près toutes les 90 minutes pendant la journée.

- La prise de certains médicaments, prescrits ou non, à la maison ou au service éducatif, entraîne parfois de l'agitation : antibiotiques, bronchodilatateur, décongestionnant, sirop contre la toux. Il est essentiel que les éducatrices s'informent des effets secondaires possibles des médicaments que prennent les enfants.

Il est important de se montrer empathique envers les enfants qui ont des difficultés à faire le vide, à se laisser aller au sommeil ou à la détente. Ce n'est certes pas en étant stressé ou exaspéré que l'on peut aider l'enfant nerveux ou agité à se détendre. On n'a qu'à penser à ses propres difficultés à se relaxer pour être plus compréhensif face aux réticences de certains enfants à se laisser aller à la sieste.

5.9   JEUX ET CHANSONS POUR FACILITER ET AGRÉMENTER LA SIESTE

Une fois passée la période d'adaptation des premiers mois, de nouveaux procédés peuvent venir se greffer à la routine habituelle de la sieste, question de renouveler l'intérêt des enfants et de briser la monotonie qui a pu s'installer. Puisqu'il faut que les conditions indispensables à un repos régénérateur soient présentes dès le début de la période de la sieste ou de la relaxation, il est important d'y réfléchir pour que les moyens utilisés soient réellement bénéfiques pour tous. L'encadré 5.6 en présente quelques-uns.

Encadré 5.6   Des moyens pour faciliter et agrémenter le début de la sieste

- Recourir à des livres destinés aux enfants qui proposent des récits ludiques ou informatifs propices au dodo. Certaines histoires proposent même des idées pour aider les enfants à se réconcilier avec la sieste.

- Si un enfant a de la difficulté à rester tranquille pendant l'histoire précédant la sieste, lui laisser le choix : « Tu écoutes l'histoire avec nous ou tu regardes un livre calmement sur ton matelas. »

- Au plafond du local où se déroule la sieste, fixer des étoiles brillantes et personnalisées pour veiller sur chaque enfant pendant le repos. L'étoile peut être fabriquée et décorée par l'enfant lui-même.

- Avec un ballon, faire un petit massage dans le dos des enfants étendus calmement sur leur matelas. L'effet devrait être apaisant et non stimulant. Certains enfants n'aiment pas être touchés de cette manière. L'éducatrice doit demeurer attentive à leurs réactions et en tenir compte.

- Proposer des exercices d'étirement légers que les enfants font sur leur matelas.

- Murmurer des mélodies au lieu de chanter les paroles qui stimulent davantage qu'elles apaisent. Se laisser aller à improviser au gré de son imagination.

- Faire entendre une musique apaisante en sourdine. Choisir des musiques sans paroles, car la musique chantée a tendance à stimuler le cerveau au lieu de l'apaiser. Éviter les ambiances musicales nostalgiques ou mélancoliques. Mettre le volume à faible niveau et cesser la musique après vingt ou trente minutes environ pour ne pas fatiguer l'oreille, même lorsque les enfants sont endormis. Le silence est préférable pour le reste de la sieste. De plus, il n'est pas souhaitable de mettre la musique de la radio sur laquelle il est difficile d'avoir le contrôle ; préférer plutôt des disques de murmures chantés, de sons de la nature comme des bruits de ruisseau ou de vagues calmes, des gazouillis d'oiseaux ou des sons de criquets.

- Accorder aux enfants qui sont étendus calmement sur leur matelas la faveur de recevoir une petite caresse de la part d'une marionnette fétiche : Douce Câline. C'est un moyen qui incite les autres à se calmer. Autre moyen : «Quand tu seras bien allongé sur ton matelas, j'irai te faire un peu de vent avec ta petite couverture. »

- Avec une petite lampe de poche, circuler doucement parmi les enfants en illuminant une partie du corps que chaque enfant doit «faire dormir ».

- Improviser une histoire pour amener les enfants à transformer leur matelas en train imaginaire qui les fait voyager dans des lieux à la fois fascinants et rassurants. Ou s'imaginer être sur un petit nuage…

Encadré 5.7   Moyens pour faciliter et agrémenter le lever

- Permettre un lever graduel échelonné sur 30 à 45 minutes.

- Accorder une attention affectueuse à chacun des enfants.

- Laisser le choix à l'enfant de prendre ou non la collation.

- Inviter l'enfant qui a de la difficulté à assumer les petites tâches à consulter les images au mur qui les lui rappellent : aller à la toilette, ranger son matelas et sa doudou, enfiler ses chaussures, etc.

- Inviter les enfants à retrouver dans une boîte le soulier qui leur manque pour faire la paire. Faire une chasse aux trésors plus élaborée de temps en temps.

- Utiliser des chansons pour agrémenter le lever (voir la chanson *Un petit son doux* sur le CD).

N.B. Une musique apaisante intitulée *Dentelle de lune* se trouve sur le CD. Celle-ci peut accompagner le début ou la fin de la sieste.

Voici deux chansons pour agrémenter le lever.

1

Un petit son doux

(Se trouve sur le CD)
Paroles : Nicole Malenfant
Musique : Monique Rousseau

Qu'est-ce qui fait X X X X X ?
Est-ce le tonnerre ou la trompette ?
Qu'est-ce qui fait X X X X X ?
Le robinet, l'oiseau ou la sonnette ?

Non…
C'est un petit son doux qui dit : la sieste est finie.
C'est un petit son doux qui dit : debout les amis.

2
Es-tu prêt à te lever?

Paroles : éducatrices en CPE

Air traditionnel : Le petit prince ou Lundi matin

Bonjour… (prénom de l'enfant)
As-tu fait une belle sieste?
Bonjour… (prénom de l'enfant)
Es-tu prêt à te lever?
T'es-tu bien reposé?
Es-tu bien réveillé?
Bonjour… (prénom), as-tu fait une belle sieste?

Chapitre 6

L'habillage et le déshabillage

CONTENU DU CHAPITRE

Mettre son manteau, lacer ses chaussures, déboutonner sa veste, différencier l'endroit et l'envers de son chandail, enfiler ses gants sont des tâches simples que l'adulte exécute de manière automatique. Pour un enfant de deux ans, ces gestes de la vie courante représentent un défi de taille qu'il doit surmonter par un apprentissage systématique demandant des efforts et beaucoup de répétition. Ce n'est que vers l'âge de six ou sept ans que l'enfant est en mesure d'exercer avec une certaine aisance l'art de l'habillage et du déshabillage dans un temps relativement court.

Dans les activités journalières en services éducatifs, nombreuses sont les occasions qui exigent de mettre ou d'enlever des vêtements : à l'arrivée et au départ, avant et après les temps de jeux à l'extérieur, lors de la préparation à la sieste, de la routine des toilettes ou du lever où l'on doit enlever et remettre ses chaussures. Ces activités demandent beaucoup de temps et de concentration, surtout pour les plus jeunes. Pour enfiler son pantalon, mettre ses bas, boutonner son chandail, monter la fermeture éclair de son manteau, mettre le bon pied dans le bon soulier, boucler le cordon de son chapeau, enfiler son tablier, l'enfant doit faire appel à des habiletés précises qui exigent un entraînement continu en vue d'acquérir la dextérité et l'autonomie nécessaires.

Comme pour les autres activités de base, on doit penser à la santé, à la sécurité et au bien-être des enfants pendant la supervision de l'habillage et du déshabillage. Plusieurs conditions doivent être réunies pour en faire une routine non seulement réussie, mais agréable à vivre.

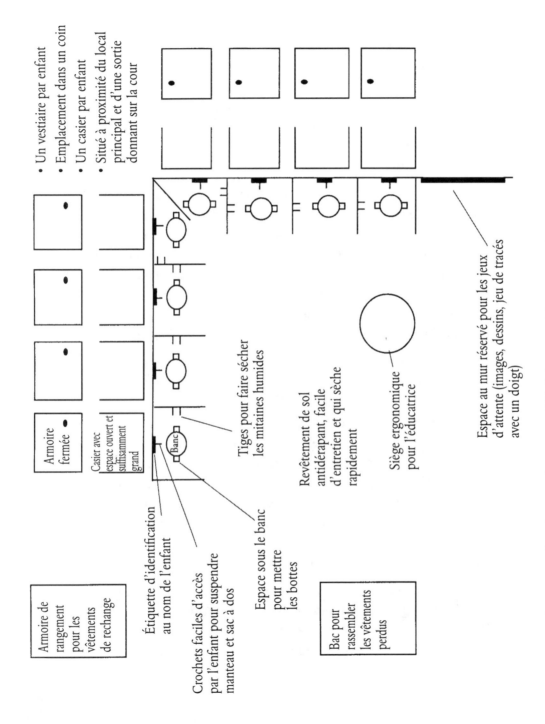

- Un vestiaire par enfant
- Emplacement dans un coin
- Un casier par enfant
- Situé à proximité du local principal et d'une sortie donnant sur la cour

Armoire de rangement pour les vêtements de rechange

Armoire fermée

Casier avec espace ouvert et suffisamment grand

Étiquette d'identification au nom de l'enfant

Crochets faciles d'accès par l'enfant pour suspendre manteau et sac à dos

Espace sous le banc pour mettre les bottes

Banc

Tiges pour faire sécher les mitaines humides

Revêtement de sol antidérapant, facile d'entretien et qui sèche rapidement

Siège ergonomique pour l'éducatrice

Bac pour rassembler les vêtements perdus

Espace au mur réservé pour les jeux d'attente (images, dessins, jeu de tracés avec un doigt)

Figure 6.1 Plan d'un aménagement idéal d'un vestiaire en installation CPE et en garderie

Grâce à la présence de crochets dans le local, les enfants ont accès à leurs vêtements et peuvent alors commencer à s'habiller dans leur local, ce qui réduit considérablement le temps au vestiaire où ils n'auront que les bottes et le chapeau à mettre.

6.1 L'ÉQUIPEMENT ET L'AMÉNAGEMENT

Comme dans plusieurs autres situations, les lieux et le matériel utilisés influencent largement le déroulement de l'activité d'habillage et de déshabillage. Notamment, l'emplacement, la dimension et l'aménagement du vestiaire jouent un rôle important dans le déroulement de cette routine ; on sait, par exemple, qu'un vestiaire situé près du local principal et à proximité de la sortie donnant sur la cour extérieure diminue de beaucoup les attentes et les déplacements, sources fréquentes d'agitation et de fatigue chez les enfants. Si le vestiaire se trouve dans une aire achalandée, l'espace disponible doit au moins permettre aux enfants de se vêtir et de se dévêtir sans être constamment bousculés par les passants. Lors de la saison froide, les éducatrices peuvent opter pour un habillage plus tranquille dans le local où des crochets au mur permettent aux enfants de prendre et de ranger une partie de leurs effets personnels, dont le pantalon extérieur et le manteau. Un vestiaire assez grand pour recevoir un groupe d'enfants et leurs parents et un espace vital pour chacun d'eux permettent d'effectuer plus calmement les tâches demandées : trouver ses effets personnels, enfiler ses bottes, mettre son manteau, etc. De plus, un vestibule qui sépare le vestiaire de l'extérieur a l'avantage de protéger les enfants des écarts de température par temps froid.

Pour prévenir les blessures au dos, l'éducatrice s'assoit sur un banc ou sur un tabouret pour prêter son assistance aux enfants. Elle évite les postures accroupies prolongées, les soulèvements et les torsions.

Des cases individuelles clairement repérables tant par les parents que par les enfants sont accessibles aux enfants et suffisamment grandes pour faciliter le séchage des vêtements humides. On y retrouve aussi des bancs ou des chaises pour mettre ou ôter ses souliers ou ses bottes, une table pour déposer les poupons sur laquelle les parents peuvent les vêtir ou les dévêtir pendant que l'aîné met ou enlève ses vêtements d'extérieur, un revêtement de sol antidérapant facile à entretenir quotidiennement, un plancher le plus souvent sec et propre, une aération suffisante pour le séchage rapide des vêtements humides, un système qui permet le séchage des mitaines mouillées (corde à linge, sèche-bas, etc.). Autant de conditions matérielles qui font la qualité d'un vestiaire.

Par temps de pluie ou de neige, les parents devraient avoir accès facilement à des couvre-bottes ou des pantoufles leur permettant de marcher dans le service éducatif sans salir les planchers. Plusieurs services éducatifs exigent que les parents se conforment à cette pratique et prennent des mesures nécessaires afin qu'elle soit respectée : affiche, rappel verbal, disposition des couvre-bottes à proximité.

Chaque enfant a besoin d'un crochet à lui pour suspendre son manteau, son pantalon de neige et son foulard. Il peut également y accrocher un sac en tissu contenant ses vêtements de rechange. On prévoit aussi un espace pour ranger le sac à dos, un endroit sous le banc pour y mettre les bottes et les chaussures, une tablette pour déposer le chapeau ou la casquette, les mitaines et le cache-cou. L'accès au casier et aux crochets devrait pouvoir se faire sans avoir à monter sur le banc, pour éviter le risque de chute.

Le casier représente souvent le seul endroit où l'enfant peut retrouver ses effets personnels ; il devrait pouvoir alors le personnaliser à sa guise avec sa photo ou l'un de ses dessins. On conseille de laisser à l'enfant d'âge scolaire la responsabilité de garder son casier propre et ordonné. Pour l'enfant qui fréquente à la fois l'école et le SGMS, on recommande l'utilisation d'un même casier.

Les effets personnels de l'enfant devraient être clairement identifiés par une étiquette résistante ; les parents auront probablement besoin de quelques rappels pour penser à bien identifier les vêtements de leur enfant. On peut rassembler dans un endroit déterminé (bac, tablette, panier) les articles vestimentaires qui se perdent inévitablement en cours d'année. Ainsi, les enfants et les parents pourront les retrouver plus facilement. Pendant les mois froids, il vaut mieux laisser les souliers des enfants au service éducatif au lieu de les transporter chaque jour, ce qui risque d'occasionner des oublis.

En période de prolifération des poux, on a intérêt à opter pour le rangement du chapeau dans la manche du manteau pour éviter le contact avec les autres chapeaux[1].

6.2   LA DURÉE

L'habillage est l'une des routines où il se fait le plus d'attente qu'il est cependant possible de limiter grâce à quelques astuces. Le temps accordé à la routine de l'habillage et du déshabillage influe sur son bon fonctionnement. Il faut prendre le temps nécessaire sans toutefois presser les enfants ni les laisser à eux-mêmes. Si la durée est trop courte, les

---

1. Consulter la brochure *Tout savoir sur les poux de tête* du ministère de la Santé et des Services sociaux du Québec : www.msss.gouv.qc.ca.

enfants se sentiront bousculés, tendus ou incompétents alors que, si elle est trop longue, les enfants se démotiveront ou deviendront probablement impatients à force d'attendre. Évidemment, les débutants auront besoin d'aide et d'apprentissage et cela exigera davantage de temps que dans le cas des habitués. **En fait, qu'ils soient novices ou initiés, l'idéal serait que lors de l'habillage ou du déshabillage les enfants n'aient ni à attendre ni à se dépêcher.**

Aviser gentiment les enfants de ce qu'on attend d'eux pendant l'habillage les incite à collaborer et évite les pertes de temps. « Allez, habille-toi » ne suffit pas pour inciter un enfant à passer à l'action. Il est préférable d'être plus précis : « Monte ton pantalon de neige, Anthony, et après je vais t'aider à le boutonner. » « Tiens, Baptiste, voici tes bottes. Assieds-toi pour les mettre. » « Alexia, je m'attends à ce que tu places ton manteau dans le bon casier. » Pour susciter la motivation des enfants, l'éducatrice leur rappelle l'activité à venir. « Quand tu auras terminé de t'habiller Tommy, on ira sortir les tricycles du cabanon. Je vais avoir besoin de ton aide. »

Aucun enfant n'arrive à apprendre à s'habiller en étant stressé. C'est pourquoi il faut réduire les facteurs anxiogènes – bruit, manque d'espace, surpopulation, exigences élevées, cris et attitudes négatives des éducatrices, horaire rigide – pour l'aider à faire cet apprentissage le mieux possible.

6.3   À L'ARRIVÉE ET AU DÉPART ET LORS DES SORTIES ET DES ENTRÉES

À l'arrivée et au départ du service éducatif, il vaut mieux demander la collaboration des parents pour aider les bambins à se déshabiller et à s'habiller afin de permettre à l'éducatrice de demeurer disponible pour les autres enfants et leurs parents. Le départ constitue un moment propice pour établir des échanges entre le personnel et les parents. Cependant, il convient de prendre une entente claire et précise avec les parents pour qu'ils sachent ce qu'on attend d'eux et à partir de quel moment ils doivent prendre la relève auprès de leur enfant. Rien n'est pire que la confusion ou les malentendus pour compliquer cette activité de fin de journée, où la fatigue des enfants, celle des éducatrices et des parents occasionne des tensions.

Pour les enfants de cinq ans et plus, la routine de l'habillage ou du déshabillage est généralement facile. Leurs habiletés motrices accrues et leur grand besoin d'autonomie favorisent cette étape et le soutien de l'éducatrice demeure nécessaire pour les encourager et les guider, au besoin. Par temps froid où l'habillage requiert plus de temps, les enfants plus âgés peuvent aider les plus jeunes à se vêtir. En ce sens, il s'avère intéressant de jumeler un groupe d'enfants de 4-5 ans avec un groupe de 2 ans où les plus habitués assisteront les novices. Il ne s'agit pas d'habiller les débutants, mais de les soutenir dans leur apprentissage.

Quand le plancher du vestiaire est mouillé, par temps de pluie ou de neige, il est préférable que les enfants mettent leurs souliers au vestiaire pour éviter qu'ils ne mouillent leurs chaussettes pendant le déplacement vers le local.

Boire de l'eau, aller aux toilettes peut se faire parallèlement à l'activité de l'habillage et de déshabillage si les installations requises se trouvent à proximité. Cette mesure minimise l'achalandage du vestiaire. De plus, lorsqu'ils sont habillés, les enfants devraient idéalement pouvoir sortir en petits groupes avec une éducatrice. Le cas échéant, ils attendent le moins possible sans rien faire et s'occupent avec des jeux calmes. Il peut s'agir d'un tableau au mur avec des crayons retenus par une corde, des albums à images faciles à utiliser et à ranger, des tracés sur une surface plastifiée que l'enfant suit avec un doigt. De simples photos des enfants prises lors des activités réussissent également à retenir l'attention des enfants pendant cette attente.

Pour faciliter le déplacement lors des sorties à l'extérieur, on peut confier à un enfant la responsabilité d'apporter le matériel nécessaire : ballon, cordes à danser, pelles, craies. À la vue des objets de jeu, les enfants ont hâte d'aller jouer dehors et s'empressent de s'habiller.

6.4   DES CONDITIONS QUI FAVORISENT LA TÂCHE

L'habillage et le déshabillage peuvent se dérouler de manière très différente d'un enfant à l'autre, d'un groupe à l'autre, d'une saison à l'autre ou selon le contexte qui dépend de divers facteurs pas toujours simples à maîtriser. Néanmoins, il existe des conditions qui facilitent le déroulement de la tâche et qui préviennent plusieurs difficultés.

A.   Des vêtements adaptés

Avec des vêtements sécuritaires, sans cordon ni ceinture, des cols ou des cache-cou au lieu de foulards, des bottes avec attaches en velcro, des vêtements ni trop amples ni trop serrés, de gros boutons faciles à manier, il est plus facile d'effectuer rapidement l'habillage et le déshabillage. Chaque saison exige des vêtements particuliers pour permettre le confort des enfants : un chapeau pour se protéger du froid, l'hiver, un chandail léger pour éviter la transpiration, l'été, des bottes imperméables par temps de pluie, un chapeau léger pour se protéger du soleil en saison chaude. Il faut aussi prévoir des vêtements de rechange qu'on laissera à portée de main.

L'éducatrice doit donner l'exemple en s'habillant en fonction de la température et de l'activité. Il est difficile de demander aux enfants de mettre leur chapeau si on ne le fait pas soi-même. Les enfants sont davantage influencés par nos comportements que par nos directives. De plus, une éducatrice chaudement vêtue par temps froid sera portée à jouer avec les enfants et n'aura probablement pas le réflexe de les faire rentrer hâtivement parce qu'elle a froid.

Les vêtements d'une seule pièce comme les salopettes sont difficiles à enfiler pour les petits. Des pantalons à taille élastique, des fermetures éclair munies d'anneaux ou de petites tiges, des chaussettes sans talon, des chaussures avec velcro simplifient les gestes inhérents à l'habillage et au déshabillage. Il importe d'en informer les parents. Même si parfois plusieurs rappels leur seront nécessaires, la plupart d'entre eux accepteront de collaborer et de fournir à leur enfant des vêtements appropriés. Une affiche, un petit mot dans le carnet de l'enfant ou un feuillet sera utile pour les sensibiliser au bien-fondé de la demande. Par contre, si c'est par manque d'argent ou par négligence que des parents ne fournissent pas les vêtements appropriés, il faut discuter du problème avec les membres de la direction.

Tableau 6.1   Des chaussures et des vêtements appropriés et leurs avantages

Chaussures et vêtements	Avantages
Confortables Ni trop amples ni trop serrés. Légers.	Permet une meilleure mobilité et plus de confort.
Adaptés à la saison	Un corps qui n'a pas à lutter contre le chaud ou le froid risque moins de s'épuiser et d'affaiblir son système immunitaire.
Sécuritaires Sans cordon Cache-cou ou col au lieu de foulard. Chapeau qui permet de bien voir. Des sandales fermées ou des chaussures fermées.	Sans risque d'étouffement par strangulation. Prévient les chutes et les collisions dues à une mauvaise vision. Diminuent les risques de blessure (éraflure, foulure, chute).
Faciles à mettre Pantalon, survêtement et pantalon de neige avec taille élastique. Fermoir muni d'une tige ou d'un anneau. Chaussures et bottes avec bandes velcro. Mitaines au lieu de gants.	Plus faciles à enfiler et à enlever que des salopettes et des robes. Plus facile à manier que des boutons ordinaires ou à pression. Plus faciles à manier que des lacets avant l'âge de 5 ans. Plus faciles à enfiler, plus chauds aussi.
Faciles à repérer Avec étiquettes d'identification résistantes N.B. On peut fournir aux parents des adresses de fournisseurs d'étiquettes d'identification.	Évite la perte ou l'échange de vêtements.

L'habillage pour un jeune
enfant représente un
apprentissage complexe.

B.   Des interventions sur mesure

Aussi étonnant que cela puisse paraître, le jeune enfant oublie
parfois pourquoi il doit s'habiller. Il faut donc le lui rappeler avec
patience et tact. Ainsi, on en vient à réduire le manque de motivation
qui n'est, la plupart du temps, que temporaire. « Tu seras plus au chaud
pour jouer dehors avec tes pantalons de neige. » « Tes oreilles n'auront
pas d'engelures si tu les recouvres avec ton chapeau. » « Tu n'auras pas
de brûlure sur tes épaules si tu mets ton chandail. »

Le déshabillage étant plus facile à accomplir que l'habillage,
l'éducatrice invite les débutants à concentrer leurs efforts tout d'abord
sur cette habileté. « Le déshabillage marque la première étape vers
l'autonomie en matière d'habillage. » (Martin, Falardeau et Poulin,
p. 155) En période d'apprentissage à la propreté, certains enfants
prennent plaisir à se dévêtir au complet pour aller sur le pot ou sur la
toilette. Ils auront alors besoin de quelques rappels pour se limiter à
abaisser leur pantalon.

Pour favoriser l'apprentissage de l'habillage chez les tout-petits, l'éducatrice décrit à voix haute les vêtements à mettre et les gestes à poser. Elle peut même en faire une sorte de jeu de rythmes et de vocalises, ou recourir à une chanson pour créer un attrait pour l'activité : « On met notre salopette… Je vois Éliane qui met sa salopette… Henri, Pierrick… Voilà… Maintenant, qu'est-ce qu'on doit mettre ? » Si l'espace le permet, on peut étaler dans l'ordre au sol les vêtements que les enfants doivent enfiler. Il faut éviter d'accourir à la moindre sollicitation de l'enfant et l'encourager pour ses efforts tout en lui montrant comment s'y prendre.

Comment agir avec un enfant qui refuse de s'habiller pour aller dehors malgré sa capacité à le faire ? Rien ne sert de réagir avec obstination ou de recourir aux menaces. Mieux vaut lui rappeler ce que vous attendez de lui avec une fermeté calme. Si l'enfant refuse toujours de se vêtir après trois avertissements, habillez-le sans toutefois lui prêter trop d'attention. Répétez la même intervention la fois suivante, s'il y a lieu. Dès que l'enfant participe à son habillage, approuvez-le. Il y a des éducatrices qui appliquent la conséquence suivante : l'enfant qui retarde la sortie à l'extérieur en refusant de s'habiller, ou en le faisant lentement de manière intentionnelle, demeure en retrait du groupe une fois dehors, et ce sans jouer, pour une durée équivalente au temps perdu.

Même les enfants plus habiles peuvent avoir besoin d'un petit coup de main pour certains aspects de l'habillage, comme rouler les manches trop longues d'un tablier ou relever le fermoir arrière d'un chandail.

La routine de l'habillage et du déshabillage peut se dérouler de façon très différente d'un enfant à l'autre selon l'expérience qu'il en a et selon son âge ; plusieurs n'ont pas l'habitude de cette routine car les parents la font pour eux. On peut leur demander de collaborer pour aider leur enfant dans cet apprentissage et leur faire comprendre qu'il doit savoir s'habiller seul à la garderie vu le contexte.

À deux ans, l'enfant peut retirer ses chaussures si les lacets sont détachés, mais ne peut les attacher lui-même. L'éducatrice doit l'aider en suscitant le plus possible sa coopération : entrer un bras dans une manche et le laisser tendre l'autre bras, monter un bout de la fermeture éclair et l'inciter à faire le reste, lui montrer à détacher les boutons-pression en lui suggérant une technique efficace. L'habileté vestimentaire se développe parallèlement aux autres expériences motrices telles la dextérité et la force qui s'améliorent à force de répétition et de persévérance. Sauf exception, les enfants d'âge scolaire assument eux-mêmes la tâche de l'habillage et du déshabillage.

> Les périodes consacrées à l'habillage et au déshabillage constituent des activités à part entière. L'éducatrice y voit là des occasions propices d'apprentissage où l'enfant exerce sa motricité fine, développe ses capacités logiques et son sens de l'effort.

Les voix autoritaires et les menaces n'ont pas leur place lors de la routine de l'habillage. On peut exiger de parler avec une petite voix de souris au vestiaire en donnant soi-même l'exemple. Une affiche au mur peut inciter les parents à faire de même. Plus que tout autre moyen, la patience et l'encouragement de l'éducatrice soutiennent l'apprenti dans le développement de ses capacités. Ce n'est pas tout d'être capable de mettre ses vêtements, il faut savoir lequel mettre en premier et après. C'est pourquoi l'éducatrice rappelle aux enfants l'ordre des vêtements à enfiler et les amène à le mémoriser le plus rapidement possible. Pour ce faire, elle recourt à des images, à une chanson ou à un rappel amusant.

En étalant au sol les vêtements des enfants, l'éducatrice leur permet de les repérer plus aisément. Par ailleurs, ils disposent d'un espace plus grand pour accomplir les tâches de l'habillage. Il est préférable de les exécuter de manière horizontale, c'est-à-dire en se concentrant sur le même vêtement pour chacun des enfants au lieu de s'occuper de chacun d'eux de la tête aux pieds. De cette façon, tous seront vêtus en même temps.

Lacer ses souliers est un apprentissage qui correspond aux capacités de l'enfant de 4 ans et demi et 5 ans. Avant cet âge, il vaut

Lacer ses souliers est un apprentissage qui correspond aux capacités de l'enfant de 4 ans et demi et 5 ans.

mieux fournir à l'enfant des chaussures avec bandes velcro, plus faciles à enfiler et à retirer.

Quant au procédé « Qui sera prêt le premier ? », il vaut mieux y recourir avec parcimonie pour prévenir les incidents et éviter le sentiment d'échec chez les moins performants.

Tableau 6.2   Profil des habiletés nécessaires à l'habillage et au déshabillage chez l'enfant

	Chaussures	Vêtements	Suggestions pour soutenir l'apprentissage
2 ans S'intéresse de plus en plus à l'habillage. Est plus habile à se dévêtir qu'à s'habiller. La phase du «non» peut rendre l'enfant réfractaire à participer à la tâche.	Peut mettre son pied dans le soulier qu'on lui présente. Peut retirer ses souliers s'ils sont délacés ou détachés. Peut retirer seul ses bottes.	Peut trouver la manche pour enfiler son bras ou sa jambe. Peut enfiler le bras. Peut monter et descendre sa culotte. Peut enlever quelques vêtements comme son chapeau, ses mitaines, ses chaussettes. Peut monter une partie de la fermeture éclair.	Aider l'enfant à reconnaître les vêtements et leur usage. Bien étiqueter les vêtements pour faciliter le repérage. Donner régulièrement l'occasion de se déguiser pour exercer les habiletés propres à l'habillage et au déshabillage. Offrir des déguisements d'hiver en toutes saisons pour les jeux de rôles. Faire glisser des fermetures éclair, enfiler des manches à partir de jeux. Permettre à l'enfant de faire des essais et des erreurs lors de l'habillage.
3 ans Les gestes de la main se raffinent. Le besoin d'autonomie se manifeste davantage.	Peut mettre son pied dans le mauvais soulier. Peut mettre ses bottes seul. Est capable de détacher ses lacets et la boucle de ses sandales. Est capable de se chausser avec des souliers à fermeture à velcro.	Peut enlever des vêtements surtout s'ils sont amples, mais a besoin d'aide pour mettre les chandails et les chemises. Connaît l'ordre des vêtements à mettre. Peut déboutonner de gros boutons sur le côté et à l'avant. Peut détacher la fermeture éclair d'un manteau. Peut se tromper en mettant ses vêtements sens devant derrière.	Faire des jeux: entrer le bras dans un tunnel (manche). Se placer derrière ou à côté de l'enfant pour lui enseigner les techniques. Pendant les jeux libres, offrir des jeux qui exercent le boutonnage et le déboutonnage, la manipulation de fermoirs à glissière★. Utiliser les termes exacts: à l'endroit, à l'envers, devant, derrière, enfiler, retirer, etc. ★ Pour faire glisser aisément les fermoirs, les enduire de savon sec en barre.
4 ans La motricité fine est de plus en plus développée.	Attache la boucle d'une ceinture ou d'une sandale. Commence à faire des nœuds aux lacets.	Distingue le sens des vêtements et les met correctement. Peut s'habiller seul si c'est facile. Peut engager la fermeture éclair.	Encourager les enfants à s'entraider, ce qui suppose l'accord des deux personnes concernées.

Tableau 6.2   Profil des habiletés nécessaires à l'habillage et au déshabillage chez l'enfant (suite)

	Chaussures	Vêtements	Suggestions pour soutenir l'apprentissage
5 ans	Met le bon pied dans le bon soulier, avec quelques erreurs à l'occasion.	S'habille et se déshabille avec soin. Attache les boutons à pression. Peut engager et monter une fermeture éclair au complet. Enfile par-dessus la tête des vêtements serrés.	Faire des jeux de laçage.
6 ans et plus La rapidité et la précision augmentent.	Est capable d'attacher ses lacets. Distingue à coup sûr le soulier droit du soulier gauche.	S'habille avec plus de rapidité. Peut faire deux choses à la fois: parler et s'habiller. A encore besoin d'aide pour attacher des boutons aux poignets, au cou et au dos.	

6.5   DES IDÉES DE JEUX ET DES CHANSONS

N.B. Les animations devraient stimuler les enfants à s'habiller et non les distraire de leur tâche. À vous de juger de la meilleure stratégie possible pour atteindre vos objectifs.

- Jouer à «Jean dit» : «Jean dit de mettre tes bottes. Il dit d'enfiler tes mitaines».

- Faire un jeu de couleurs ou de motifs pour annoncer les vêtements à mettre ou à enlever : «Mets un vêtement qui a du bleu. Mets un vêtement qui a des dessins».

- Offrir un privilège aux enfants qui ont terminé de s'habiller ou de se déshabiller, par exemple, en apposant un autocollant sur une main ou en faisant un dessin à l'aide d'un tampon encreur. Ce moyen ne devrait cependant pas pénaliser les plus lents ; chaque enfant devrait pouvoir obtenir le privilège lorsqu'il a terminé sa tâche.

- Afficher au mur des dessins ou, mieux, des photos, représentant les vêtements à mettre lors d'un habillage élaboré comme pendant l'hiver : chandail, pantalons à neige, bottes, chapeau, foulard, manteau, mitaines.

- Nommer les enfants qui sont en train de s'habiller. «Je vois Nadia qui met son manteau. Je vois aussi William qui est prêt à sortir».

- Une fois que les enfants sont habillés, les faire asseoir contre un mur et leur offrir de s'occuper en attendant les autres avec des jeux simples : chansons, devinettes, figurines, tableau avec crayons solubles à l'eau avec cordes élastiques pour éviter de les perdre, etc.

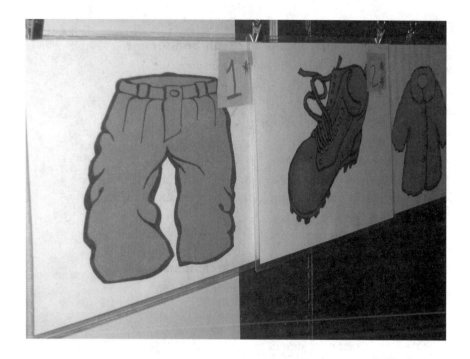

- Lancer un défi : « Qui est capable de mettre ses bottes ? » « Qui peut ranger son manteau à sa place ? »

- Par temps de neige, avant de rentrer de l'extérieur, se secouer pour enlever la neige collée aux habits de neige en faisant une danse « fofolle ».

- Chanter une chanson qui rappelle l'ordre et le nom des vêtements à mettre.

1
Le bonhomme, le joli bonhomme
(sur l'air de Alouette, gentille alouette)

Le bonhomme, le joli bonhomme
Le bonhomme que j'habillerai.
Je lui mettrai une salopette (bis)
Une salopette (bis)
Joli bonhomme (bis)

Continuer la chanson en désignant d'autres vêtements :
des bottes, un manteau, un cache-cou, un chapeau,
des mitaines.

2
J'ai de beaux vêtements
(sur l'air de J'ai un beau château)

J'ai de beaux vêtements
Matantirelirelire
J'ai de beaux vêtements
Matantirelirelo.

J'ai un beau chapeau
Matantirelirelire
J'ai un beau chapeau
Matantirelirelo.

J'ai un beau manteau
Etc.

3
Tout plein de vêtements
(sur l'air de Dans la ferme à Mathurin)

Dans le groupe des Petits Chats (nom du groupe d'enfants)
I a i a o
Il y a tout plein de vêtements
I a i a o
Un manteau par ci, un manteau par là
Des manteaux, plein de manteaux.
Dans le groupe des Petits Chats
I a i a o

4
Mets-le donc!

Si le chapeau te fait
Mets-le donc, mets-le donc
C'est le tien.
Si le chapeau te fait
Mets-le donc, mets-le donc
C'est le tien.
Etc.

5
J'ai tout ce qu'il faut

Paroles: origine inconnue
(sur l'air de La peinture à l'huile et Un éléphant, ça trompe)

Ma salopette
Mes bottes
Mon manteau
Mes deux mitaines
Mon cache-cou
Mon chapeau.

J'ai tout ce qu'il faut
Pour être bien au chaud
Je vais vite m'habiller
Pour aller m'amuser.

Chapitre 7

Le rangement et le nettoyage

CONTENU DU CHAPITRE

Les éducatrices en conviendront : le rangement et le nettoyage ne figurent certes pas au palmarès des activités préférées des enfants. Pourtant, c'est l'activité de transition qui revient le plus fréquemment et qui monopolise le plus de temps dans une journée en services éducatifs ; elle mérite donc qu'on lui accorde toute l'attention nécessaire pour en faire une période charnière pleinement satisfaisante. Certaines éducatrices appréhendent la tâche du rangement et du nettoyage. Elles voient souvent dans ces moments des causes de désorganisation et d'agitation du groupe d'enfants, qui viennent briser l'harmonie installée durant la période de jeux précédente. Pour cette raison, il est nécessaire de comprendre les enjeux liés au rangement et au nettoyage afin d'en faire des activités profitables tant pour les enfants que pour les éducatrices.

Un des secrets d'une bonne organisation d'un local réside dans l'efficacité du rangement. Souvent, l'éducatrice aura besoin de temps, de réflexion et de plusieurs tentatives pour arriver à trouver la façon la plus appropriée de placer et de ranger le matériel ainsi que pour aménager les lieux.

Il est de toute première importance de prévoir un **système efficace** qui permet de ranger et de trouver le matériel rapidement tout en encourageant l'autonomie des enfants selon leur niveau de développement. Ensuite, on doit faire preuve de souplesse pour minimiser le stress inhérent au rangement et au nettoyage. Certaines attitudes peuvent nuire au déroulement harmonieux de cette tâche : demander aux enfants

de se dépêcher afin de respecter l'horaire prévu, dépenser beaucoup
d'énergie et de temps pour des interventions disciplinaires, s'impatienter
devant les difficultés, laisser voir aux enfants qu'il vaut mieux faire vite
pour passer à quelque chose de plus important. Par ailleurs, on peut
favoriser l'enchaînement en douceur de cette activité en fonctionnant
selon un **horaire flexible** et prévoir quelques minutes supplémentaires
pour effectuer le rangement et le nettoyage dans le calme. Pour faciliter
le déroulement de ces transitions, on peut présenter les activités de
rangement et de nettoyage aux enfants sous forme de jeu et leur permettre ainsi de faire des apprentissages en s'amusant.

Une étagère basse exposant le matériel de façon aérée et ordonnée aide
l'enfant à retrouver le jeu désiré.

Après avoir cerné les besoins, l'éducatrice utilisera sa créativité pour concevoir un plan d'intervention afin d'organiser le rangement de manière efficace et sécuritaire. C'est ainsi qu'une éducatrice en milieu familial fera preuve d'ingéniosité pour effectuer le rangement du matériel de telle sorte qu'il n'envahisse pas la vie familiale le soir et les fins de semaine. Elle mettra alors des boîtes de rangement derrière le sofa, empilera des coussins sur une penderie, prévoira des contenants faciles à transporter, aménagera un vestiaire ailleurs que dans le garde-robe de l'entrée. Dans les services de garde en milieu scolaire, où parfois un seul local est mis à la disposition des usagers, le manque d'espaces de rangement peut vite devenir un problème crucial pour tout le monde. Pour toutes ces raisons, l'éducatrice doit penser à des stratégies pouvant alléger les nombreuses périodes de rangement et de nettoyage qui ont lieu plusieurs fois par jour.

7.1   UN SYSTÈME PRATIQUE DE RANGEMENT

La réussite des activités de rangement ou de nettoyage dépend inévitablement de l'environnement où elles se déroulent et du type de matériel utilisé ; une aire de jeu de petite superficie, un espace de rangement peu accessible pour les jeux extérieurs, un mobilier difficile à entretenir ne sont que quelques-uns des obstacles qui entravent un bon rangement. Puisque la qualité du service éducatif dépend en grande partie de l'organisation efficace des activités de rangement, l'éducatrice doit d'abord préciser les conditions qui permettent leur bon déroulement.

A.   L'environnement et l'équipement

Il est essentiel que l'aménagement des lieux favorise l'ordre : casiers et crochets pour les vêtements et les effets personnels de chaque enfant (nous avons discuté de ce point dans le chapitre sur l'habillage), placards à tablettes amovibles, armoires basses placées contre le mur ou idéalement utilisées comme cloisons et séparateurs, modules sur roulettes (prévoir des roulettes à barrure sécuritaire pour immobiliser le module) faciles à déplacer d'un local à l'autre, meubles fixes à tiroirs en plastique robustes et empilables, meubles amovibles avec casiers et tiroirs de rangement. Pour mettre les livres à la vue des enfants, un présentoir avec des pochettes en plastique transparent sont très utiles en plus de préserver la qualité du matériel. On peut se servir d'un tableau à pochettes transparentes pour y insérer des figurines, ou utiliser des bandes velcro pour accrocher des marionnettes au mur. Un endroit pour faire sécher et exposer les œuvres des enfants sera des plus utiles ainsi qu'une place pour mettre temporairement les productions inachevées (sur une corde à linge, par exemple). Si le manque d'espace est un problème, on cherche des solutions non pas à l'horizontale, mais à la verticale : des crochets au-dessus d'une étagère, un tiroir ajouté à une tablette. Le plafond peut aussi être mis à contribution : un hamac suspendu fera un nid douillet pour les poupées et les toutous oubliés, un support circulaire à pinces accueillera des images plastifiées qui serviront aux activités de chansons.

Un présentoir à pochettes pallie le manque d'espace de rangement en plus de permettre de repérer rapidement les objets.

Pour sensibiliser les enfants à l'importance du recyclage, un bac accessible servira à récupérer le papier. Par ailleurs, on doit aussi prévoir un éclairage suffisant pour retracer rapidement le matériel recherché.

L'éducatrice en milieu familial qui a affaire à divers groupes d'âge doit disposer les jeux en fonction des niveaux de développement des enfants. Par exemple, les jeux difficiles destinés aux enfants d'âge préscolaire ne devraient pas se retrouver sur la même tablette ou dans la même armoire que ceux qui sont réservés aux enfants plus jeunes.

En milieu scolaire, les éducatrices sont nombreuses et le matériel est varié et abondant ; les dépôts de rangement doivent donc demeurer constamment en ordre. Pour éviter le transport fréquent et épuisant du matériel, il est conseillé de prévoir un espace de rangement dans chacun des locaux.

Si l'éducatrice utilise un coffre à jouets, on recommande de retirer le couvercle à pentures où les enfants risquent de se pincer les doigts. On devrait choisir des boîtes ou des coffres peu profonds qui éviteront d'avoir à les vider complètement pour y trouver un objet. Les vieilles boîtes de savon à lessive dont le dessus a été retiré sont idéales pour remiser les revues et les catalogues qui serviront au découpage et au collage. Quant aux caissons de plastique quadrillés (panier à linge, caisse de lait, etc.), ils permettent aux enfants de voir rapidement leur contenu. Une mise en garde s'impose cependant quant à l'utilisation de tels caissons : les orifices du quadrillage doivent être assez grands pour que les enfants ne puissent s'y coincer les doigts et assez petits pour qu'ils ne puissent y glisser la main. Puisque le bien-être physique des enfants demeure la priorité de l'éducatrice, l'aménagement et l'équipement d'un service éducatif doivent permettre une sécurité irréprochable en tous points.

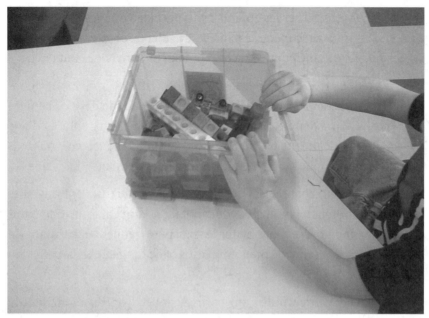

Des bacs peu profonds et non remplis à ras bord permettent à l'enfant de repérer plus facilement les pièces de jeu.

Encadré 7.1   Des aspects à considérer pour un rangement efficace

- Objets de jeu sécuritaires et faciles à manipuler par les enfants.
- Accès facile au matériel sans avoir à trop se pencher ou à s'étirer.
- Étagères robustes, basses, ouvertes et clairement étiquetées.
- Bacs de rangement sur roulettes avec tiroirs faciles à ouvrir.
- Tablettes et crochets accessibles aux enfants (pour les accessoires et les vêtements de déguisements, par exemple).
- Chaises faciles à déplacer par les enfants.
- Paniers ou bacs qui s'empilent les uns sur les autres pour ranger les aliments et la vaisselle dans le coin maison.
- Armoires et tiroirs simples à ouvrir et dont le contenu est clairement identifié à l'aide de symboles faciles à décoder.

- Contenants ou bacs en plastique transparents et peu profonds, sans orifices (pour éviter que les petits doigts ne s'y coincent), faciles à manipuler, à ouvrir et à transporter.
- Matériel lourd posé au sol et jamais en hauteur.
- Contenants, casiers et équipement de rangement faciles à nettoyer (eh oui, il faut les nettoyer de temps en temps).
- Matériel dangereux, fragile ou coûteux (instruments de musique, par exemple) mis hors de la portée des enfants et utilisé seulement sous la supervision étroite de l'adulte.
- Logiciels et CD rangés dans leur boîtier et à l'abri de la poussière.

Un bon système de rangement ajoutera à la durabilité du matériel ; de plus, il permettra aux enfants de prendre des initiatives pour organiser leurs propres jeux. En effet, les enfants répondent à leurs besoins tout en accroissant leur autonomie en étant capables de reconnaître aisément un jeu de table recherché, en prenant facilement un tricycle ou en repérant seuls les feuilles pour dessiner. L'éducatrice veille à ce que les enfants rangent correctement le matériel utilisé et apporte son aide, au besoin. En les encourageant à le trouver, à le déplacer, à l'utiliser et à le remettre à sa place, elle favorise chez eux le sentiment de compétence et de responsabilisation indispensable à la construction de leur estime de soi.

Un environnement ordonné de manière logique encourage les enfants à ranger, aide l'éducatrice à rester maître du groupe et contribue à faire du local un milieu de vie sécuritaire et agréable pour tous.

Évidemment, rassembler les objets semblables au même endroit – les blocs dans le coin blocs, les livres dans le coin lecture, le matériel d'arts plastiques ensemble – s'avère logique en matière de rangement. Par contre, dans un contexte de pédagogie démocratique où la polyvalence du matériel est souhaitable – la pâte à modeler peut servir autant dans le coin arts plastiques que dans le coin cuisine –, il peut être avantageux de mettre ensemble du matériel de nature différente. En effet, en voyant sur une même tablette des objets ayant des fonctions communes, comme des perles, des bouts de paille et des bouts de laine, les enfants seront portés à fabriquer des colliers et des bracelets, par exemple. Cependant, si ce matériel se trouve en divers endroits dans le local ou s'il demeure hors de leur vue, les enfants seront moins enclins à créer des associations d'idées pour de nouveaux jeux. Pensons à un imagier sur le thème du multiculturalisme qu'on placerait à proximité de CD de chansons ethniques. Il y a lieu de croire qu'une telle disposition inciterait les enfants à écouter cette nouvelle musique du seul fait que des images accompagnent le CD. Il suffit parfois d'un simple changement dans la disposition du matériel pour piquer la curiosité des enfants et stimuler leur créativité.

L'activité de rangement fournit une occasion idéale de sensibiliser les enfants au respect des objets et de l'équipement qui composent leur environnement. On doit éviter à tout prix d'empiler du matériel sur les tablettes et de mettre trop d'objets dans les boîtes. Les enfants auront de la difficulté à reconnaître les nombreux accessoires et les vêtements de déguisements dans un grand bac où ils sont pêle-mêle et seront, par conséquent, moins intéressés à s'en servir. Les problèmes d'encombrement sur les tables ou au sol sont aussi souvent occasionnés par la présence d'objets qui ne devraient pas faire partie du paysage quotidien : pots de colle, balais, cerceaux, etc. Il vaut mieux ranger ce matériel à sa place et le sortir seulement en temps opportun.

B.   La participation des enfants

Pour l'enfant, ranger et nettoyer signifie souvent faire cesser le plaisir qu'il éprouve à jouer, ce qui peut être très frustrant. Intéresser les enfants aux activités de rangement et de nettoyage représente un défi important pour l'éducatrice. Elle peut en faire une occasion propice pour sensibiliser les enfants aux avantages de l'ordre et de la propreté des lieux. La période de rangement doit leur permettre de développer une attitude responsable face au matériel selon leur stade de développement. Par exemple, l'éducatrice peut encourager les enfants à lui signaler toute perte ou bris de matériel. Elle peut aussi leur faire voir les inconvénients du désordre (la difficulté à retrouver les objets de jeu, la perte de pièces d'un casse-tête qui empêche de le faire au complet, l'endommagement des livres si on les laisse traîner, le risque de trébucher en laissant des objets au sol) ou de la saleté (les débris de nourriture laissés au sol qui favorisent la formation de bactéries nuisibles à la santé). À l'occasion, l'éducatrice peut présenter une histoire intéressante pour sensibiliser les enfants en ce sens.

Il faut se rappeler que c'est petit à petit que la motivation pour le rangement s'installe dans les habitudes de vie des enfants. Évidemment, l'exemple donné par l'adulte joue un rôle capital dans leur apprentissage. Il doit être cohérent et convaincant pour les enfants.

Les règles d'utilisation du matériel de même que les conséquences face au non-respect de celles-ci doivent être comprises des enfants. En SGMS et en maternelle, elles peuvent être établies et appliquées en collaboration avec les enfants.

C.   Le rangement à l'extérieur

Le rangement à l'extérieur devrait avoir le mérite d'être aussi stratégique que celui qui est prévu pour l'intérieur. Parce qu'il doit être replacé dans un cabanon ou rentré à l'intérieur à la fin de chaque journée, le matériel utilisé pour les jeux extérieurs doit être prévu en conséquence : un équipement mobile, un cabanon pour protéger le matériel des intempéries et du vol en plus d'avoir un accès facile et fonctionnel, un recouvrement résistant pour le carré de sable afin de réduire son entretien, des chariots à roulettes dont les enfants pourront se servir

pour déplacer et replacer les objets de jeu, etc. Ces conditions ne pourront que diminuer la tâche déjà grande de l'éducatrice lors des sorties
à l'extérieur et agrémenter le travail de rangement dans son ensemble.

La question du rangement à l'extérieur et de l'entretien de la
cour offre une belle occasion d'éveiller les enfants à la protection de
l'environnement et à l'écologie. Prendre soin d'un arbre, mettre les
déchets à la poubelle, ramasser les feuilles mortes pour ensuite les envoyer
à la récupération ne sont que quelques-unes des actions qui permettent
de sensibiliser les enfants à prendre soin de leur environnement.

D.   L'étiquetage

Pour optimiser l'efficacité du système de classement, le repérage
visuel des objets (contenants, cassettes, boîtes, etc.) et des emplacements
(coin scientifique, tablettes pour les jeux de table, etc.) s'impose. Un bon
étiquetage est attrayant, explicite, sécuritaire et durable. Il peut être fait
simplement à l'aide de photos, de dessins, d'images de dépliants ou de
circulaires, de tracés du contour de l'objet ou de symboles, autant de
moyens qui aident les enfants à trouver et à remettre le matériel à sa
place. Pour les jeunes lecteurs, un simple mot écrit sur un contenant
peut faire l'affaire; pour les petits, un objet collé sur la boîte de rangement, par exemple un crayon feutre apposé sur la boîte de crayons
feutre, s'avère la méthode la plus simple de classification et de repérage.
Dans le cas où les enfants d'âge préscolaire manifestent un intérêt pour
les lettres et les mots, l'éducatrice peut nourrir leur curiosité en inscrivant
le nom de l'objet à côté de l'image correspondante.

Puisque la perte de pièces de jeu semble être un problème courant
en services éducatifs, on doit penser à une façon efficace d'effectuer
leur rapatriement. Mettre un point de même couleur à l'endos de chacun
des morceaux d'un casse-tête, par exemple, est un moyen efficace
envisagé comme solution. Ce système aide certainement les enfants à

replacer dans la bonne boîte les pièces qui vont ensemble. Pour un casse-tête à encastrement auquel il manque un morceau, un X tracé à l'endroit de la pièce perdue évite d'avoir à la chercher inutilement.

7.2   LE NETTOYAGE

Si l'organisation systématique est une caractéristique fondamentale d'un service éducatif sain et harmonieux, la propreté des locaux y joue aussi une grande place. En effet, sans chercher à avoir un environnement aseptisé, l'éducatrice doit accorder autant d'importance à la propreté qu'au rangement. Ici encore, on peut solliciter la participation des enfants de diverses manières.

Quel enfant n'aime pas avoir la responsabilité de passer un linge sur la table après le dîner ou de nettoyer les pinceaux dans l'évier, ce qui devient vite un passionnant jeu d'eau, ou de balayer le plancher après une activité de découpage ou bien de laver la vaisselle après une activité culinaire? Les enfants se sentent valorisés d'accomplir des tâches d'adultes surtout quand, en plus, l'éducatrice prend la peine de les remercier et de faire remarquer l'importance de leur geste. « Ces tâches, satisfaisantes en elles-mêmes, prennent encore plus de valeur aux yeux de l'enfant lorsque l'éducateur souligne leur utilité pour tout le groupe. » (Hendrick, p. 295)

En services éducatifs, de nombreux travaux nécessitent la collaboration de plusieurs enfants, ce qui a l'avantage de renforcer leurs habiletés sociales. Par exemple, un enfant ramasse les retailles au sol avec un balai tandis qu'un autre tient le porte-ordures, un jeune lave la vaisselle du coin maison pendant que son compagnon l'essuie, etc.

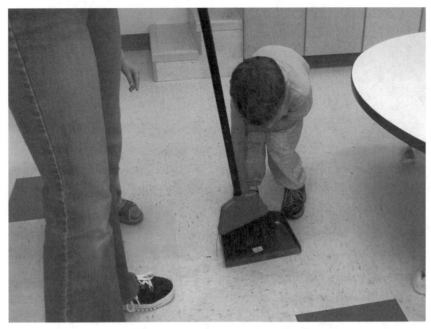

Les enfants prennent plaisir à participer aux activités de nettoyage.

Rien ne remplace le savon, l'eau et un bon linge pour nettoyer les surfaces sales et enlever les microbes dans l'environnement du service éducatif. Toutefois, certains objets ou certaines surfaces exigent une désinfection spéciale après cette première étape de nettoyage. Les règlements concernant les centres de la petite enfance énoncent des principes clairs sur la désinfection ; les personnes concernées doivent les appliquer rigoureusement (articles 72 et 77.1 du Règlement sur les centres de la petite enfance). Évidemment, les enfants ne peuvent participer à cette partie du processus de nettoyage à cause de la nocivité des produits chimiques utilisés. Mais, comme on l'a vu précédemment, les enfants ont l'occasion de participer à d'autres types de nettoyage. Pensons aux activités de modelage dont les matériaux laissent souvent des résidus sur les tables et le plancher. Avant de retirer leur tablier, à la fin de l'activité, les enfants peuvent remettre le plus gros de la pâte à modeler ou de l'argile dans leur contenant et puis enlever les particules restantes sur leurs mains et sur la table à l'aide d'un papier brun ou d'un outil à modelage avant de jeter le tout à la poubelle. Cette méthode comporte l'avantage d'éviter l'obstruction des renvois d'eau occasionnée par la présence de pâte à modeler dans l'évier. Un nettoyage de la table avec de l'eau savonneuse et un linge complétera la tâche. Un lavage des mains sera également nécessaire avant de passer à l'activité suivante.

Comme le modelage, la peinture tactile, aussi appelée peinture aux doigts, suscite généralement l'enthousiasme chez les enfants. Alors pourquoi les en priver ! Qu'on utilise un produit commercial, une recette maison, un mélange de fécule de maïs et d'eau ou encore de la crème à raser, le matériau choisi peut être utilisé directement avec les mains, sur la table, pour la plus grande joie des enfants. Une fois l'activité terminée, on effectue le nettoyage des mains et des surfaces sales de la même façon que pour la pâte à modeler, c'est-à-dire en enlevant d'abord le surplus à l'aide d'un papier essuie-tout ou d'un papier brun. En plus d'annoncer clairement aux enfants la fin de l'activité, cette étape réduit la durée du lavage des mains et du nettoyage dans son ensemble, tout en ménageant la tuyauterie de l'évier. L'éducatrice peut alors procéder au nettoyage final de la table pendant que les enfants se lavent les mains sous le robinet ou dans un seau d'eau si les lavabos se trouvent loin du local.

Plusieurs fois par jour, l'éducatrice a à laver les tables, soit avant et après la collation ou après une activité salissante. Elle utilise alors un nettoyant qu'elle applique le plus souvent avec un vaporisateur qu'elle actionne au-dessus des surfaces à nettoyer.

Afin d'éviter la dispersion dans l'air du nettoyant, qui finit par retomber en fines gouttelettes sur les enfants et sur les surfaces qu'ils touchent régulièrement, il est recommandé de le vaporiser directement sur le linge de nettoyage. C'est la façon la plus sûre de préserver la santé des enfants en leur évitant l'inhalation et le contact avec les particules invisibles du produit chimique. C'est une habitude à prendre qui s'ajoute à l'ensemble des gestes témoignant du professionnalisme des éducatrices.

7.3   LES ATTITUDES DE L'ÉDUCATRICE

Il est important de tout mettre en œuvre pour favoriser un bon déroulement des activités de rangement et de nettoyage. Outre les mesures à prendre pour assurer l'efficacité du système de rangement et de l'organisation spatiale, on veille à accompagner les enfants dans l'apprentissage des habiletés requises afin qu'ils puissent y participer. De surcroît, les interventions de l'éducatrice, ses gestes et ses paroles jouent un rôle déterminant dans la satisfaction éprouvée lors des activités de rangement et de nettoyage.

A.   Planifier la présentation du matériel de jeu

On peut croire qu'un grand nombre de jouets étalés au sol ou sur une table accroît l'intérêt des enfants pour le jeu ; pourtant, il n'en est rien. Devant un choix trop vaste et une présentation désordonnée des objets de jeu, les enfants se sentent souvent envahis ; ils ont aussi plus de difficulté à repérer le matériel et à organiser leurs jeux. Plus que la quantité, il faut miser sur la variété du matériel et sur sa pertinence avec l'intérêt et les capacités des enfants. Pour encourager les enfants à jouer, il ne sert à rien de sortir tous les jeux chaque jour. Cette recommandation vaut également pour la cour extérieure. Il importe de leur permettre de faire des choix en mettant les jouets à leur disposition d'une façon attrayante.

Puisque les enfants apprécient la nouveauté, une rotation régulière des objets de jeu permet d'offrir une diversité qu'ils apprécient beaucoup. Par ailleurs, un échange de jeux entre groupes ou un emprunt fait à une ludothèque apporte de la variété dans les activités des enfants, en plus de réduire les frais d'achat. Ainsi, on évite l'encombrement de l'espace qui est souvent restreint en services éducatifs.

B.   Avoir des attentes réalistes

Le rangement et le nettoyage demeurent des tâches imposées aux enfants par les adultes. Lorsqu'arrive le temps de nettoyer ou de ranger, les enfants manifestent généralement plus l'envie de poursuivre leur jeu que de s'adonner de bon gré au rangement. L'éducatrice ne peut s'attendre à un enthousiasme spontané et débordant des enfants, encore moins si cette tâche la rebute elle-même. Il est normal que les enfants n'aiment ni ranger ni nettoyer, car ils ne comprennent pas l'utilité de cette activité. Cette compréhension qui requiert notamment une maturation intellectuelle se fait par étapes. Puisqu'ils ont une conscience accrue de la notion du temps et une perception plus précise de la sensation de faim qu'exprime leur corps, les enfants de 4 à 7 ans, par exemple, se dépêcheront de ranger et de se laver les mains pour se mettre à table afin de pouvoir enfin manger. Avec les plus petits, la motivation intrinsèque est plus limitée.

C'est avec de la persévérance et du tact que l'éducatrice arrivera, au fil des expériences, à faire saisir aux enfants la raison d'être des activités de rangement et de nettoyage.

Puisque l'affirmation de soi marque généralement le développement sain des enfants, il est préférable de leur présenter l'activité de rangement de manière non dogmatique pour éviter des affrontements inutiles. Avec des enfants qui se trouvent dans une phase d'opposition face à l'adulte, il vaut mieux user de stratégies leur donnant, par exemple, le choix entre deux objets à ranger. On leur propose de relever un défi personnel, et on considère leur résistance tout en les amenant avec doigté à accomplir ce qu'on demande. Les enfants de deux ans aiment naturellement déplacer les objets au lieu de les ranger. Ce sont de véritables déménageurs. Pour les aider, l'éducatrice peut leur accorder une attention particulière et animer, par exemple, un jeu qui les amènera à ranger de la bonne façon et non seulement à déménager les objets d'un endroit à un autre. Si l'éducatrice a des attentes raisonnables, son attitude favorisera une atmosphère de détente pendant la période du rangement et du nettoyage, même si ces activités de transition demeurent peu populaires chez la plupart des enfants.

Avoir des attentes réalistes quant aux capacités et à la motivation de ranger des enfants signifie également qu'il faut tenir compte des fluctuations d'énergie au cours d'une journée, des périodes critiques dans la vie d'un enfant, du processus d'adaptation d'un nouvel enfant, de l'obstination propre aux petits de deux ans, du besoin d'argumenter des huit ans, des jours précédant les longs congés, ou encore des journées où tout le monde semble agité ou maussade.

On reconnaît volontiers que la grande capacité d'adaptation de l'éducatrice constitue l'une des compétences essentielles à l'exercice de sa profession.

Bien qu'il soit préférable de ne pas répéter les consignes trop souvent, il faut savoir qu'elles sont indispensables et nécessaires dans l'apprentissage des règles de vie en services éducatifs ; ce sont plutôt les rappels autoritaires assortis de longues explications, les récriminations, les comparaisons ou les menaces qui sont inutiles. Pour réactiver efficacement dans le cerveau de l'enfant ce qu'il doit faire lorsque vient le temps de ranger, il vaut mieux recourir à des méthodes qui lui procurent des sensations agréables et adaptées à son niveau de développement. Il est reconnu que l'enfant apprend essentiellement par le plaisir. Il revient donc à l'éducatrice de transformer les activités de rangement et de nettoyage en moments de jeu.

Encadré 7.2   Quelques stratégies pour amener les enfants à participer aux activités de rangement et de nettoyage

- Installer le matériel à la portée des enfants.
- Tenir compte de la taille et des capacités des enfants dans le partage des tâches.
- Pour les plus petits, mettre en place des activités brèves qui aboutissent à un rangement facile et court, qu'ils réussiront avec fierté.
- Amener les enfants de 4 ans et plus à trouver des solutions à leurs problèmes de désintéressement, d'inattention ou de dissipation lors de ces moments.
- Surprendre le groupe par une mise en situation amusante : « Le coin de menuiserie a besoin d'aide, qui peut aller l'aider ? »
- Distribuer des responsabilités aux enfants et ainsi leur donner l'impression d'être compétents.
- Encourager les enfants à ranger en les interpellant par leur prénom.
- Aider les enfants à fabriquer une affiche simple qui rappelle les procédés de nettoyage à appliquer après une activité salissante.
- Offrir des petits choix aux plus récalcitrants : ranger 1 ou 2 jouets, le faire vite ou lentement, en le regardant ou en l'ignorant, etc.
- Égayer l'activité par une musique entraînante qui peut se transformer en jeu de la statue.

Une activité qui prend cinq minutes à mettre en place ne devrait pas nécessiter un rangement de plus de cinq minutes ; ainsi, il devient moins frustrant pour l'éducatrice de voir les enfants ne s'intéresser à l'activité que quelques minutes. Ce conseil vaut principalement pour les bambins réputés préférer les activités de courte durée.

Pour prévenir le désintéressement habituel d'un enfant face au rangement, l'éducatrice peut s'installer près de lui en début d'activité et le stimuler. « Par quoi vas-tu commencer, Anthony, pour remettre les déguisements à leur place ? » « Quel jeu aimerais-tu qu'on fasse pour

ranger les blocs? Les compter ou faire le jeu du photographe?»
«Regarde sur ce tiroir, Alexandre. Tu peux voir dessus ce que tu dois
mettre dedans.» Les enfants ayant des difficultés d'attention et qui ont
l'habitude de se perdre dans leur monde imaginaire ont besoin d'un
petit coup de pouce pour en sortir et ranger leurs effets personnels ou
les objets de jeu. L'éducatrice doit s'armer de patience pour aider ces
enfants à organiser le rangement de façon séquentielle: premièrement,
deuxièmement, troisièmement, etc. Cette approche nécessite de l'énergie et du temps, mais elle porte fruit à plus ou moins long terme.

En demeurant réaliste face au niveau de développement de l'enfant,
en tentant de comprendre son point de vue, son tempérament et son
contexte familial, l'éducatrice démocratique pourra prévenir les difficultés susceptibles de survenir lors du rangement ou du nettoyage.

C. Favoriser divers apprentissages

Malgré leur impopularité, les activités de rangement et de
nettoyage constituent des apprentissages de grande valeur pour le développement des enfants. D'une part, sur le plan socioaffectif, ceux-ci
peuvent apprendre à soigner leur environnement, à respecter le matériel,
à se responsabiliser et à s'entraider, surtout si l'éducatrice fait fréquemment et tacitement la promotion de ces activités. «Qui est gentil d'aller
aider Roxane à remettre les perles dans leur boîte?» «Merci, Christo-
phe, de donner un coup de main à Fabiola dans le coin des blocs.»
«Gwen, je vois que tu prends bien soin des crayons en les replaçant
dans leur boîte.» «Qu'as-tu oublié de ranger, Jean-Pascal?» En outre,
trier, classifier les objets, dénombrer, retrouver leur place respective,
s'orienter dans l'espace, décoder un pictogramme sur une étiquette se
veulent des exercices propices au développement intellectuel. En effet,
il n'y a pas que les activités formelles de logique ou d'éveil scientifique
qui permettent de faire croître chez les enfants le sens de l'observation
et de l'orientation, l'habileté de classification et de déduction. En leur

demandant de ranger les jouets par pairage (les boîtes étiquetées par des pictogrammes «soleil» sur la tablette indiquée par le même symbole), par fonction (les accessoires de déguisement ensemble), par couleur (les contenants bleus dans le coin maison) ou par dimension (petits blocs, gros blocs), l'éducatrice favorise les capacités de classification et de mémorisation. Les capacités de spatialisation sont exercées par des indications telles : «Prends un livre qui est sous la pile et range-le sur la tablette la plus haute.» Quant à l'habileté de sérier, on peut l'exercer en demandant aux enfants, par exemple, de classer les crayons en commençant par la couleur la plus foncée à la plus pâle. Ou ranger les blocs du plus lourd au plus léger. Sur le plan psychomoteur, on retrouve des habiletés de dextérité comme laver les pinceaux, refermer une boîte, remettre les bouchons sur les tampons encreurs et les ranger ensuite dans leur boîte, plier sa housse de matelas et la remettre dans son casier. Par ailleurs, l'identification des objets, l'utilisation de nouveaux mots de vocabulaire, les échanges verbaux entre les enfants ou avec l'éducatrice, les jeux de rôles pour agrémenter la tâche ainsi que les chansons fredonnées font partie des apprentissages langagiers résultant des expériences de rangement et de nettoyage. De son côté, l'aspect affectif est touché en partie par la valorisation obtenue par ses réussites et le plaisir de jouer à ranger.

Il ne faut pas craindre les répétitions avec les enfants de 2 et 3 ans. En refaisant la même expérience, en reprenant le même procédé, les enfants de cet âge prennent de l'assurance. Si les enfants se lassent de refaire les mêmes jeux de rangement, ils finiront bien par le signaler clairement à l'éducatrice.

Il faut savoir profiter de diverses occasions pour mettre le rangement en valeur. Outre la fin des périodes usuelles de jeu, il est souhaitable d'encourager le rangement et le nettoyage lors des tâches routinières (empiler les verres vides après la collation, replacer les matelas dans l'armoire, passer le balai sur le patio avant de s'asseoir pour prendre la collation à l'extérieur) sans oublier les périodes de jeux au parc ou les événements spéciaux.

> Les activités de rangement offrent des occasions propices pour favo-
> riser le développement global des enfants. Il revient à l'éducatrice de
> tirer parti de ces occasions au maximum.

D. Prévenir les enfants

Lorsqu'on leur annonce à l'avance que le moment du rangement ou du nettoyage approche, les enfants sont davantage enclins à réagir favorablement. Si l'éducatrice les prévient quelques minutes avant la fin d'une activité, ils se prépareront le plus naturellement possible à l'activité suivante comme le rangement. En plus de la traditionnelle consigne verbale « C'est le temps de ranger », que l'enfant finit par ne plus entendre, un signal visuel ou sonore (le clignotement des lumières, une chanson) convient bien pour faire l'annonce du rangement. On peut aviser les plus vieux qui savent lire l'heure en les informant que le rangement et le nettoyage commenceront lorsque la grande aiguille de l'horloge sera rendue à tel chiffre. Lorsque le nettoyage et le rangement s'effectuent au fur et à mesure que l'activité se termine, l'éducatrice peut rappeler une consigne que l'enfant aurait oubliée par une question qui l'amène à réfléchir : « Que dois-tu faire, Luis, lorsque tu sors de table ? Oui, c'est ça... Tu dois vider et aller porter ton assiette sur le chariot. »

E. Gérer le temps

Si l'éducatrice se sent pressée par le temps, les enfants seront davantage stressés en abordant le rangement et le nettoyage. Il convient donc de prévoir assez de temps pour effectuer calmement cette tâche, d'où l'importance de faire preuve de souplesse. Une bonne gestion du temps est garante d'un bon déroulement des activités. Dans certains services éducatifs, il est regrettable de constater la pression que doivent subir les enfants, soumis à un horaire qui semble prévu pour répondre avant tout aux besoins des éducatrices et des contraintes de gestion : accélérer la préparation à la sieste pour faciliter le temps de pause des éducatrices, précipiter le rangement des jeux à l'extérieur pour pouvoir satisfaire l'éducatrice qui prend le relais, empêcher la tenue d'une activité salissante parce qu'elle nécessite un nettoyage plus long. En SGMS, l'utilisation de divers locaux exige une gestion de temps plus rigoureuse. Par exemple, il revient à l'éducatrice de libérer un local à telle heure parce qu'un autre groupe l'utilise. Elle doit prévoir la période de rangement en conséquence.

F.   Faire du renforcement positif

Une remarque constructive telle que «Je félicite ceux qui rangent rapidement les jeux», un sourire ou un regard approbateur suffisent souvent pour que l'enfant comprenne que nous approuvons son comportement. Nul besoin de recourir systématiquement à un débordement de louanges pour féliciter les enfants qui participent au rangement ou au nettoyage. «Bravo! Tu es bon… Tu es très gentil… C'est beau… Super…Tu es une championne extraordinaire…» Il est préférable de garder ces compliments pour des situations qui les justifient vraiment. Ainsi, on montre à l'enfant la démarcation qui existe entre ses niveaux de dépassement.

> Souvent, il suffit de commenter les actions des enfants pour les voir prendre part à l'activité. «Je vois, Andrew, que tu sais très bien laver les pinceaux.» «C'est bien, les Libellules, vous mettez vos bottes au bon endroit.» «Que c'est agréable de jouer à une table bien nettoyée!»

Avec un peu d'observation, l'éducatrice peut arriver à décrire de manière personnalisée les comportements souhaités: «Tu te rappelles comment ranger les livres sur le présentoir! Wow! Tu as vraiment une bonne mémoire, Filipe.»

Il est préférable d'encourager les enfants à se dépasser eux-mêmes et à dépasser leur propre record au lieu de les soumettre à une comparaison avec leurs pairs: «Je gage que tu vas ranger tes jouets plus vite qu'hier. » « Je suis sûre que tu pourras replacer les poupées au bon endroit cette fois-ci. » « Jessie, je sais que tu es capable de lire les étiquettes sur les tablettes pour remettre les livres à leur place. »

Si un enfant éprouve une difficulté quelconque à ranger – désintéressement, maladresse, distraction ou enfant qui ne se sent pas concerné par le rangement de certains jeux –, l'éducatrice peut se placer près de lui pour le soutenir. Même en lui donnant une tâche facile, elle tient à ce qu'elle soit bien accomplie. « Il manque deux morceaux au casse-tête. Regarde sous la table pour voir s'ils sont là. » « Montre-moi que tu sais comment remettre ces blocs dans le bon contenant. » « Je te mets en charge de nettoyer cette partie du plancher. Merci d'avance ! » « Comment peux-tu ranger les petites autos pour qu'on les retrouve facilement ? »

G.   Faire vivre les conséquences naturelles

Quand un enfant fait un dégât – renverse un verre de lait, joue avec l'eau du robinet à la salle de toilette, échappe de la pâte à modeler sur le plancher, se salit le visage avec de la peinture –, il est préférable de le faire participer au nettoyage au lieu de le faire à sa place ou de le gronder. L'apprentissage par ses erreurs en montre davantage aux enfants que les réprimandes verbales et l'humiliation. La discipline vue sous l'angle de la pédagogie démocratique met l'accent sur la réparation des erreurs au détriment de la punition. La conséquence naturelle d'un comportement peut aussi être positive. Par exemple, ranger un jouet à la bonne place permet à l'enfant de le retrouver rapidement et de jouer avec celui-ci plus longtemps.

H.   Être soi-même active

Participer soi-même au rangement offre aux enfants un exemple concret qui les incite à emboîter le pas. De plus, en apportant son aide, l'éducatrice leur inculque l'esprit de coopération. « Veux-tu que je t'aide à nettoyer la table ? » Même si les enfants semblent réticents à ranger après qu'on leur eut demandé, il n'est pas rare de les voir participer en voyant l'adulte y participer. D'autant plus que le rangement fait en parallèle devient le moment tout indiqué pour parler avec les enfants du jeu qu'ils viennent de faire, du plaisir qu'ils ont eu à jouer, du conflit qu'ils sont arrivés à résoudre ou du partage qu'ils ont réussi à faire pendant la période précédente d'activités.

I.   Favoriser le rangement progressif

À certaines occasions, il est bon d'amener les enfants à ramasser au fur et à mesure qu'ils terminent leur activité de jeu et avant d'en commencer une autre. Ainsi, on allège la période ultérieure de rangement. En d'autres moments, le rangement gagne à être effectué plus tard, par exemple dans le cas d'un casse-tête entamé que d'autres enfants aimeraient poursuivre. L'éducatrice doit évaluer la situation et amener les enfants concernés à prendre la décision qui semble la meilleure. Lorsqu'un enfant doit quitter le service éducatif plus tôt, on peut prendre une entente avec lui. Par exemple, l'enfant range ses jeux avant son départ, mais, dans le cas où il joue avec un compagnon, il vérifie auprès de celui-ci s'il veut encore jouer avec le jeu et, si ce n'est pas le cas, il participe alors au rangement. Évidemment, dans pareille situation, on tient compte de l'âge des enfants et du contexte.

7.4   DES ASTUCES ET DES JEUX POUR S'AMUSER À RANGER OU À NETTOYER

Après une activité, les enfants manifestent souvent un besoin de changement qui les porte à courir dans le local, à se chamailler entre eux ou à s'émoustiller. Il est alors essentiel de leur présenter le moment du rangement en utilisant une approche qui incite au plaisir, de manière à ce qu'il se déroule le mieux possible sans avoir recours aux menaces ou aux mesures disciplinaires. Répéter plusieurs fois par jour la consigne « C'est le temps de ranger. Allez, il faut ramasser ! » finit par blaser les enfants. Même qu'après un certain temps, qui vient souvent plus vite qu'on ne le souhaiterait, les enfants finissent par ne plus entendre le message devenu usé et inefficace. Avec un peu d'imagination et de stratégie, l'éducatrice a alors recours à divers moyens qui encouragent naturellement les enfants à participer. Selon la réponse des enfants, elle varie les procédés tout au long de l'année.

A. À chacun son boulot

En franctionnant la tâche du rangement, l'éducatrice arrive à minimiser le découragement chez certains enfants. Pour ce faire, elle indique un rôle à chacun d'eux. « Marianne, tu ranges les crayons, Félix, toi, tu mets les feuilles dans le bac à récupération. » Parfois, la pige au hasard facilite l'attribution des tâches. En répartissant le travail de rangement avec tact, cela permet de contrer les réticences ou le refus de certains enfants à y prendre part. Pour ramasser du papier qui traîne au sol, on peut dire, par exemple : « Nous allons tous mettre quatre morceaux dans le bac à récupération. » C'est un moyen efficace et équitable.

B. Vive l'imagination !

Qu'il est amusant de créer des rôles et des personnages imaginaires ! Par exemple, se transformer en astronaute qui dépose lentement les blocs dans la boîte, devenir livreur de matériel d'artiste pour replacer les crayons et le papier sur leur tablette, être des clients qui magasinent des jouets à ranger. L'éducatrice peut s'inspirer des intérêts manifestés par les enfants au cours de leurs jeux pour présenter un petit scénario et intégrer des personnages qui agrémenteront le rangement ou le nettoyage. Si des enfants font semblant d'être des robots dans le coin d'imitation, l'éducatrice les invite à continuer leur rôle pour la période du rangement. « Les robots se préparent maintenant à replacer leur jouet à sa place. »

Il est intéressant d'effectuer le rangement en s'imaginant porter des lunettes de scientifique ou bien une lorgnette de pirate qui voit tout ce qui traîne, ou encore en enfilant des gants de magicien capables de remettre le matériel au bon endroit ou de laver la table. En jouant au détective ou au photographe, l'éducatrice a un prétexte lui permettant de vérifier si les objets retournent bel et bien à leur emplacement respectif. Au fil des expériences, un enfant peut jouer le rôle d'inspecteur.

Une marionnette constitue un médiateur par excellence entre l'éducatrice qui l'anime et le groupe. Elle est meneur de jeu et complice, et joue un rôle important dans l'écoute des consignes. Il importe que les enfants adoptent la marionnette et lui donnent un nom, qu'elle soit achetée ou fabriquée, animal en peluche, poupée ou marotte, et qu'ils puissent la toucher lorsqu'ils le désirent.

C.   Un brin de complicité

L'éducatrice propose un jeu où elle encourage directement les enfants : « Je ferme les yeux. Dis-le-moi quand tu as fini de ranger tes jouets et je compterai combien tu en as mis sur la tablette. » ou encore « Je t'applaudirai lorsque tu auras terminé de ramasser tes blocs. » « Je vais écrire sur ma feuille le nom des objets que tu vas ranger. » Pour l'enfant, jouer à ranger présente un intérêt qu'il ne faut pas négliger d'exploiter ; en laissant place à un peu de complicité, on remplace avantageusement les trop nombreuses consignes verbales, sans parler des interventions disciplinaires qui finissent par prendre le dessus lorsque les limites de l'éducatrice font surface.

D.   L'époussetage

Ce jeu consiste à proposer aux enfants de passer un linge humide sur la tablette avant de ranger le jouet dessus. Les plus petits adorent imiter les gestes des adultes ; cela leur plaira de faire du ménage de cette façon et permettra de les initier au rangement.

E.   Le dénombrement

Il s'agit ici de compter tout haut le nombre de jouets ramassés par les enfants. À partir de trois ans les enfants se montrent habituellement intéressés : «Un jouet, deux jouets, trois jouets... Tu ramasses beaucoup de jouets, Jason.» Les enfants d'âge scolaire aiment faire l'apprentissage de mots de langue étrangère. Ils peuvent apprendre à compter en anglais, en espagnol, en italien. Les enfants issus de différents groupes ethniques peuvent montrer à leurs compagnons des chiffres de leur langue maternelle.

F.   Un rangement bien orienté

Le jeu consiste à donner une directive à l'enfant qui l'aide à exercer les repères spatiaux : ranger les objets qui traînent derrière la boîte, dans l'armoire, sous le téléviseur, mettre les pots de colle au fond de la tablette, rassembler les figurines au centre de la table.

G.   L'aspirateur magique

Les enfants font semblant de passer l'aspirateur qui gobe les retailles tombées au sol après une activité de découpage, par exemple. Ils peuvent faire le jeu en imitant le bruit de la machine qui aspire les papiers, qui dévore tout ce qui traîne sur son passage. Les enfants peuvent avoir un réel plaisir à s'adonner à ce genre de simulation. Un vrai balai aide à rassembler les jouets éparpillés. On pourrait alors l'appeler le balai magique.

H.   À la pêche

On invite les enfants à aller à la pêche. Ils deviennent des pêcheurs qui attrapent des poissons jouets. La pêche sera-t-elle fructueuse ? C'est ce que nous allons voir...

I. Que veux-tu ranger ?

Inviter les enfants à faire des choix : « Que veux-tu ranger, Lee Ann ? » « Michaël, veux-tu ranger les marionnettes ou les crayons ? Tu as le choix. C'est à toi de décider. » Les enfants apprécient pouvoir faire des choix même lorsqu'ils sont très limités.

J. Place à la musique

Il peut être intéressant d'agrémenter la séance de rangement en faisant entendre des musiques variées aux enfants, qui aiment généralement les musiques entraînantes et rythmées. Le répertoire musical offert sur le marché est des plus intéressants : *reel*, musique africaine, rap, tango, valse, musique militaire, gospel, blues. On invite les enfants à ranger en suivant le tempo lent ou rapide des extraits musicaux entendus. Basé sur le principe de la chaise musicale ou de la statue, le déroulement du rangement peut être entrecoupé d'interruptions musicales. Cependant, pour éviter une stimulation excessive des enfants, il est sage de terminer l'activité par une musique calme.

K. Des jeux parallèles de fin de rangement

Pour les enfants qui ont fini de ranger, on peut organiser un jeu parallèle de courte durée, facile à présenter et à interrompre : devinettes, mimes, chansons, jeux d'observation. « Quels objets de couleur jaune avons-nous dans notre local ? » « Comment s'appelle la saison où les feuilles tombent au sol ? « Repassons la chanson qu'on a apprise ce matin avant d'aller en ateliers. »

L. Un défi pour toi

Des petits défis sont lancés aux enfants : « Qui peut ranger trois jouets ? » « Qui peut ranger deux objets au bon endroit ? » « Qui a des bras capables de remettre ce gros camion à sa place ? » « Qui peut aller porter son matelas en faisant le moins de bruit possible ? » « Range un jouet qui est bleu. Un jouet qui est en dessous ou à côté de… » «Montre-moi que tu es capable de bien nettoyer les pinceaux. » Quel enfant n'est pas intéressé à se dépasser et à faire valoir ses capacités ?

M. Minutage

- À l'occasion, on peut stimuler les enfants à ranger rapidement. Par exemple, avant que la minuterie sonne deux ou trois fois, avant que tout le sable du sablier ait complètement glissé jusqu'au fond ou avant que la grande aiguille de l'horloge arrive en haut. Ou bien avant que la tempête qui approche fasse voler les objets ou que la musique s'arrête.

- Pour ranger le plus vite possible, proposer un jeu de vitesse, une sorte de top chrono : 5, 4, 3, 2, 1… C'est parti…

- Faire jouer ou chanter une chanson connue des enfants et leur demander de ranger avant la fin.

N.B. Il convient de ne pas abuser de ce type de jeu afin d'éviter un stress supplémentaire chez les enfants.

N. Rangement à relais

Placés en ligne, les enfants effectuent le rangement en se passant le matériel de l'un à l'autre jusqu'à sa destination finale, comme s'il s'agissait d'un travail en usine fait à la chaîne.

O. Voici une démonstration

On peut recourir aux compétences d'un enfant pour montrer aux autres comment bien ranger tel jouet ou remettre tel matériel à sa place. Les enfants manifestent souvent un intérêt accru pour exécuter une tâche lorsqu'un de leurs pairs joue le rôle de meneur.

P. Des jouets qui parlent

L'éducatrice fait parler les jouets qui se disent heureux de retourner à leur place habituelle. «Merci Jessica de bien me ranger. Je peux mieux me reposer lorsque tu me remets comme ça à ma place.» «Je suis contente que tu me montres aux autres en m'accrochant sur la corde», dit l'œuvre d'art de Félix.

Q. Déplacement original

Les enfants marchent de manière originale pour transporter des jouets à ranger. Sur une jambe, à pas de tortue, comme un pingouin, en tenant l'objet avec une seule main, etc. L'éducatrice peut demander des idées aux enfants pour varier le jeu d'une fois à l'autre.

R. Le jeu de « Jean dit »

Un classique! Le jeu de Jean dit est repris ici pour intéresser les enfants au rangement ou au nettoyage; ils exécutent la tâche demandée seulement s'ils entendent Jean dit dans l'énoncé: «Jean dit de ranger les papiers dans leur contenant.» On peut varier le jeu en utilisant des cartons rouges et verts. En montrant le vert, les enfants effectuent le rangement alors que le rouge leur indique de demeurer immobiles.

S. Une photo qui en dit long

Présenter aux enfants une photo d'eux prise lors d'un rangement précédent qu'ils ont bien effectué. Leur demander de faire aussi bien que cette fois-là.

T. Avec mon petit sac

Après avoir remis un petit sac à poignée à chaque enfant ou un petit panier, lui demander de cueillir les objets qui traînent pour ensuite aller les ranger au bon endroit.

U.   Un jouet illuminé

Avec une lampe de poche allumée, éclairer un objet qui se fait ranger par un enfant.

V.   Préposé à l'entretien

Inviter les préposés à l'entretien à ranger et à nettoyer. Une fois le travail accompli, les payer en faux billets.

W.   Avec des gants

Ramasser et ranger les jouets avec des gants. C'est tellement plus amusant!

X.   Une touche de fantaisie

Ranger les jouets en les transportant d'une manière inusitée: entre les coudes, sous le menton, entre les genoux.

7.5   CHANSONS

Rien de mieux que des comptines ou des chansons pour annoncer ou agrémenter les activités de rangement et de nettoyage; ce moyen a généralement la faveur des enfants même si, étonnamment, ils ne sont pas portés à chanter en même temps qu'ils rangent. C'est d'ailleurs l'un des aspects dont nous reparlerons au chapitre 12, qui traite de l'utilisation des comptines et des chansons dans les activités de routine et de transition.

1

Y'a pas qu'moi qui range bien

Air traditionnel : Y'a un rat sur mon toit

Y'a pas qu'moi qui range[1] bien
Je vois… (prénom d'un enfant)
Y'a pas qu'moi qui range bien
Je vois… (prénom d'un enfant) ranger.
Je vois, je vois,
Je vois (prénom) qui range.
Je vois, je vois
Je vois (prénom) ranger.

1. Remplacer range par nettoie dans le cas de nettoyage.

2

Le temps de ramasser

Air traditionnel : Marie avait un mouton

C'est le temps de ramasser, ramasser, ramasser (ou de nettoyer)
C'est le temps de ramasser, on a bien joué.

3

On a bien joué

Air traditionnel : Frère Jacques

On a bien joué (bis)
Les amis. (ou les enfants) (bis)
Tout est en désordre (bis)
Faut ranger. (bis)

4

Il faut ranger

Air traditionnel : Meunier, tu dors

Lentement

Il faut ranger, les jouets, les jouets
Il faut ranger les jouets à leur place.

Rapidement

On fait vite, on fait vite
On fait vite, vite, vite. (bis)

5

Copains, copines nous rangeons

Air traditionnel : Ah ! vous dirais-je maman

À la garderie (à la maternelle, au service de garde)
Comme à la maison
Copains, copines nous rangeons.
Quand les jeux sont terminés
Et que l'on a bien joué.
À la garderie (à la maternelle, au service de garde)
Comme à la maison
Copains, copines nous rangeons.

6

C'est le temps de ranger

(Se trouve sur le CD)
Paroles : Nicole Malenfant
Musique : Monique Rousseau

Il y a un temps pour chaque chose
Manger, jouer, se reposer.
Puisqu'on change d'activités
Voici le temps de ranger.   (On peut remplacer ranger par nettoyer)

C'est le temps, le temps de ranger.
C'est le temps de bien ranger.
Je vois des enfants qui rangent
Je les vois qui rangent bien.

Chapitre 8

Les rassemblements

CONTENU DU CHAPITRE

Parmi les moments qui reviennent régulièrement dans la journée, il y a ceux où les enfants sont appelés à se réunir en groupe entre deux activités. Ce sont les périodes où se trouvent réunis l'éducatrice et les enfants du groupe qu'on appelle les rassemblements. En grand groupe, cette activité s'effectue avec un plus grand nombre d'enfants et avec une ou deux éducatrices de plus.

8.1   LE DÉROULEMENT GÉNÉRAL DU RASSEMBLEMENT

Les rassemblements constituent des occasions propices pour faire un retour sur les activités précédentes, pour planifier celles à venir, distribuer des tâches, revenir sur des consignes, transmettre des informations, partager des expériences vécues ou faire des choses ensemble (chanter, danser, mimer une histoire, faire des jeux coopératifs, se relaxer). Généralement de courte durée, ces périodes se déroulent en quatre temps principaux : le début ou le déclencheur, le cœur de l'activité, la fin et le rangement, et le déplacement vers l'activité suivante.

Il importe que le début du rassemblement soit simple et agréable. Dans le contexte de l'approche démocratique où les enfants sont gardés actifs et non passifs, cette activité est tout indiquée pour renforcer le sentiment d'appartenance au groupe. Pour ce faire, on favorise les petits groupes. Les activités de rassemblement avec seulement quelques enfants aident les nouveaux à s'intégrer, les plus timides à communiquer et les extravertis à porter attention aux autres.

En mettant en branle l'activité sans attendre la venue de tous les enfants, on incite généralement les retardataires à se joindre au groupe. On distribue donc le matériel et on entame la causerie dès que les enfants arrivent au lieu de rencontre. Un rappel verbal amical peut motiver les plus lents à venir retrouver leurs pairs. « Viens Morgan, il y a une place pour toi dans le cercle. » Cependant, certains aiment regarder leurs semblables se réunir pendant qu'ils terminent leur collation, par exemple. Selon la situation et l'âge des enfants, l'éducatrice juge alors de la meilleure façon d'agir. Parfois, il est préférable de laisser les enfants rejoindre le groupe à leur propre rythme alors qu'à d'autres moments il est nécessaire de les amener à rentrer dans la ronde sans délai.

Un rassemblement peut débuter par un petit jeu d'attention tel que « Fais comme moi ».

Avant de réunir les enfants, on prépare le matériel. On met le CD dans le lecteur, on place tout près le matériel nécessaire telles les paroles d'une chanson, on choisit le livre d'histoire. Si l'éducatrice doit distribuer du matériel aux enfants, elle le fait sans délai après avoir donné les consignes. Pour éviter que les enfants ne s'éparpillent, elle sollicite leur participation pour accomplir ces tâches.

Pour clore un rassemblement, on peut transformer une partie de la dernière activité en transition vers l'activité suivante. « On fait une dernière fois la chanson puis on va se diriger vers le vestiaire pour s'habiller. » Dans ce cas-ci, l'éducatrice peut même inventer de nouvelles paroles à la fin de la chanson pour décrire l'activité suivante : « Je vais au vestiaire pour m'habiller, pas capable de m'habiller, etc. » Dans tous les cas, on informe les enfants de l'activité suivante.

Quelques-unes des clés du succès des rassemblements résident dans la flexibilité de l'éducatrice à faire face aux imprévus et dans son habileté à tenir compte des suggestions ou des gestes spontanés des enfants. Lors d'un rassemblement, Fatima joue avec le velcro de ses chaussures, ce qui entraîne d'autres enfants à l'imiter. Bien que la tentation soit forte de faire cesser ces bruits dérangeants, l'éducatrice démocratique s'efforcera de reprendre cette action spontanée afin de proposer une courte activité d'exploration sonore. C'est ainsi que les enfants seront invités à faire divers sons à partir de leurs souliers. Cette idée risque d'enchanter les enfants tout en leur permettant de canaliser leur attention. Par conséquent, les enfants seront probablement plus disponibles à écouter l'histoire ou à participer à la distribution des tâches tel que prévu.

8.2 FACILITER LE RASSEMBLEMENT

Tout en respectant les différences propres à l'âge des enfants, on peut recourir à divers moyens pour attirer leur attention et les inviter agréablement se réunir en un endroit précis. Il peut s'agir d'un son attrayant produit avec une flûte à coulisse ou d'un tintement de triangle, d'un signal de ralliement (*ho hé* lancé par l'éducatrice, *hé ho* fait en écho par les enfants), d'une comptine (*Chapeau pointu, nez crochu, menton four-chu, bouches cousues*), d'un signal visuel comme un bras agité dans les airs, d'une chanson connue réservée au rassemblement, d'une marion-nette que l'on anime, d'une intonation différente que l'on prend, de l'utilisation d'un laissez-passer, d'un mot de passe pour assister à la rencontre ou encore d'un appel fantaisiste: « Il était une fois des enfants qui venaient s'asseoir tout près de moi pour écouter mon histoire. Ils venaient tout juste de ranger leurs jeux. Il y avait un, deux, trois, quatre… enfants assis à côté de moi. » Il existe plusieurs autres stratégies pour vivre harmonieusement l'activité de rassemblement et agrémenter l'at-tente qui en découle: raconter une courte histoire, fredonner un air favori, proposer quelques devinettes, faire des mimes, faire un jeu de repérage sonore, faire un petit dessin sur une feuille avec le crayon magique de l'éducatrice. On varie les procédés de rassemblement lors-que les enfants montrent une baisse d'intérêt.

Rien de mieux que des consignes clairement énoncées que l'on applique avec constance pour amener les enfants à se rassembler sans délai.

8.3   OÙ SE RASSEMBLER

Le lieu du rassemblement devrait être suffisamment spacieux pour que les enfants jouissent d'un minimum d'espace pour s'asseoir confortablement ou pour bouger librement. Pour quelques activités, comme les causeries, on prend place autour d'une table ou on s'assoit en cercle sur un tapis au sol, alors que, pour d'autres, on a besoin d'un espace ouvert où les enfants peuvent se déplacer ou bouger facilement. Idéalement, l'éducatrice devrait se placer à la hauteur des enfants en prenant une posture confortable qui prévient les maux de dos. Pendant la saison estivale, les rassemblements peuvent se dérouler à l'extérieur, à l'ombre d'un arbre, par exemple. Mais si le rassemblement exige une attention soutenue, il vaut mieux réunir les enfants loin des stimuli dérangeants : voisins du quartier, camions qui passent, envols d'oiseaux.

Pour délimiter clairement l'espace du rassemblement au sol et pour éviter les disputes qui surviennent pour solliciter une place en particulier, l'éducatrice peut inviter les enfants à s'asseoir là où sont collées des images au sol. Les symboles choisis peuvent reprendre ceux qui servent à identifier les casiers et les matelas des enfants. Il s'agit d'un moyen parmi tant d'autres qui ne doit pas être utilisé de façon rigide. Dans une perspective démocratique, l'éducatrice encourage plutôt les enfants à trouver des solutions au problème de choix d'une place : s'asseoir à tour de rôle à côté de l'éducatrice, s'asseoir près d'un ami à certaines conditions, attribuer les places à l'aide d'une comptine, etc.

Lors des rassemblements qui ne nécessitent pas une position assise au sol, ne pourrait-on pas tout simplement permettre aux enfants de s'allonger au sol ou de s'asseoir où ils le veulent à table.

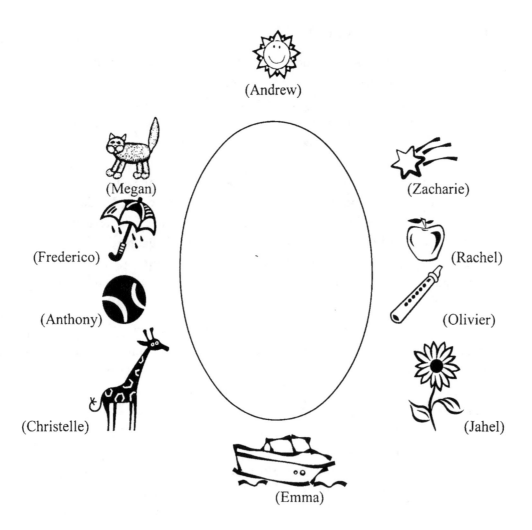

**Figure 8.1 Organisation d'un rassemblement d'enfants au sol
à l'aide d'images autocollantes**

8.4   COMPTINES ET CHANSONS

• Pour amener les enfants à se rassembler

La chanson du rassemblement

(se trouve sur le CD)

Paroles : Nicole Malenfant

Musique : Monique Rousseau

C'est une chanson que l'on chante ensemble
Une mélodie qui nous rassemble (bis).
Des mots, des mots, des mots qui nous disent
Des mots qui nous disent de s'asseoir ici.

2

Je t'emmène

(comptine)

Origine inconnue

Beding, bedang
Je vais en Espagne.
Bading, badoung
Je vais à Beyrouth.
Beding, bedaine
Je t'emmène (en pointant un enfant)

3

L'hélicoptère

(comptine)

Origine inconnue

Adaptation : Nicole Malenfant

Un hélicoptère
Se pose sur terre
Tourne ses grands bras
Un, deux, trois… on s'assoit.

4
Dans mon autobus
(comptine)
Par Nicole Malenfant

Pout, pout, pout
Dans mon autobus
Va monter une petite puce… qui… (désignation d'un enfant par
son prénom ou une couleur
de vêtement)
Reprendre du début jusqu'au rassemblement
complet des enfants.

5
Les petites souris
(comptine)
Par Nicole Malenfant

Huit (ou un autre nombre) petites souris
S'apprêtaient à… (annonce de l'activité à faire)
« Mes souris, mes souris… venez ici »,
disait leur maman.
« Un »… elles ne viennent pas! (bras croisés sur soi)
« Deux »… elles n'entendent pas! (mains sur les oreilles)
« Trois »… elles lissent leur moustache! (faire semblant de lisser
ses moustaches)
« Quatre »… elles grignotent des pistaches (faire semblant de
grignoter).
« Cinq »… enfin les voilà! (se diriger vers l'endroit désigné)
« Prêtes à… » (indiquer l'action attendue)

6

Ma belle ronde

(comptine)

De Josée Bénard, éducatrice

Tourne, tourne, ma belle ronde (rassemblés debout en cercle, les enfants tournent en rond)
Saute, saute ma belle ronde (les enfants sautent sur place)
Et assieds-toi, ma belle ronde (les enfants s'assoient au sol)

- **Pour le plaisir de faire des choses ensemble**

Les rassemblements sont des occasions rêvées pour utiliser des comptines et des chansons[1] du répertoire familier : folklore, succès de l'heure convenant aux enfants, chansons de son enfance. **Le CD** contient quelques chansons en lien avec les rassemblements : **La bambina, Rap pour tout le corps, Les couleurs du bonheur, Les petits poissons.**

---

1. *100 comptines* et *Chansons drôles, chansons folles* de Henriette Major et *Danse, mon cœur danse* de France Bourque-Moreau sont des productions qui présentent une compilation intéressante de ritournelles, de comptines, de chansons de toutes sortes, de France et du Québec.

Chapitre 9

Les déplacements

CONTENU DU CHAPITRE

Se rendre au vestiaire ou au parc, aller aux toilettes qui se trouvent à l'extérieur de la pièce, se diriger vers le gymnase, passer d'un étage à l'autre, changer d'aires de jeux font partie des nombreux déplacements rattachés à la vie en services éducatifs. Malheureusement, ces activités de transition sont souvent perçues comme un mal nécessaire qu'on souhaite vivre le plus rapidement possible afin de passer à l'activité principale, surtout si les contraintes sont trop nombreuses : nombre élevé d'enfants, achalandage des aires de circulation, aménagement inapproprié des lieux, horaire rigide, fatigue accumulée aux heures où se fait la circulation, mode de fonctionnement désuet.

Il est important de s'arrêter et de réfléchir afin de rendre l'organisation de ces moments de vie plus efficace et, par le fait même, de rendre ces activités plus agréables. Ce sera l'objet du présent chapitre.

9.1   ÉVITER LES ATTENTES

Faire placer les enfants en file indienne, répéter les mêmes consignes, faire de la discipline, attendre qu'ils se calment, cela exige généralement une attente assez longue de la part des enfants et une attention soutenue de celle des éducatrices. Bruits et bousculades s'ensuivent, obligeant un constant rappel à l'ordre. On privilégiera des trajets courts et, si possible, en petits groupes. En groupes multiples, la répartition des tâches entre éducatrices facilite les déplacements. Par exemple, une éducatrice peut se charger de superviser l'habillage au vestiaire pendant que ses collègues sortent graduellement dehors avec les enfants qui sont prêts. Par petits groupes, les enfants vont aux toilettes situées au bout du couloir, sous la supervision d'une éducatrice, pendant qu'une autre demeure dans le local.

Idéalement, chaque local doit avoir à proximité une porte donnant sur la cour extérieure mais, malheureusement, cette mesure demeure encore l'exception. De plus, l'aménagement spatial de certains services éducatifs complique les déplacements: la cour extérieure se trouve éloignée du local, les toilettes sont au bout du corridor, le SGMS est situé dans un autre bâtiment. Beaucoup de demandes restent encore à faire auprès des instances concernées pour assurer le respect réel des besoins des enfants.

> Les déplacements trop nombreux et les changements fréquents de lieu risquent de perturber les plus jeunes enfants et ceux qui sont aux prises avec des problèmes d'adaptation. En les réduisant et en les organisant bien, vous minimisez les difficultés.

Il est toujours préférable d'avertir les enfants du déplacement à venir en l'annonçant clairement quelques minutes avant. « Après le lavage des mains, on se rendra à la salle verte prendre notre collation. »

Le déplacement des enfants de maternelle vers le local du SGMS au milieu de l'après-midi crée souvent des difficultés. Les enfants doivent transporter leur sac à dos et leurs vêtements au vestiaire du service de garde à une heure où ils sont très fatigués de leur longue journée. Ils deviennent par le fait même plus intolérants face aux autres, sont portés à pleurer davantage, à réclamer leurs parents (en début d'année), ce qui nécessite des interventions plus fréquentes de la part de l'éducatrice. Il y a lieu de croire qu'une discussion entre l'éducatrice du service de garde et l'enseignante de maternelle peut mener à des solutions réalistes pour aider les enfants à traverser plus paisiblement cette période de la journée. On peut également soulever le problème lors d'une réunion du conseil d'établissement, qui a le mandat premier d'améliorer la qualité de vie des enfants à l'école. « Qui ne risque rien n'a rien », comme le dit si bien le proverbe. La première condition pour changer les choses, c'est d'abord d'y croire et ensuite de persévérer.

9.2   RÉDUIRE LES DÉPLACEMENTS MASSIFS

Pour minimiser le nombre de déplacements en groupe, l'éducatrice amène les enfants plus âgés à faire preuve d'autonomie en leur permettant, par exemple, de se rendre seuls aux toilettes lorsque celles-ci sont situées dans le couloir. Les règles de fonctionnement doivent alors être bien comprises des enfants et être révisées régulièrement selon l'évolution de la situation : aller aux toilettes un à la fois, ne pas flâner, avertir l'éducatrice lorsqu'on quitte le local.

9.3   VEILLER À LA SÉCURITÉ DES ENFANTS

Une vigilance accrue s'impose lors des déplacements dans les escaliers, particulièrement avec les jeunes enfants. Tout en ayant une vue d'ensemble du groupe, l'éducatrice doit montrer aux petits à bien tenir la rampe, leur demander de se placer l'un derrière l'autre en gardant une certaine distance entre eux et en regardant en avant. Celle-ci doit évaluer s'il est préférable de se placer à la tête ou à la queue de la file d'enfants selon le cas afin d'assurer la meilleure surveillance possible. Faire souvent le dénombrement des enfants constitue une autre règle que l'éducatrice doit appliquer en matière de sécurité.

En SGMS, il n'est pas toujours facile d'empêcher les enfants de courir tellement ils ont hâte de se rendre dans la cour d'école. La circulation à l'intérieur et à l'extérieur faite à toute vapeur risque d'engendrer des chutes, des collisions ou des bousculades. Il existe plusieurs manières de faire face à la situation. Par exemple, nommer des enfants pour veiller au ralentissement du débit, proposer des défis qui amènent à se déplacer lentement, sensibiliser les enfants à la prudence et les engager dans la recherche de solutions, leur montrer à circuler en gardant la droite, interdire de courir dans l'escalier, partager le contrôle entre les éducatrices et les enfants, établir une cohérence entre les règles appliquées par les enseignantes durant le temps de classe et celles en vigueur en SGMS.

L'éducatrice doit organiser les déplacements pour qu'ils soient le plus facile et sécuritaire pour tous.

Durant les heures d'école, les déplacements dans les corridors se font la plupart du temps en rang et dans le calme. Cependant, il arrive que les consignes mises en place dans certains établissements frôlent davantage le style régimentaire que le gros bon sens : silence absolu, mains derrière le dos, deux lignes droites impeccables, interdiction de s'adresser à son voisin, reprise illimitée du déplacement jusqu'à l'atteinte de la perfection, application de sanctions en cas de dérogation. Qu'arrive-t-il si le SGMS se voit obligé par les membres de la direction d'appliquer le même système de fonctionnement que celui qui est imposé par les enseignantes alors qu'à 15 h les enfants ont un besoin criant de faire une certaine coupure avec l'école ? Que faire en pareille situation ? D'emblée, une discussion éclairée entre les parties concernées s'impose. Une liste de recommandations, la formation d'un comité provisoire, une proposition d'une période d'essai d'un nouveau fonctionnement, une demande d'assouplissement des règles de l'école adressée au conseil d'établissement, voilà quelques avenues à explorer pour tenter de répondre avant tout aux besoins réels des enfants.

Les sorties au parc ou dans le quartier peuvent constituer des activités agréables, voire relaxantes pour les enfants. Cependant, par souci de sécurité, elles devraient toujours s'effectuer avec au moins deux adultes. Dans le cas contraire, on devrait disposer d'un téléphone cellulaire pour demander de l'aide en cas d'urgence. Toutefois, ce moyen sera insuffisant si l'éducatrice qui se trouve seule avec un groupe de bambins subit un malaise ou une blessure importante. Il est plus sage de penser à une mesure d'urgence appropriée avant de se retrouver dans cette situation regrettable.

Les éducatrices devraient avoir facilement accès à une trousse de premiers soins qui sera également utile lors des sorties effectuées à l'extérieur du service éducatif. Par souci de sécurité, le contenu de la trousse doit être vérifié régulièrement. Dans tous les endroits où une exposition à du sang est susceptible de se produire – à l'extérieur, dans chacune des aires de jeu, lors des sorties –, des gants jetables doivent être disponibles. Par conséquent, l'éducatrice en emporte dans ses poches de vêtements lors des déplacements.

9.4   PETITS JEUX

Grâce à de petites animations, les problèmes occasionnés par les activités de déplacement se trouvent réduits. Que ce soit par une chanson, une façon amusante de marcher ou bien par les propositions des enfants, les déplacements s'effectuent avec plus de plaisir et moins d'interventions négatives.

Encadré 9.1   Idées d'animation pour les déplacements

- Se déplacer les uns derrière les autres de manières différentes : à la queue leu leu, en rang d'oignons, en train, seul ou deux par deux. Trouver une caractéristique au déplacement linéaire fait de façon fantaisiste en s'inspirant des propositions des enfants : comme un mille-pattes, en file indienne, comme une chenille géante, en parade de soldats de bois, comme des canetons qui suivent leur maman, comme un personnage tiré d'une histoire dont les enfants raffolent.

- Exécuter des déplacements en marchant de manière inusitée : sur la pointe des pieds, sur les talons, avec les bras croisés sur soi, comme un chat aux aguets, comme un pingouin, en battant des ailes comme un moustique, etc. À l'occasion, lors de jours de pluie ou par temps froid où il est impossible d'aller jouer dehors, on peut ajouter du piquant aux déplacements en marchant de manière cocasse. Par exemple, se déplacer avec une éponge propre sur la tête sans la faire tomber, accrocher des sonnailles (grelots enfilés à des cure-pipes) à une cheville et tenter de se déplacer sans faire de bruits. En arrivant à destination, les enfants ont la possibilité de faire sonner les grelots en dansant sur une musique entraînante. On peut proposer des situations stimulantes selon le stade de développement des enfants.

- Se déplacer en imaginant transporter un bébé endormi dans ses bras, en imitant des petites souris, en mettant des souliers magiques qui ne font pas de bruit, en jouant à l'agent secret qui veut passer inaperçu, en faisant semblant de promener nos petits chiens.

- Désigner un roi ou une reine pour ouvrir et fermer le rang. Les autres enfants jouent le rôle de princes et de princesses. Utiliser une comptine (voir le chapitre 12) pour attribuer les rôles.

- Faire transporter les objets de jeu par les enfants qui aiment être occupés et se sentir utiles.

- Lorsqu'il y a un problème, établir la règle suivante quand ils prennent le rang librement : celui qui sort du rang perd sa place. Qui va à la chasse perd sa place !

- Pour se mettre en rang rapidement, faire piger à chaque enfant un numéro ou une lettre correspondant à la place qu'il doit prendre.
- Pour ralentir la marche, on peut se déplacer en frôlant les murs dans les endroits qui se prêtent à ce jeu.
- Suivre les empreintes collées sur les marches d'escalier et sur la rampe.
- Jouer aux feux de circulation : rouge on arrête ; vert, on avance normalement et jaune, on marche lentement.
- Utiliser un mot de passe ou un geste pour être autorisé à quitter le rang une fois arrivé à destination.
- Tenir un slinky étiré avec une main, ce qui permet de garder les enfants ensemble.

Les déplacements effectués lors des sorties à l'extérieur du service éducatif commandent des mesures de sécurité supplémentaires : présence stricte d'au moins deux adultes, accès en tout temps à une trousse portative de premiers soins complète et mise à jour, avec Épipen pour les enfants allergiques, transport routier sécuritaire respectant scrupuleusement les lois officielles en vigueur, numéros de téléphone des parents, etc. Ce genre de déplacement requiert une préparation rigoureuse qui doit se faire en partenariat avec les membres de la direction et les parents.

9.5   COMPTINES ET CHANSONS

1

Quand trois poules s'en vont au champ

Chanson traditionnelle

Quand trois poules s'en vont au champ
La première va par devant
La deuxième suit la première.
Quand trois poules s'en vont au champ
La première va par devant
La deuxième suit la première
La troisième a un drôle d'air.
Etc.
(ajouter d'autres phrases improvisées dont le dernier mot rime
avec le son ère).

2

La marche des fourmis

Chanson traditionnelle adaptée

Les fourmis marchent une par une, hourra, hourra (bis)
Les fourmis marchent une par une en transportant un sac de
prunes
Hourra, hourra, hourra, hourra, hourra.
Les fourmis marchent deux par deux, hourra, hourra (bis)
Les fourmis marchent deux par deux en transportant une
douzaine d'œufs.
Hourra, hourra, hourra, hourra, hourra.
Etc.

3
Je me prépare pour aller dehors

Paroles: Suzanne Poulin et Nicole Malenfant
Musique: Un bon chocolat chaud (chanson popularisée par
Carmen Campagne)

Je vais au casier
Pour me préparer
Chut, chut, chut
Sans trop parler.
J'ai hâte d'aller dehors
Pour m'amuser
Chut, chut, chut
Sans m'énerver.
J'veux jouer et respirer
C'est bon pour ma santé.
Et je prends mon rang
Très calmement
Chut, chut, chut
En chuchotant.
J'ai hâte d'aller dehors
Pour m'amuser.
Je dois d'abord m'habiller
Maintenant je peux sortir
Doucement et sans courir.

4
Mademoiselle la coccinelle

(comptine)
Origine inconnue

Coccinelle
Envole-toi ma toute belle
Ouvre tes ailes
mademoiselle
la coccinelle.
Bravo!

À la file indienne, les enfants se déplacent.
Ils éloignent leurs bras de chaque
côté de leur corps pour imiter l'ouverture
des ailes de la coccinelle par des
mouvements lents.

5

Tchou tchou le petit train

(se trouve sur le CD)
Paroles : Nicole Malenfant
Musique : Monique Rousseau

Tchou, tchou le petit train
Jusqu'où va ton chemin ?
Est-ce ici ou est-ce là
Que tu t'arrêteras ?
Oui ou non (selon le cas)
Etc.

6

Souliers sans bruit

Adaptation d'une comptine d'origine inconnue

Souliers du... (jour de la semaine)
Souliers vernis
Souliers jolis
Souliers minis
Souliers sans bruit.

7

Le train dans le pré

Dans le pré s'en va le train
Tout chargé de p'tits bambins.
Accroche-toi derrière moi
Et tiens-toi des deux mains.
Tchou ! Tchou !

8

Les roues de l'autobus

(sur l'air de The Wheels of the bus)

Les roues de l'autobus font vroum, vroum, vroum
Vroum, vroum, vroum, vroum, vroum, vroum.
Les roues de l'autobus font vroum, vroum, vroum
Toute la journée.

Chapitre 10

L'accueil et le départ

CONTENU DU CHAPITRE

Nous sommes tous influencés d'une façon ou d'une autre par les premiers moments que nous passons en compagnie de quelqu'un ou d'un groupe. Plus on est jeune, plus on est sensible aux gestes, aux tons de voix, aux mots et aux attitudes des personnes qui nous accueillent.

Les activités de transition que sont l'accueil et le départ sont souvent déstabilisantes pour les enfants qui doivent changer d'éducatrice, passer d'un lieu à l'autre, s'adapter à d'autres règles de fonctionnement, composer avec d'autres enfants qui n'ont pas le même âge. En CPE et en garderie, l'accueil des enfants a généralement lieu le matin et le départ, en fin d'après-midi, alors qu'en SGMS on retrouve trois accueils et autant de départs pour les enfants fréquentant le service à temps plein, soit le matin, le midi et après l'école. En maternelle, il y a deux accueils, le matin et au retour du dîner et deux départs, en fin de matinée et au milieu de l'après-midi. C'est à se demander si nous, les adultes, pourrions relever le défi de nous adapter à autant de personnes et de contextes différents en si peu de temps tout en préservant notre équilibre physique et psychologique.

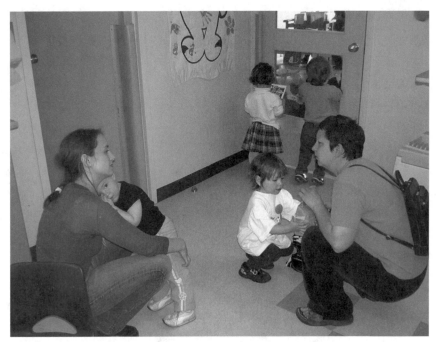

En ayant accès au local où se trouve son enfant en fin de journée, le parent a l'occasion de s'intéresser à ce qu'il a fait à la garderie.

       Stressés par le boulot qui les attend, le souper à préparer, préoccupés par les responsabilités de toutes sortes, par les demandes des éducatrices, certains parents oublient malheureusement l'essentiel, c'est-à-dire leur enfant, lors de l'accueil et du départ. À notre époque où la vitesse triomphe, prendre le temps d'accompagner son enfant au service éducatif n'est pas toujours évident pour les parents. Certains évoquent des raisons aussi légitimes les unes que les autres pour expliquer leur empressement à déposer ou à reprendre leur enfant au service éducatif : « Je n'ai pas le temps ; je suis pressé ; je vais être en retard, mon patron attend après moi ; ma journée n'est pas finie ; j'ai plein de choses à faire à la maison ; je suis débordé. » Il est regrettable de constater que des parents soient aussi expéditifs dans leur manière de venir reconduire ou chercher leurs enfants. De leur côté, les professionnels des services éducatifs n'ont pas la tâche facile pour faire passer le bien-être de l'enfant avant tout, tentés qu'ils sont de céder aux pressions de quelques parents. Pourtant, il faut prendre le temps d'accompagner et d'accueillir les enfants, qu'on soit parents ou éducatrices.

10.1 UN ACCUEIL CHALEUREUX ET PERSONNALISÉ

La façon dont l'enfant est accueilli au service éducatif est cruciale. Le bonjour amical de Gisèle, le sourire forcé de Stéphane, le «comment ça va mon beau Bruno?», l'air bête de Geneviève, l'indifférence de Sylvie ou le regard bienveillant de Luc donnent le coup d'envoi à la journée de l'enfant. L'éducatrice doit recevoir chaleureusement les enfants, quelle que soit son humeur; elle doit adopter une attitude professionnelle empreinte de respect, de calme et de disponibilité: il en va du bien-être de l'enfant.

> Pour accueillir les enfants avec dignité, l'éducatrice leur sourit, leur parle avec un ton de voix agréable, les salue par leur prénom, se montre disponible et contente de les voir.

Il est important que l'enfant ait la possibilité de faire des choix en arrivant au service éducatif : se diriger vers des jeux qui l'intéressent, regarder les autres faire, bavarder avec des compagnons, échanger avec l'éducatrice, vaquer à des petites tâches, terminer une réalisation commencée la veille, s'isoler quelques moments. Faut-il rappeler l'importance de limiter au minimum le temps passé devant le téléviseur en service éducatif. L'enfant le fait déjà beaucoup à la maison.

Une autre marque de respect envers l'enfant qui arrive consiste à accueillir aussi son parent. (Martin, Poulin et Falardeau, p. 56) L'éducatrice doit faire en sorte que le service éducatif soit un lieu accueillant pour le parent et qu'il s'y sente le bienvenu. L'éducatrice a le devoir de remercier le parent d'avoir apporté les vêtements de rechange qu'elle lui a demandés, de faire un suivi sur un travail de collaboration, de donner des commentaires positifs sur l'enfant et de décrire honnêtement l'essentiel de ce que vit l'enfant. Elle aura souvent à demander des informations sur l'état de l'enfant: «Comment a été sa nuit?» «Sa fièvre a-t-elle baissé?» Parfois, il faudra fixer un rendez-vous téléphonique ou une rencontre pour discuter d'une situation problématique particulière. Au terme d'une journée épuisante et en présence des autres parents et des enfants, les conditions propices à un échange fructueux sont souvent absentes.

Dans les services éducatifs où les parents se voient forcés de déposer et de prendre leur enfant dans le vestibule sans avoir la possibilité de pénétrer dans le local où l'enfant a passé quelques heures de sa journée, il est difficile de créer un contact avec les parents. On voit des enfants quitter le SGMS après avoir été informés de l'arrivée de leur parent par un système de communication à distance. En plus d'empêcher toute possibilité de contact avec les parents, l'utilisation d'un émetteur-récepteur portatif entrave la communication entre l'éducatrice et les enfants du groupe. C'est un moyen qui semble répondre davantage à des besoins d'adultes – la requête des enseignantes et des membres de la direction d'école de ne pas faire circuler les parents dans l'école, la rapidité du départ pour le parent – qu'à ceux des enfants. Il s'agit d'une pratique qui va nettement à l'encontre des principes d'humanisation propres à la pédagogie démocratique. Toutefois, ce moyen peut s'avérer utile à l'occasion, par exemple lorsque les enfants se trouvent dans un parc situé loin de l'école. Mais un téléphone cellulaire peut aussi bien faire l'affaire.

Un tableau d'affichage avec une écriture et des pictogrammes attrayants placé à l'entrée de l'école ou du SGMS a l'avantage d'indiquer aux parents où aller chercher leur enfant. Le nom du groupe, le jour de la semaine, l'heure ou la période ainsi que l'activité et le lieu figurent clairement sur l'affiche.

> Lorsqu'on est soucieux du respect et de la dignité des enfants et des parents, on se préoccupe peu d'économie de temps ou d'efficacité à tout prix lors des activités d'accueil et de départ.

Si l'éducatrice veut travailler en faveur de l'enfant, elle doit investir temps et énergie pour créer un contact positif avec les parents, même si la tâche semble ardue avec quelques-uns. En effet, elle doit être déterminée et préparée pour aller au-devant d'un parent intimidé ou qui semble moins intéressé, voire antipathique. Persévérance, conviction et constance sont des qualités indispensables pour tisser des relations constructives avec les parents plus difficiles à approcher. Il ne faut surtout pas attendre d'avoir un problème avec un enfant pour commencer à parler à son parent. C'est avec le temps et les occasions que se construit la confiance mutuelle essentielle au bien-être de l'enfant.

Le départ offre une belle occasion de communiquer à trois : l'enfant, le parent et l'éducatrice.

Dans l'intention légitime de sécuriser les parents en leur montrant que leur enfant se sent bien au service éducatif, l'éducatrice peut être portée à prendre trop de place en leur présence. Une telle attitude peut les rendre mal à l'aise ou même jaloux, ce qui est à éviter. Il faut savoir reconnaître le rôle premier des parents en ne cherchant pas à occuper la première place auprès des enfants. L'attitude idéale à adopter consiste davantage à établir un « trialogue » qui favorise une communication à trois, soit entre l'éducatrice, l'enfant et son parent. (Martin, Poulin et Falardeau, p. 86) Les activités d'accueil et de départ en début et fin de journée représentent des occasions idéales pour « trialoguer ». Par exemple, lorsqu'il est question de l'enfant devant le parent, l'éducatrice l'inclut dans la conversation, ce qui est une façon de témoigner du respect à son égard. « Maxime, je suis en train de dire à ton père que tu sais maintenant comment t'y prendre pour résoudre les conflits. Es-tu fier de toi ? » « Clodie, nous allons travailler ensemble, toi, ta maman et moi pour que tu fasses pipi dans les toilettes. Es-tu d'accord ? » « As-tu dit à ton papa, Alex, que nous avons commencé à faire un jardin aujourd'hui ? Tu pourras lui montrer tantôt en partant. »

L'éthique professionnelle veut que la discrétion et la confidentialité soient assurées en tout temps dans les échanges entre parents et éducatrices.

L'éducatrice a le devoir d'être discrète en ne parlant pas d'un autre enfant que celui du parent, pas plus qu'elle ne parlera d'un parent à un autre parent. (Martin, Poulin et Falardeau, p. 87) L'éthique professionnelle l'oblige à préserver la confidentialité des informations qui lui sont confiées et à ne les divulguer qu'à qui de droit, au bon moment et au besoin seulement.

Avec des attitudes respectueuses et une tenue vestimentaire de bon goût, il sera plus facile de rendre les parents à l'aise. En ce sens, les décolletés, les vêtements moulants et les chandails qui laissent l'abdomen et le dos à découvert sont à proscrire.

L'aménagement des lieux doit favoriser l'accueil. Il peut s'agir d'un babillard réservé aux parents, d'une chaise pour retirer et mettre les bottes et d'un espace pour les déposer, d'un accès à des protège-bottes pour pouvoir circuler dans le service éducatif sans salir les planchers, de banderoles de bienvenue en plusieurs langues dans les milieux multiethniques. On opte pour un tableau d'affichage attrayant et non surchargé, pour présenter des renseignements sur la prochaine sortie, le menu ou la programmation des activités. On retrouve également des affiches publicitaires qui font la promotion de la santé, de la sécurité et de l'éducation des enfants : utilisation correcte du siège d'auto, coordonnées d'organismes venant en aide aux familles, renseignements sur les vaccins, etc. Les parents ont également accès à des textes qu'ils peuvent prendre à leur guise, à des photos et des dessins de leur enfant qu'ils peuvent regarder sur les murs.

10.2   DIRE BONJOUR ET SOURIRE

Le sourire est l'une des fonctions propres à l'être humain. C'est aussi l'une des premières attitudes faciales que le bébé décode et à laquelle il est très réceptif. Le développement socioaffectif de l'enfant se fait au contact des autres personnes qui se montrent chaleureuses. Le sourire et le ton de voix agréable constituent un capital non négligeable pour la santé émotive des enfants. C'est sans doute ce que voulait exprimer un enfant de sept ans qui, un jour, confia à son éducatrice que son sourire matinal mettait du soleil dans sa journée.

Mettre en action les 17 muscles faciaux qui prennent part au sourire s'avère une gymnastique très bénéfique recommandée le plus souvent possible en présence des enfants et des parents. Un sourire ne coûte rien et fait du bien tant à celui qui le reçoit qu'à celui qui le donne.

10.3 APPELER L'ENFANT PAR SON PRÉNOM

On doit appeler l'enfant par le prénom que lui ont choisi ses parents, en n'utilisant ni diminutif ni transformation : « Bonjour, Sarah-Lee. » Lorsqu'on se pose des questions sur la prononciation (comment se disent les deux e de Sarah-Lee) ou sur l'utilisation entière du prénom (peut-on l'appeler seulement Sarah ?), on demande aux parents comment ils veulent qu'on appelle leur enfant et on s'assure de bien prononcer le prénom en question. Il est important aussi de vérifier que le prénom de l'enfant ne soit pas une source de moquerie ou de rejet de la part de ses pairs. Dans pareille situation, l'éducatrice doit en parler aux parents pour trouver une solution avantageuse pour l'enfant. Enfin, il faut éviter d'utiliser des mots trop affectueux tels « mon amour », « mon p'tit cœur », « ma chérie » qu'on laisse aux personnes intimes à l'enfant. Quant aux surnoms ou appellations péjoratives, comme « mon p'tit tannant », « ma p'tite bavarde », mon « tom boy », ils n'ont pas leur place en éducation.

10.4 LA STABILITÉ DU PERSONNEL

Il est nécessaire que le service éducatif ait un personnel stable sur qui l'enfant peut compter et qu'il reconnaît à son arrivée. Ce principe vaut davantage dans le cas d'enfants très jeunes ou pour ceux qui viennent de faire leur entrée au service éducatif. Les enfants qui fréquentent le service à temps partiel, ceux dont la langue maternelle diffère de celle en vigueur dans le milieu ou ceux qui sont instables émotivement ont également un grand besoin de stabilité. Idéalement, il est préférable que l'éducatrice principale assiste soit à l'accueil, soit au départ. Passant plusieurs heures par jour avec les enfants, c'est elle qui est la mieux placée pour échanger avec les parents au sujet de leur enfant. On recommande également que la coordonnatrice ou la responsable soit présente pour assurer un suivi avec les parents. Ceux-ci pourront la consulter au besoin pour obtenir des renseignements sur des sujets qui relèvent de sa tâche : paiement, renouvellement de l'inscription, autorisation pour une sortie.

10.5   FACILITER L'ACCUEIL DU JEUNE ENFANT
ET LE DÉPART DU PARENT EN DÉBUT DE JOURNÉE

Quand on est petit, il est normal d'avoir du mal à quitter un être cher. Celui-ci peut réagir soit en pleurant avant, pendant ou après la séparation, soit en retenant son parent, en maugréant ou bien en refusant d'aller vers l'éducatrice. Ces réactions sont la manifestation de l'attachement de l'enfant aux parents qui sont les personnes les plus importantes pour lui. Cependant, l'habitude de fréquentation, l'attitude des parents, l'état de santé de l'enfant, le retour de vacances ou d'un long congé, le tempérament de l'enfant, une situation familiale difficile, le changement de personnel à l'accueil sont toutes des raisons susceptibles d'expliquer une anxiété démesurée lors du départ des parents.

Le départ du parent empreint de chaleur et de bienveillance aide l'enfant à bien commencer la journée.

Quoiqu'ils puissent être vulnérables à tout âge, les enfants de huit mois à deux ans sont particulièrement touchés par la séparation d'avec leur parent en début de journée. Pensons aussi aux sentiments que vivent les enfants de deux ans en pleine période d'affirmation, à ceux qui font leur entrée en maternelle sans être passés par un CPE ou une garderie, ou aux enfants qui fréquentent le service éducatif sur une base irrégulière.

Pour aider un enfant à laisser partir son parent et à s'intégrer aux autres, il existe différentes stratégies. On peut le réconforter, mettre à sa portée des jeux qu'il aime et des repères qui le sécurisent, lui offrir des objets qu'il affectionne tout particulièrement, lui annoncer ce qu'il pourra faire dans la matinée, lui offrir la possibilité de somnoler encore un peu dans un endroit tranquille, lui rappeler un moment de complicité vécu la veille, lui permettre d'utiliser son objet transitionnel pour un laps de temps. Le recours à un rituel de départ sécurise l'enfant: faire la bise au parent, venir reconduire son parent à la porte et lui faire signe de la main par la fenêtre. Plus l'enfant vit de l'anxiété, plus un tel rituel s'impose. Parfois, cette période de la journée se passe mieux avec l'autre parent. Par exemple, Vincent pleure moins longtemps lorsque c'est son père qui l'amène à la garderie.

Il est normal que, pendant les premières semaines d'adaptation au service éducatif, le jeune enfant réagisse fortement au départ de son parent. Beaucoup de parents trouvent ces moments pénibles et ne savent comment réagir. On voit des parents qui partent rapidement sans dire bonjour à leur enfant, d'autres qui s'éternisent en gardant leur enfant collé à eux. Et il y a ceux qui exigent que leur enfant arrête de pleurer ou qui leur disent des mensonges tels «Je vais revenir très vite». Ces attitudes qui sont évidemment à déconseiller traduisent la plupart du temps plus de maladresse et de désarroi que de mauvaise volonté de la part des parents. Grâce à son tact et à son objectivité, l'éducatrice peut les aider à amener leur enfant à intégrer son groupe et à faire judicieusement la transition entre la maison et le service éducatif.

L'éducatrice doit maintenir un contact visuel et verbal avec l'enfant affligé par le départ de son parent, tout en veillant à ne pas créer de dépendance excessive. Elle évite de garder l'enfant dans ses bras ou de lui tenir longtemps la main. Il est important qu'elle reconnaisse verbalement les sentiments de peine, de peur ou de colère qui habitent l'enfant : « Je sais que tu es fâché que papa s'en aille parce que tu aurais aimé être encore en vacances avec lui. » « Je vois que c'est difficile de t'adapter à plein de choses en même temps : la maternelle, le service de garde, le dîner à l'école. Je suis là pour t'aider et te protéger en attendant que tes parents viennent te chercher. » Orienter l'enfant vers des jeux en jouant avec lui peut contribuer à faire baisser la tension le temps qu'il s'intéresse aux autres activités.

Un nouvel enfant qui fréquente le service éducatif à temps plein peut avoir besoin d'une période de trois à six semaines pour s'adapter. Il importe de demeurer vigilant face aux indices de détresse chez un enfant qui n'arriverait pas à s'adapter. Parmi ces signes, on retrouve les pleurs excessifs, l'envie constante de s'isoler et des changements marqués dans le sommeil et l'appétit. C'est la fréquence, la durée et l'intensité de ces manifestations qui doivent inquiéter l'éducatrice et les parents. Une discussion devrait alors permettre de trouver des solutions dans l'intérêt de l'enfant.

La fréquentation régulière de l'enfant et les attitudes positives des parents et des éducatrices favorisent l'adaptation de l'enfant au service éducatif.

10.6   LA PRISE DES PRÉSENCES

Tel que le stipule la réglementation, la tenue d'une fiche d'assiduité pour chaque enfant est obligatoire. C'est généralement lors de l'arrivée de l'enfant que se prennent les présences, une tâche qui peut revenir deux ou trois fois par jour selon le type de service éducatif. Les dates et heures de présence de même que les jours de fréquentation prévus et réels de l'enfant doivent être consignés. En SGMS, vu le nombre élevé d'enfants, on observe moins de perte de temps lorsque cette tâche est effectuée au fur et à mesure qu'arrivent les enfants, au lieu de la faire en les rassemblant tous, ce qui exige l'attention de leur part et risque de les fatiguer. Un crayon attaché au document évite aussi les pertes de temps. L'utilisation de quelques astuces peut agrémenter la prise des présences ; par exemple, en arrivant au SGMS le matin, les enfants peuvent aller apposer un tampon encreur à côté de leur nom sur la liste ou dessiner un visage représentant leur humeur.

Il revient à la directrice du CPE, à la responsable du SGMS ou à la directrice de l'école de mettre à jour quotidiennement les fiches d'assiduité.

10.7 FACILITER LE DÉPART DE L'ENFANT AVEC SON PARENT

Pour faciliter le départ de l'enfant avec son parent, il est préférable que les effets personnels de l'enfant soient prêts. S'il y a lieu, on remet directement au parent les feuilles de renseignements et le carnet de communication. Ainsi, le parent se sent davantage concerné et cela l'encouragera à en prendre connaissance plus tard, au lieu de les oublier au fond du sac à dos de l'enfant. De plus, ce moyen offre une occasion d'échanger avec les parents.

La transition du départ demande de la constance dans la façon de procéder. L'éducatrice s'efforce ne pas faire pression sur les enfants, mais les amène à ranger et à se préparer pour partir. Elle peut marquer le départ par un geste comme une accolade et un au revoir. Il faut être bien préparé à aider certains enfants qui retardent le moment de quitter le service éducatif en fin de journée. Par exemple, un enfant qui refuse d'interrompre ses activités alors que son parent lui répète de se préparer, celui qui parle longuement avec un compagnon ou qui insiste pour trouver un objet perdu. Ce problème se présente aussi lorsqu'un parent s'entretient longuement avec l'éducatrice sur un sujet divers et accapare son attention, ce qui nuit à son travail auprès des enfants.

Heureusement, il existe des moyens pratiques pour composer avec ce genre de situation.

Encadré 10.1 Moyens pour faciliter les départs difficiles

- Clarifier les rôles respectifs de l'enfant, du parent, de l'éducatrice en prenant, par exemple, une entente avec le parent pour qu'il s'occupe de son enfant à partir du moment où il franchit la porte du service éducatif.

- Présenter gentiment ses excuses auprès du parent «bavard» et puis retourner à ses tâches habituelles. «Je regrette de ne pouvoir vous parler plus longtemps, je dois retourner auprès des enfants.»

- Faire coïncider l'heure du départ avec une période de jeux à l'extérieur. Ainsi, les enfants déjà vêtus sont prêts à partir à l'arrivée du parent.

- Diriger subtilement l'enfant (et son parent) vers le vestiaire en lui rappelant de rapporter ses dessins qui se trouvent dans son casier.

- Parler à l'enfant de ce qu'il fera une fois rendu chez lui et l'inviter à partir. Lui rappeler le moment où il reviendra au service éducatif. «Bonne soirée, Louisa. À demain.»

- Rappeler à l'enfant un fait de la journée et lui proposer de le raconter à son parent sur le chemin du retour.

- Installer un rituel de départ en demandant au parent de prendre d'abord connaissance du cahier de bord de son enfant qui se trouve dans son casier, avant de se présenter au local. Ainsi, l'échange avec l'éducatrice sera plus fructueux, le parent pourra poser des questions en lien direct avec les commentaires écrits plutôt que d'aborder des sujets moins pertinents. De plus, cette procédure assure à l'éducatrice que l'information écrite s'est bel et bien rendue à destination.

- Dans le cas d'un enfant bavard ou qui lambine, utiliser une minuterie qui l'avertit, après cinq minutes de jeux ou de bavardage, qu'il est l'heure de partir.

Lorsqu'à l'occasion on rend service à un parent qui demande, par exemple, de faire souper son enfant parce que celui-ci a un cours à six heures, il est important de prendre une entente claire : est-ce une situation exceptionnelle ou régulière ? Qui fournit le repas ? À quelle heure doit-on l'offrir à l'enfant ? Pour s'assurer la collaboration de tous, rien ne vaut une entente écrite.

10.8   LES PARENTS RETARDATAIRES

Dans le cas de parents qui arrivent en retard après la fermeture du service éducatif, on doit établir et appliquer des mesures visant à contrer les abus et à limiter les discussions. Dans plusieurs services éducatifs, une amende est exigée pour les minutes de retard des parents. En ce sens, une horloge dans le vestiaire sera très utile pour calculer les minutes de retard. Il revient à chaque service éducatif de prévoir un règlement approprié et de veiller à le faire respecter. Ce règlement peut faire partie du document d'information habituellement remis aux parents au moment de l'inscription de l'enfant. On peut aussi rafraîchir la mémoire des parents en affichant un rappel au babillard.

Il faut également tenir compte du vécu de l'enfant qui demeure le dernier alors que tous les enfants sont partis. L'éducatrice doit le rassurer et continuer à veiller sur lui tout en l'informant de ce qui se passe : « Ton père m'a dit qu'il viendrait te chercher tard ce soir ». « Je vais appeler ta mère pour voir ce qui se passe. Ne t'inquiète pas, je reste avec toi ».

10.9   PETITS JEUX

Créer une atmosphère qui permettra à tous de vivre un accueil chaleureux et un départ agréable est la meilleure manière de bien vivre ces moments de transition. Quelques jeux peuvent contribuer à la réussite de ces moments.

- Demander à l'enfant de pointer sur un tableau d'images le sentiment qui décrit le mieux son humeur lors de son arrivée.

- Accueillir les enfants d'âge préscolaire et scolaire avec un bonjour en langue étrangère : *good morning* (anglais), *bon giorno* (italien), *buenos dias* (espagnol), *kaliméra* (grec), *goten morgen* (allemand).

- Inventer un bonjour spécial qui consiste à imaginer une manière originale de se saluer à laquelle on joint un geste évocateur (5 ans et plus).

- En SGMS, demander à des enfants plus âgés de prendre les présences à l'arrivée des enfants.

- Etc.

Chapitre 11

Les attentes inévitables

CONTENU DU CHAPITRE

Dans les services éducatifs où l'on applique une approche démocratique, on doit aborder les périodes d'attente de la même manière qu'on aborde les autres activités de la journée, c'est-à-dire voir à ce que ces moments de transition se déroulent de façon harmonieuse afin que les enfants participent et ne se sentent ni pressés ni ennuyés. Pour y arriver, l'éducatrice doit veiller à la bonne organisation du temps et de l'environnement en concertation avec les membres de son équipe. Malheureusement, il existe encore des services éducatifs où les enfants doivent subir plusieurs fois par jour de **longues attentes en grand groupe, parfois debout, en silence, sans trop bouger et surtout sans déranger**. À quatre ans, attendre calmement son tour en ligne droite pour passer aux toilettes ou pour se brosser les dents, à sept ans, attendre docilement que l'éducatrice ait terminé de prendre les présences des 60 enfants inscrits aux activités de fin d'après-midi, cela génère nécessairement des tensions dans le groupe; une approche adéquate pourrait faire diminuer ces tensions. Il peut s'avérer difficile de changer des habitudes bien ancrées, mais c'est une démarche qui en vaut certainement la peine.

11.1   CONTRER LES ATTENTES ÉVITABLES

« Il est formateur que les enfants apprennent à attendre dès leur jeune âge. » Voilà une remarque souvent répétée par certaines personnes qui s'occupent des enfants, préoccupées qu'elles sont de les initier tôt aux dures réalités de la vie. En effet, il est normal d'avoir à attendre même quand on est petit, mais il faut savoir que la perception du temps qu'ont les enfants diffère de celle des adultes. Les attentes fréquentes, prolongées et disproportionnées par rapport à leur stade de développement peuvent nuire à leur sentiment de confiance et de sécurité. De toute façon, la vie sociale et familiale et, plus tard, le cadre scolaire se chargent de faire vivre de nombreux délais aux enfants. En compagnie de leurs proches, les enfants ont maintes occasions d'exercer leur patience au cours de la journée : pendant les trajets en auto, en attendant de passer à la caisse à l'épicerie, chez le médecin, au restaurant, lors de la préparation des repas ou pendant que maman parle au téléphone. Mais l'attente en petits groupes, dans un contexte personnalisé comme celui de la famille, ne requiert pas le même contrôle de la part des enfants que l'attente en grand groupe plus impersonnel comme au service éducatif. De plus, quand on a deux ans, attendre deux minutes, comme le demandent souvent les adultes, ne signifie pas la même chose qu'à huit ans. L'attente peut sembler interminable pour un tout-petit ou pour celui qui vit une perturbation émotionnelle. Un jour, un enfant de quatre ans sollicita l'aide de son éducatrice qui lui dit alors d'attendre « cinq minutes »; l'enfant lui demanda alors s'il s'agissait de cinq minutes d'enfants ou de cinq minutes d'adultes. Cet exemple montre comment la perception du temps comporte une dimension personnelle et subjective. (Lauzon, p. 125) « C'est donc bien long… ou, encore, ça a passé vite… Je suis tanné d'attendre » sont des exemples qui illustrent le rôle de la subjectivité dans l'appréciation du temps; cela vaut également pour les adultes. Par conséquent, les services éducatifs ne devraient pas abuser de la naïveté des enfants quant à leur capacité d'attendre. Les éducatrices devraient réduire les attentes au minimum, car, plus elles sont longues, plus elles nuisent au bon déroulement des activités.

Les moments d'attente peuvent permettre à l'enfant de ne rien faire s'il en ressent le besoin.

Il faut se rappeler que les enfants d'âge scolaire qui passent cinq heures par jour en classe, le plus souvent immobiles derrière leur pupitre à se faire rappeler constamment par leur enseignante de rester tranquilles à leur place et d'écouter, sont déjà saturés par de telles demandes quand ils arrivent au service de garde. Les éducatrices en SGMS devraient passer une journée en classe avec les enfants pour comprendre à quel point leur journée peut être épuisante.

Au SGMS, les enfants devraient avoir la possibilité de bouger, de dépenser leur énergie, d'utiliser leurs capacités motrices, omniprésentes à cet âge, sans être obligés d'attendre de façon statique que l'éducatrice prenne les présences ou que les autres aient terminé leur collation pour aller jouer dehors en se déplaçant silencieusement, en rang, tout le monde ensemble. L'envie de bouger des enfants n'a rien à voir avec une quelconque hyperactivité. Elle est normale et, la plupart du temps, indicatrice d'une bonne santé.

Si, de façon régulière, huit, dix ou vingt enfants doivent attendre en file indienne pour se laver les mains, patienter au vestiaire avec leur gros habit de neige sur le dos avant d'aller jouer dehors, attendre encore pour obtenir l'aide de l'éducatrice pendant que celle-ci converse dans le corridor avec une collègue et si ces situations se répètent et se prolongent, une analyse sérieuse de la situation s'impose. Cependant, il se peut qu'en dépit d'une bonne organisation les enfants aient quand même à attendre à l'occasion, ce qui n'est pas catastrophique en soi; par exemple, attendre pour dîner parce que le traiteur tarde à arriver, attendre lors d'un déplacement en raison d'un incident qui vient de survenir. Dans pareilles situations, il faut veiller à ne pas fatiguer les enfants. Pour préserver leur énergie durant ces moments statiques et éviter qu'ils ne se désorganisent, on les fait asseoir soit au sol le long d'un mur, soit sur des chaises ou sur un banc, en gardant, si possible, une distance minimale entre chaque enfant.

En services éducatifs, savoir s'adapter est une habileté fort appréciée lorsque se produisent des imprévus. En ce sens, l'attitude de l'éducatrice joue un rôle déterminant dans la qualité des moments d'attente.

11.2   ORGANISER LES ATTENTES INÉVITABLES

Lorsque nous parlons d'attentes dans le contexte de l'approche démocratique, nous faisons référence essentiellement aux attentes inévitables, où les délais sont réduits au minimum autant en nombre qu'en durée. Attendre pour prendre l'autobus avant de partir en sortie éducative, attendre un autre groupe pour aller rendre visite au pâtissier du quartier, attendre l'arrivée d'un invité surprise, cela peut se produire et ce n'est pas dramatique. Ces expériences peuvent même devenir significatives si, évidemment, le délai demeure raisonnable et si l'éducatrice arrive à occuper les enfants. Elle peut en profiter pour reprendre un chant appris la veille, faire un peu d'exercices physiques que propose un enfant ou demander à Jérémie de présenter des devinettes, comme il sait si bien le faire. Voilà quelques moyens servant à agrémenter les rares moments inévitables d'attente, qui sont normaux en services éducatifs.

Pour diminuer le nombre et la durée des attentes, les enfants devraient bénéficier d'un environnement et d'un fonctionnement bien organisés leur permettant d'agir individuellement et avec un minimum d'autonomie. En voici quelques exemples:

— la proximité des toilettes qui permet aux enfants d'y aller seul;

— le partage des tâches faisant en sorte que l'une des éducatrices s'occupe des enfants qui se rendent aux toilettes situées dans le corridor pendant qu'une deuxième reste avec les autres;

— le choix de prendre ou non la collation l'après-midi sans avoir à attendre systématiquement à table que les autres aient terminé de manger avant de passer à l'activité suivante;

— la possibilité de faire des jeux tranquilles au réveil de la sieste sans être contraint d'attendre que tout le monde soit levé. La réduction du temps d'attente et sa fréquence dépendent aussi de la participation des enfants que l'éducatrice verra à favoriser selon leur stade de développement.

Selon les principes de la pédagogie démocratique, les quelques rares moments d'attente doivent être dynamiques. En effet, les enfants peuvent communiquer, s'exprimer, découvrir et agir sur leur environnement en y prenant part activement. Ils peuvent aussi échanger entre eux, s'entraider pour ramasser les jouets, se desservir, aider à habiller les plus jeunes, aller aux toilettes lorsque le besoin se fait sentir et non parce que c'est l'heure d'y aller, quitter le vestiaire sous la supervision d'une autre éducatrice lorsqu'ils sont habillés. Ils peuvent faire des choix conjointement avec l'éducatrice sans avoir à répondre expressément à ses exigences.

Pour diminuer le désagrément occasionné par les moments
d'attente occasionnels, les stratégies ne doivent pas être axées uniquement
sur le contrôle verbal : « Arrêtez de parler. Restez assis à votre place, je
vais tous vous servir les uns après les autres. Je n'ai que deux bras pour
tout faire… Attendez votre tour pour laver vos mains, il n'y a qu'un seul
lavabo. Ça fait trois fois que je vous demande de ne pas avancer. Patien-
tez les enfants, j'ai bientôt fini de ranger les matelas. Je m'en viens pour
sortir les jeux. » La plupart du temps les consignes verbales finissent par
ne plus être entendues par les enfants. De plus, lorsqu'une éducatrice
tient ainsi à garder le contrôle absolu sur son groupe d'enfants en vou-
lant faire les tâches à **son** goût et à **son** rythme, elle place les enfants
dans un état de dépendance nuisible à leur développement et se met
dans une situation susceptible de créer des tensions. En attendant qu'elle
ait terminé de déposer seule le matériel d'arts plastiques sur la table, de

Les moments d'attente permettent de prendre le temps de regarder la vie
qui nous entoure.

servir seule la collation des enfants, de ranger seule les accessoires de menuiserie qui traînent au sol, les enfants tentent de s'occuper de leur côté. Et c'est souvent avec ce qu'ils ont à leur portée, c'est-à-dire leurs pairs, que les enfants en attente s'occupent. Au début, ils parlent, conversent, reprennent un jeu de mains, tentent de calmer le plus jeune qui gigote sans cesse. Mais, après une minute ou deux où la patience et l'imagination ont atteint leurs limites, les effets négatifs de l'attente surgissent: pleurs, bousculades, taquineries, coups, cris. L'éducatrice doit alors utiliser des interventions disciplinaires pour ramener les enfants à l'ordre pendant qu'elle tente de terminer ses tâches. Sa frustration, les efforts déployés pour rétablir le contrôle et la fatigue des enfants finissent par miner le climat du groupe. Et, découragée, elle se demandera alors pourquoi les enfants sont si insupportables, ce jour-là.

Tableau 11.1   Les interventions lors des activités d'attente

À éviter	À favoriser
Les enfants attendent souvent.	Les enfants attendent rarement.
Les enfants attendent longtemps.	Les enfants n'attendent pas longtemps.
Les enfants attendent en ligne.	Les enfants n'attendent pas en ligne.
Les enfants doivent faire silence sans bouger.	Les enfants peuvent bouger un minimum, chuchoter.
L'éducatrice fait cesser en même temps toutes les activités et fait rassembler les enfants en grand groupe.	L'éducatrice fait cesser progressivement les activités et procède à l'activité suivante par petits groupes.
Beaucoup d'enfants se retrouvent au même endroit en même temps.	Peu d'enfants se retrouvent au même endroit en même temps.
Une seule éducatrice fait tout toute seule.	Deux éducatrices fonctionnent en équipe et se partagent les tâches.
L'éducatrice présente plusieurs consignes en même temps.	L'éducatrice met l'accent sur trois consignes à la fois.
L'éducatrice cherche la perfection de peur de perdre le contrôle du groupe d'enfants.	L'éducatrice accepte l'imperfection tout en gardant le contrôle du groupe.
L'éducatrice utilise toujours les mêmes stratégies.	L'éducatrice a recours à diverses stratégies pour agrémenter l'attente et les modifie, au besoin.
L'éducatrice donne surtout des ordres.	L'éducatrice propose des moyens visuels ou sonores et non seulement des consignes verbales.
En situation difficile, l'éducatrice crie après les enfants, les menace, etc.	En situation difficile, l'éducatrice demeure calme tout en restant ferme et convaincante.
L'éducatrice décide pour les enfants.	L'éducatrice prend des décisions en collaboration avec les enfants.
L'éducatrice accomplit les tâches seule.	L'éducatrice donne des responsabilités aux enfants.
L'éducatrice donne des responsabilités aux enfants qui sont soit trop difficiles, soit trop simples à exécuter.	L'éducatrice donne des responsabilités qui correspondent aux capacités réelles des enfants.
L'éducatrice agit par habitude et par automatisme sans chercher à comprendre ce qui se passe.	L'éducatrice remet en question ses façons de faire et s'adapte, au besoin.

11.3   AGRÉMENTER LES ATTENTES

Pour rendre agréables les incontournables temps d'attente, on peut recourir à divers procédés. Ce sont souvent des petits « plus » qui font la différence entre des moments pénibles et des attentes supportables. Par exemple, en SGMS où des déplacements ont lieu souvent en grand groupe dans les corridors, ce qui occasionne des délais, les murs peuvent être garnis d'affiches attrayantes, de photos et de réalisations d'enfants.

En plus d'ajouter des éléments à l'environnement des enfants, l'éducatrice peut recourir à d'autres moyens, comme ceux que nous proposons plus loin. Pour faire échec à la passivité et à l'ennui pendant ces transitions, pour permettre aux enfants de rire et de bouger, il suffit d'un peu d'imagination et de préparation. N'oublions pas que les moments d'attente peuvent constituer des occasions idéales pour créer le calme et renouveler l'énergie chez les enfants; l'éducatrice en profitera pour évaluer le but et la manière de procéder en fonction des besoins à combler. Même si de nombreux livres et certains sites Internet recèlent d'idées sur le sujet, nous avons cru bon de proposer quelques activités qui sont compatibles avec la pédagogie démocratique: créativité, plaisir, apprentissage par le jeu et coopération. En tout temps, l'éducatrice veillera à prendre en considération les réactions et les propositions des enfants et à les intégrer à l'activité en cours. De plus, on recommande de fournir, si nécessaire, le matériel en quantité suffisante pour éviter les frustrations et les attentes inutiles. On peut rassembler dans des boîtes attrayantes et faciles à manipuler des objets utiles à l'animation de quelques jeux d'attente.

Feuilleter des livres est une activité que les enfants aiment faire durant les moments d'attente.

A.   Jeux verbaux

Quel animal?

- Nommer des animaux vivant dans les airs, sur la terre ou dans l'eau (4 ans[1]). Variante: trouver des animaux vivant à la ferme, au zoo, à la maison.

En langues différentes

- Apprendre à réciter une courte série de chiffres en français, en anglais, en espagnol, en italien, etc. (4 ans)

  Un deux trois quatre cinq Yé!   (français)

  One two three four five Ya!   (anglais)

---

1. Âge minimal suggéré.

Uno dos tres cuatro cinco Bravo !   (espagnol)

Uno dué tré quattro cinqué Bravissimo !   (italien)

N.B. On peut recueillir des idées auprès d'enfants de différentes ethnies fréquentant le service éducatif. Dire bonjour en diverses langues.

Répondre en rimes

• Faire écho à des mots qui riment. L'éducatrice ou le meneur de jeu dit : « Dans ma casquette, que faut-il que je mette ? » Un joueur désigné donne une réponse sous forme de rime. Par exemple, « Dans ma casquette, je vais mettre de la ciboulette. » Etc. (6 ans)

   Variantes : « Dans mon chapeau, qu'est-ce qui serait le plus beau ? Dans mon sac à dos, qu'est-ce qu'il me faut ? » Etc.

Moment chantant

• Repasser des comptines et des chansons connues. (2 ans)

Devine…

• Proposer des devinettes adaptées aux capacités des enfants. Une petite banque prête à utiliser et régulièrement mise à jour peut être très utile à l'éducatrice. (3 ans) Par exemple, trouver le nom d'une fleur, d'un moyen de transport, d'un aliment sucré, d'un appareil électrique, d'un jouet. Variante : proposer des charades écrites aux enfants qui savent lire. (7 ans)

Drôle de réponse !

• Donner une seule réponse possible à diverses questions posées : des saucisses. Ex. : Qu'est-ce que tu fais en congé ? – Des saucisses. Que vois-tu lorsque tu te regardes dans le miroir ? – Des saucisses. Qu'apportes-tu pour aller à l'insectarium ? – Des saucisses. Et ainsi de suite. (5 ans) Variante :

compliquer le jeu en interdisant de rire ; utiliser un autre mot
en guise de réponse, etc.

Inventons une histoire !

- Improviser un début d'histoire que les enfants poursuivent
  au gré de leur fantaisie. « Ouvrons le livre géant de notre
  imagination. Ce matin-là, alors que les petits renards
  dormaient encore... » ou « Un ballon rouge rêvait de partir
  en voyage... » (3 ans) La suite de l'histoire peut être déve-
  loppée à partir d'images pigées au hasard : animaux, objets.
  (4 ans)

Trouve un mot...

- Nommer des animaux, des aliments, des objets ou des sentiments commençant par une lettre alphabétique annoncée.
  Par exemple, un animal dont le nom commence par C : chien,
  chat, cochon, canard, etc. (7 ans) Amusant pour des enfants
  qui savent lire !

B.   Jeux d'observation visuelle

- Jeu d'observation instantanée

  « Nomme un objet dans la pièce qui est plus petit que ta
  chaussure. »
  « Qu'est-ce que je porte sur moi et qui brille ? »
  « Nomme un objet dans le local qui est bleu. »
  « Nomme le plus petit objet qui se trouve ici. »
  « Qui a les yeux bruns parmi les enfants du groupe ? »
  (3 ans)

Capter une image

- Montrer une grande image (un paysage, un animal, un aliment, etc.) aux enfants et leur demander de la photographier
  dans leur tête ; ensuite, fermer les yeux pour visualiser l'image

dans leur tête en l'observant attentivement sur les plans de la couleur, de la forme, des textures, etc. Ce jeu peut se faire sans parler. Demander aux enfants ce qu'ils ont observé. (5 ans)

Qui est le chef des robots ?

• Demander à un joueur de s'isoler du groupe pendant quelques instants. Celui-ci aura à jouer le rôle d'un scientifique qui a inventé des robots devenus très indisciplinés. Les autres participants forment un cercle, assis au sol, dans lequel se trouve un chef qui a été nommé pour désorganiser le groupe de robots. Lorsque le chef fera un geste convenu d'avance, tous les robots le suivront. Puis, faire revenir le scientifique qui se place alors au centre du groupe. Au signal donné discrètement par le chef, les robots se désorganisent. Le scientifique tente alors de trouver qui est le chef. (7 ans)

« Regarde bien ! »

• Le meneur de jeu fait virevolter un foulard léger dans les airs, une mince feuille de papier, un bout de pellicule cellophane de couleur ou une plume. Tant que l'objet flotte, les enfants exécutent une action silencieuse demandée (se gratter le nez, contracter les poings, écarquiller les yeux, etc.). Dès que l'objet touche le sol, les enfants cessent l'action. Variante : s'en tenir à regarder et écouter le son de l'objet qui tombe au sol. (2 ans)

Jeu de Kim et ses variantes

• Disposer des objets familiers sur une table (trois suffisent au début). Les enfants les observent. Recouvrir les objets d'un tissu et demander aux enfants de les nommer. Poser diverses questions : « Quel objet sert à… ? Quel objet est bleu ? » Variante : enlever un objet et demander de l'identifier ou en ajouter un. (3 ans)

Comme dans un miroir

- Imiter les gestes faits par l'éducatrice comme si on était devant un miroir. (2 ans)

Une description en détail

- Choisir un objet bien en vue et en faire une description détaillée : couleur, forme, usage habituel, dimension. Il peut s'agir d'un vêtement que l'on porte. Deviner de quoi il s'agit. (3 ans) Variante : Un enfant est choisi pour être observé. À l'insu des autres, il apporte un changement à son allure (coiffure, vêtement). Les enfants tentent de deviner ce qui a été changé. (5 ans)

Des images sur la table

- À partir d'images collées sur la table, poser des questions aux enfants : « Où est le chat ? », « Devant qui est la grenouille ? », « Que tient dans ses mains la petite fille qui porte des lunettes ? », etc.

C. Jeux d'attention auditive

Qu'est-ce que tu entends ?

- Les yeux fermés, deviner quel objet l'éducatrice laisse tomber par terre : crayon, ballon, cuillère, assiette en carton, etc. (3 ans)

À vos ordres !

- Répondre aux demandes fantaisistes de l'éducatrice en utilisant une main : « Quilibi : tendre l'index. Watawa : fermer la main. Gurubu : tourner la paume de la main vers le sol. Mogogo : tourner le dos de la main vers le sol. Etc. » (6 ans) Demander des idées aux enfants.

Quelle est cette chanson?

- Deviner des airs de chansons connues murmurées par l'édu-catrice ou par un enfant. On peut varier le jeu en articulant exagérément les paroles en silence. Les enfants doivent alors lire sur les lèvres du meneur. (2 ans)

«Ouvre grand les oreilles»

- Deviner les sons entendus dans l'environnement. «Qu'est-ce qu'on entend qui vient du corridor?» «Qui pleure dans le local des petits?» Variante: identifier des sons à partir d'un CD. (2 ans)

Qu'y a-t-il dedans?

- Remplir des boîtes de films vides de diverses substances: riz, sable, papier chiffonné, etc. À partir du son produit, deviner ce que la boîte contient. (3 ans)

«Fais comme moi»

- Imiter avec le corps des rythmes simples et variés produits par l'éducatrice: fort, doucement, avec un doigt au creux d'une main, avec les deux mains, etc. (3 ans)

Trouve l'erreur

- Insérer des erreurs dans le récit d'une histoire connue: Les trois petits cochons, Blanche Neige, etc. Les enfants doivent repérer les erreurs. (4 ans)

«Suis-moi de ton doigt»

- Les yeux fermés, suivre de la main la voix de l'éducatrice qui se déplace. (5 ans)

«Faites ce que je dis et non pas ce que je fais»

- Un enfant nomme une action, mais en mime une autre. Par exemple, il demande de faire semblant de brosser ses cheveux alors qu'il se brosse les dents. Les participants doivent faire ce qui est demandé et non ce qui est observé. (7 ans)

Vive les statues !

- Danser au son de la musique et s'immobiliser à l'arrêt. On peut remplacer la musique par des extraits de chansons que l'on fredonne. Proposer de devenir une statue croche, drôle, petite, rieuse, selon les caractéristiques annoncées. (3 ans)

D.   Jeux visuo-manuels

Des bouteilles attrayantes

- Remettre aux enfants des bouteilles de plastique transparentes et résistantes, remplies d'eau et de confettis métalliques ou de colorant alimentaire et fermées hermétiquement. Inviter les enfants à les agiter et à observer les effets visuels obtenus. (2 ans)

Albums à images ou à photos

- Feuilleter des livres ou des albums d'images de fabrication artisanale contenant des dessins personnels, des photos de groupe prises à divers moments, des découpures de magazines intéressantes. Il existe sur le marché de petits albums à photos avec des pochettes de plastique pour protéger les images. On peut regrouper des illustrationss se rapportant à divers thèmes tels que les aliments, les animaux, les personnes issues de minorités visibles, les moyens de transport, les sentiments, les paysages, les photographies prises lors des sorties. En SGMS, les plus vieux peuvent participer au montage de ces albums thématiques dans lesquels il serait bien de mettre en valeur la bonté, la santé et la joie de vivre. Cela vaut la peine de se munir d'un appareil photo prêt à capter des moments de vie qui garniront les albums à photos ou les murs du local. Rappelons que les enfants de 2 et 3 ans acceptent difficilement de partager les objets avec les pairs. Ils préfèrent avoir un objet bien à eux. (2 ans)

Qu'y a-t-il dans ces sacs ou ces contenants?

- Offrir des petits sacs à poignée ou des petits contenants en plastique avec des pièces d'un vieux casse-tête, des photos plastifiées, un petit miroir, des gants à enfiler, que les enfants explorent. (2 ans)

E.   Jeux symboliques

De l'imagination en boîte

- Présenter aux enfants de petites trousses thématiques faciles à manipuler, faciles à sortir et à ranger, contenant divers objets intéressants et sécuritaires avec lesquels les enfants imaginent leur propre scénario (figurines d'animaux, marionnettes ethniques, images plastifiées de bébés). (3 ans)

Marionnettes

- Jouer avec des marionnettes (à tige, à doigts, à gaine, etc.). (2 ans)

À quoi cela te fait-il penser?

- Faire des analogies verbales à partir d'un simple objet: cylindre de carton, balle, foulard, feuille de papier. Une balle peut me faire penser à un fruit, un cylindre, à un télescope, une feuille, à une assiette. On peut joindre un mime. Cette activité développe la capacité d'abstraction et la créativité des enfants. (5 ans)

Drôles de dormeurs

- Jouer à demeurer immobile, les yeux ouverts, le plus longtemps possible. Cligner des yeux et respirer sont les seules actions permises. Un magicien désigné s'affaire à déranger ces drôles de dormeurs en faisant des grimaces, en cherchant à les déstabiliser sans toutefois les toucher. (6 ans)

Mime, mimons, mimez

- — Mimer des actions simples que l'on suggère aux enfants. Par exemple, un chat qui s'étire, une fleur qui bouge au vent, un papa qui berce son bébé. (2 ans)

  — «Mime un animal qui rampe ou ce que tu as fait dehors tout à l'heure». (3 ans)

  — Mimer des sentiments variés: joie, tristesse, gêne, colère, etc. (3 ans)

  — Mimer un geste familier en faisant de très petits ou de très grands gestes: se brosser les dents très lentement, enfiler un chandail rapidement, manger lentement comme un éléphant, etc. (3 ans)

F. Jeux audiovisuels

Des chansons en images

- Écouter des comptines et des chansons connues à partir d'images qui leur ont été associées. Suggestion: Rassembler les images dans une boîte ou un cahier à anneaux. (2 ans)

Regarde ce que je fais

- Reproduire des gestes annoncés et mimés: «Mains sur la tête, mains sur les épaules, index sur le nez, etc.» (2 ans) Variante: faire des incohérences entre les gestes exécutés et ceux qui sont annoncés pour amener les enfants à trouver l'erreur. (3 ans)

Des livres et des histoires

- Regarder et écouter une histoire racontée par l'éducatrice à l'aide d'un livre. Les bibliothèques municipales ou scolaires offrent souvent des publications intéressantes en littérature jeunesse. (2 ans)

G. Jeux de dextérité

Enfiler des gants

- Exercer son habileté à enfiler des gants en tricot. (3 ans)

Un gant à pêche

- Pêcher avec un gant recouvert de bandes en velcro dont la partie rugueuse sert à agripper des images en feutrine ou en tissu. (2 ans)

Bon couvercle, bon contenant

- Visser et dévisser des couvercles sur des contenants en plastique, des vis sur des gros boulons. (3 ans)

Tourne les pages

- Manipuler de petits albums garnis de photos ou d'images. (2 ans)

Crouch, crouch le velcro!

- Agripper et détacher des bandes de velcro. (2 ans)

H. Jeux de motricité globale

Un déplacement amusant

- Faire un parcours moteur simple. Par exemple, marcher sur des pierres magiques imaginaires, contourner des meubles, passer sous une chaise, marcher sur un tracé, etc. Le trajet peut mener à un endroit imaginaire, comme un château, où l'on se lavera les mains. (3 ans)

Attention de ne pas la faire tomber

• Se déplacer d'un endroit déterminé à un autre pour se rendre aux toilettes, par exemple, avec une éponge propre sur la tête sans la faire tomber. (3 ans)

Jean dit

• Faire le jeu de Jean dit. «Jean dit de mettre tes mains sur ta tête.» (Les enfants exécutent l'ordre donné) «Il dit de boucher tes oreilles.» (Les enfants ne font rien). (4 ans)

Un petit air de danse

• Danser librement au son d'une musique entraînante. Interrompre régulièrement la musique pour faire la statue. (2 ans) Variante: charger un enfant de faire clignoter les lumières en suivant la musique.

Une chanson à gestes ou une ronde s'avère un excellent moyen de se regénérer après une activité calme et statique.

Jeux d'étirement

- Pour aider les enfants à se calmer et à se préparer à une activité exigeant attention et concentration, leur proposer des exercices d'étirement. (2 ans)

    — Le papillon

  Mimer lentement la métamorphose d'un papillon: cocon, chenille, déploiement des ailes, envol, premier vol. Prendre soin de clore l'enchaînement des mouvements par une action calme, comme le repos du papillon sur une belle fleur.

    — Le ballon s'envole

  Tenir un bouquet de ballons imaginaires. Puis le lâcher. Attraper le plus de ballons possible.

    — Plafond, murs et plancher

  Faire semblant de chatouiller le plafond, les murs, le plancher, tout en gardant les pieds bien au sol et le corps à la verticale. Variantes: combiner deux gestes, par exemple, chatouiller le plafond avec un bras et le plancher avec l'autre. Pousser sur les murs pour agrandir la pièce, sur le plancher tout en gardant le corps droit.

    — Les rayons de soleil

  Repousser avec les mains les gros nuages dans le ciel gris pour laisser sortir un rayon de soleil. Puis tirer dessus pour ensuite le déposer dans son cœur ou dans un panier imaginaire. Poursuivre avec d'autres rayons. À la fin, contempler le beau ciel dégagé.

    — L'étoile et la planète

  Couché au sol sur le dos, à une bonne distance les uns des autres, ouvrir les bras et les jambes pour former une étoile. Ensuite, se mettre en boule pour faire une planète. Alterner quelques fois les deux postures.

— Le chat

À quatre pattes, imiter le chat qui fait le dos rond, le dos creux et qui s'étire. Enchaîner les mouvements quelques fois.

— La coccinelle

Debout, le corps penché vers l'avant, laisser les bras détendus osciller jusqu'à l'arrêt complet. Imaginer qu'à chaque extrémité des mains se trouve une coccinelle qui se balance.

— La fleur

Imiter une fleur qui s'ouvre lentement. Commencer en position accroupie et continuer en ouvrant graduellement les membres tout en se hissant sur la pointe des pieds.

— Un coin tranquille

Aménager un espace de tranquillité, par exemple, un petit endroit confortable garni de coussins, de livres, d'albums d'images apaisantes à regarder en solitaire. Le périmètre de repos peut être déterminé par un ruban fixé au sol et complété par un pan de tulle qui va du plafond au plancher. (Il se peut que l'éducatrice ait à sensibiliser les enfants à ne pas tirer sur le tulle.) (3 ans)

Offrir des exutoires acceptables et bien encadrés : frapper sur un coussin, permettre aux enfants de crier dans la cour, faire du modelage avec de la pâte à modeler durcie par le froid, faire une séance de déchirage et de lanceur de papier, presser ou tordre du plastique à bulles, danser sur une musique entraînante, faire une chanson à gestes, etc.

I. Jeux de respiration (3 ans)

Pour les débutants, trois répétitions de chacun des exercices suivants suffisent généralement alors que, pour les habitués, on peut les augmenter à cinq. Comme but premier, il faut viser le plaisir des enfants en évitant de les saturer. Il est bon de garder à l'esprit que l'expiration constitue la phase du cycle respiratoire la plus calmante, car elle permet le relâchement des tensions.

— Le nez du petit cochon

Faire une respiration régénératrice dérivée du yoga : un doigt légèrement appuyé sur le bout du nez pour le relever, inspirer par le nez et puis expirer doucement par la bouche en gardant l'index sur le nez. Reprendre le tout trois à cinq fois. Réalisées de cette manière, l'expiration et l'inspiration sont davantage ressenties, donc bénéfiques.

— Les chandelles

En écartant les cinq doigts d'une main, représenter un chandelier dont des chandelles imaginaires sont allumées. Éteindre doucement les chandelles en expirant longuement sur chacune d'elles, puis plier les doigts au fur et à mesure.

— Que ça sent bon !

Cueillir des fleurs imaginaires et les humer une à une avant d'en faire un magnifique bouquet.

— Un soupir de soulagement

S'amuser à soupirer de manière exagérée, en haussant les épaules (inspiration) et puis en les relâchant (expiration).

— Le vent

Imiter le son du vent en soufflant avec la bouche : vent léger, vent fort, alternance des deux, etc.

J.   Jeux olfactifs (2 ans)

Quelle est cette odeur?

- Porter attention aux odeurs agréables qui circulent dans l'air ambiant. «Il y a une odeur qui vient de la cuisine. Qu'est-ce que ça peut bien être?» Apprécier l'odeur des mains propres après le lavage des mains.

Des sachets odorants

- Humer des sachets hermétiques de pot-pourri de fabrication artisanale ou des petits savons recouverts de tulle. Éviter les mélanges d'odeur.

K.   Jeux tactiles (3 ans)

Un dessin dans le dos

- Assis deux par deux au sol, faire des dessins avec un doigt sur le dos de son partenaire et lui demander ensuite de deviner de quoi il s'agit. Inverser les rôles. On peut suggérer un thème: les formes, les lettres, les aliments; on peut aussi faire le jeu sans devinette, uniquement pour le plaisir sensoriel.

Des textures à profusion

- Manipuler du matériel sécuritaire aux diverses textures. Distinguer quelques caractéristiques: rugueux, doux, piquant, en plastique, en tissu, en caoutchouc, en cuir, en papier, etc. On peut en faire un jeu de devinette avec les yeux fermés.

- Mettre des débarbouillettes propres au congélateur en leur faisant prendre diverses formes. En remettre une à chaque enfant qu'il modèlera à sa manière.

Devine ce que tu touches

- Faire palper, sans regarder, des objets placés dans une boîte : élastique, bouton, coton tige, crayon, ruban, etc. « Trouve quelque chose pour écrire. » « Un objet qui sert à mesurer. »

L.   Jeux vocaux

La fête des comptines et des chansons

- Reproduire des comptines ou des chansons à gestes. Le folklore en recèle de nombreuses qui conviennent bien aux enfants : Alouette, La laine des moutons, Michaud est monté, À la volette, Meunier, tu dors, etc. D'autres créations inédites sont proposées sur le CD : Rap pour tout le corps, La bambina, Les couleurs, etc. Idéal pour occuper les enfants pendant un moment d'attente. (2 ans)

Des consignes en rap

- Présenter en rap les directives à donner. Les enfants peuvent suivre en tapant des mains. (5 ans)

Pour amplifier la voix

- Utiliser un porte-voix artisanal, comme un cylindre rigide en carton, pour s'adresser aux enfants. Les mains placées de chaque côté de la bouche peuvent également servir d'amplificateur. (3 ans)

Une histoire en sons

- Inviter les enfants à produire des sons : « J'ouvre la fenêtre (l'éducatrice ouvre grand les bras) et j'entends... un petit chat, des oiseaux, du vent, etc. (les enfants sonorisent les éléments nommés avec leur bouche, leur langue, leur souffle, etc.). Je ferme la fenêtre... (l'éducatrice referme les bras). Les sons se sont endormis... » (2 ans) Variante : on peut exploiter divers thèmes : campagne, ferme, bord de mer, tempête, ville, etc.

Mal à la gorge

- Inciter les enfants à abaisser le ton de leur voix en les invitant à parler comme s'ils avaient mal à la gorge. L'éducatrice fait de même pour donner l'exemple. (4 ans)

Sais-tu chuchoter ?

- Apprendre aux enfants à chuchoter en leur faisant prendre conscience que les cordes vocales demeurent inactives lors d'un chuchotement. En plaçant une main sur leur gorge, les enfants ressentent l'effet des vibrations dans le parler ordinaire et constatent leur absence dans le chuchotement. (4 ans)

M. Jeux graphiques

Un dessin en attendant

- S'occuper en attendant d'aller aux toilettes en gribouillant sur un tableau blanc installé au mur là où les enfants doivent patienter. (3 ans)

Du dessin libre

- Faire du dessin libre sur une grande feuille fixée au mur. Laisser le papier en place pendant quelques jours et inviter les enfants à dessiner lors de temps morts. Encourager le dessin spontané sans recherche de performance ou de réalisme. (3 ans)

Pour occuper les enfants, éviter de leur donner des feuilles de coloriage traditionnel qui briment la créativité des enfants. De même, les exercices de pré-écriture et de pré-calcul devraient être limités, trop scolaires qu'ils sont. Gavage intellectuel, scolarisation précoce ou hyperscolarisation n'ont pas leur place dans les services éducatifs où la curiosité, l'imagination, le jeu et le développement de toutes les potentialités de l'enfant doivent demeurer au cœur du programme d'activités.

N. Automassages (2 ans)

La crème fouettée

- Agiter les bras ou d'autres parties du corps pour faire de la crème fouettée imaginaire puis l'étendre doucement sur les jambes, le visage, les mains, etc.

La pizza

- Pétrir la pâte et l'étendre sur les cuisses. Mettre la sauce aux tomates et les autres ingrédients avec différents gestes (petits cercles, tapotements, pianotage, effleurage, etc.) ; finalement, après avoir étendu le fromage râpé sur la pizza, laisser cuire la pizza en s'allongeant au sol.

Une parcelle de bien-être

- Appliquer un soupçon de crème à main odorante sur le visage, les mains ou les avant-bras. Pour les enfants souffrant d'allergies cutanées, la crème solaire fournie par les parents peut très bien faire l'affaire. Ce sont généralement les fragrances délicates de fruits comme l'orange ou la fraise qui ont la faveur des enfants.

Une sensation «sensas»

- Se faire un doux massage des joues, de la nuque, du front, des sourcils, des oreilles, des épaules, etc. Varier la pression pour trouver celle qui convient le mieux.

Un dessin tactile

• Se faire un dessin imaginaire sur un avant-bras puis l'effacer. Reprendre deux ou trois fois.

O. Jeux pour attirer l'attention

Il arrive souvent que l'éducatrice ait à demander l'attention des enfants pour leur donner une information ou leur expliquer une activité. Plus que les simples consignes verbales, les moyens visuels ou les effets sonores offrent l'avantage d'amuser les enfants tout en les amenant à collaborer.

• Utiliser des signaux verbaux pour demander le silence ou l'attention : (4 ans)

1) par un appel suivi d'un écho

Appel de l'éducatrice	Réponse des enfants
PARA –	CHUT

ou

GOMME –	BALLOUNE

ou

RATAPOUMTIPOUM –	POUM POUM
HÉ HO –	HO HÉ

Suggestions : composer des cris de ralliement avec les enfants. Faire une pause de cinq secondes après la réponse des enfants avant de reprendre la parole avec une voix posée. Changer l'appel souvent pour éviter que les enfants ne s'en lassent.

2) par un compte à rebours (4 ans)

a) 5 – 4 – 3 – 2 – 1 – 0 zip!

À zip, faire le mouvement de fermer la bouche comme s'il s'agissait d'une fermeture éclair.

Variante : dire les chiffres lentement et de plus en plus doucement.

b) Un lence, deux lences, trois lences, quatre lences, cinq lences… six lences (silence).

Chut ! Je suis au téléphone

• Utiliser à l'improviste un téléphone jouet pour simuler la réception d'un message envoyé par un personnage mystérieux. L'éducatrice joue le jeu de façon convaincante. « Les enfants, il y a quelqu'un au téléphone qui veut nous dire quelque chose… Je veux écouter ce qu'il a à dire… Chut ! Il nous dit que c'est le temps de se préparer à la sieste, etc. » (3 ans)

Un doigt magique

• Inviter les enfants à baisser la voix en mettant un doigt magique sur leur bouche. (2 ans)

Un à un

• Circuler parmi les enfants pour leur donner une information ou leur rappeler une consigne. Ajouter une petite caresse dans le dos. (2 ans)

Un fou rire

• Jouer à créer un fou rire général. À un signal donné, simuler un rire exagéré, à un autre signal, cesser de rire. Le rire est libérateur de stress et créateur de complicité dans un groupe. (6 ans)

« Regarde »

• Utiliser un signal visuel, comme un gant farfelu qui attire le regard des enfants. Il peut s'agir aussi d'une affiche humoristique, d'un drapeau, de cartons de couleur ayant chacun leur signification propre. (2 ans)

Un visage illuminé

- Placer une lampe de poche sous le menton pour éclairer le visage et prendre une voix mystérieuse pour s'adresser aux enfants. (4 ans)

Chuchoter

- Parler à voix basse pour transmettre un message. (2 ans)

J'éteins les lumières

- Éteindre les lumières ou les faire clignoter pour attirer l'attention. (2 ans)

Éviter d'utiliser à outrance le « chut » traditionnel pour demander de garder le silence ou de baisser la voix. Employé de façon trop répétitive, ce son finit par agacer l'oreille et créer davantage d'irritabilité que de calme. Il est plus efficace de donner l'exemple en abaissant soi-même le ton.

11.4 COMPTINES ET CHANSONS

Chanter, scander des paroles en rythme, repasser le répertoire de chansons demeurent des moyens très efficaces pour attirer l'attention des enfants tout en les occupant de manière agréable.

A. Pour demander le calme

1
La fête du silence
(comptine)

Que vienne le silence
Pour qu'on avance
(pour qu'on mange, etc.).
Que la fête commence
La fête du silence !

2
Zip zap zoup

(comptine à gestes)

Zip zap zoup (en faisant semblant de «zipper» sa bouche)
On écoute… (en touchant l'oreille avec l'index)

3
Le silence viendra

(comptine)

Je me tairai
Tu te tairas
Il se taira
Chacun de nous se taira
Et le silence viendra.

4
Chapeau pointu

(comptine à gestes)

Chapeau pointu
Nez crochu
Menton fourchu
Bouche cousue.
(index sur la bouche
pour cesser de parler)

5
Les cloches

(comptine qui peut
être chantonnée)

Aux trois sons des cloches
La langue dans ma poche
Ding ding dong.
Chut!

6
À la ronde des muets

(comptine qui peut
être chantonnée)

À la ronde des muets
Sans rire et sans parler
Un… deux… trois…

7
Monsieur Silence

(chanson sur l'air de Frères Jacques)

Monsieur Silence (bis)
Où es-tu? (bis)
Sors de ta cachette (bis)
Chut! Chut! Chut! (bis)

B. Pour faire patienter les enfants

1

Je ferme les yeux

(comptine à gestes)
Idée de Pascale Teulade
Adaptée par Nicole Malenfant

Je ferme un œil
Et puis l'autre œil
J'ouvre un œil
Et puis l'autre œil.
Je ferme les deux yeux
Un peu
Beaucoup
Très fort
Et je vois dans ma tête…
(imaginer quelque chose)

2

Bravo

(comptine à gestes)
Idée de Pascal Teulade
Adaptée par Nicole Malenfant

Pieds, pieds
Cuisses, cuisses
Ventre, ventre
Joues, joues
Tête, tête
Bravo !
Avec les mains, frapper doucement sur les parties du corps nom-
mées. Frapper les mains ensemble à «bravo». On peut reprendre le
tout en y apportant des variantes : de plus en plus vite, avec une
voix aiguë, grave ou saccadée.

3

Méli-mélo

(comptine à gestes)
Idée d'origine inconnue
Adaptée par Nicole Malenfant

J'ai deux yeux ici <small>(montrer les yeux)</small>
Un peu plus haut
J'ai des cils aussi <small>(montrer les cils)</small>
Un peu plus haut
J'ai deux sourcils <small>(montrer les sourcils)</small>
Un peu plus haut
J'ai des cheveux méli-mélo <small>(secouer la tête puis s'immobiliser pour</small>
<small>ressentir l'effet obtenu)</small>

5

Les petits poissons

(Se trouve sur le CD)
(chanson)
Paroles et musique : Michel Bonin

1. Les petits poissons au fond de l'océan
   Nagent tout en rond tranquillement.
   Et on les entend qui font doucement :
   P… p… p…
2. Les petits poissons au fond de la rivière
   Nagent en avant et en arrière.
   Et on les entend qui font doucement :
   P… p… p…
3. Les petits poissons au fond du p'tit ruisseau
   Viennent frétiller au bord de l'eau.
   Et on les entend qui font doucement :
   P… p… p…

6
Rap pour tout le corps

(Se trouve sur le CD)

(comptine)

Par Nicole Malenfant

1. Avec ma tête, je fais oui (en faisant les gestes correspondants)
   Avec ma tête, je fais non
   Je recule à petits bonds :
   Un, deux, trois, quatre (taper des mains)
   J'avance de la même façon :
   Un, deux, trois, quatre (taper des mains)
   Je me tiens le dos bien droit
   J'ai l'air d'un soldat de bois (marcher au pas sur place)
2. Je lève un pied de côté
   Puis l'autre sans hésiter
   Je mets mes bras comme ça
   Je les replace contre moi.
   Je les monte, les descend
   Pareil à un cerf-volant.
   Je me penche en avant
   En arrière, j'en fais autant (marcher au pas sur place)
   REPRISE DE 1

7
Les couleurs du bonheur

(Se trouve sur le CD)

(chanson)

Paroles : Nicole Malenfant

Musique : Monique Rousseau

J'aime le bleu comme un beau ciel tout bleu
J'aime le vert comme un sapin l'hiver
J'aime le blanc comme celui de tes dents
J'aime le rouge comme un soleil couchant.
J'aime toutes les couleurs : le bleu, le vert, le blanc, le rouge.
Pour moi le bonheur a tout plein de couleurs (bis).

8
La bambina

(Se trouve sur le CD)
(chanson à gestes)
Paroles : chanson traditionnelle adaptée par Nicole Malenfant
Musique : Monique Rousseau

Refrain :

Danse, danse la bambina
Danse, danse comme ça
Danse, danse la bambina
Danse comme ça.

1. Bambina a dit : mains sur la têta.
Refrain
2. Bambina a dit : mains sur l'épaula.
Refrain
3. Bambina a dit : mains sur la hancha.
Refrain
4. Bambina a dit : mains sur le genouilla.
Refrain
5. Bambina a dit : mains sur la chevilla.
Refrain

Variante : remplacer Bambina par le prénom d'un enfant.

Chapitre 12

Pour mieux utiliser les comptines et les chansons

CONTENU DU CHAPITRE

Lors des activités de routine ou de transition, rien de mieux qu'une comptine ou une chanson entonnée avec joie pour attirer l'attention des enfants, détendre l'atmosphère dans un groupe agité ou encore pour stimuler la participation de quelques récalcitrants. Voilà un moyen facilement applicable, rapide et à effet socialisant pour les enfants.

En services éducatifs, l'éducatrice a de nombreux prétextes et occasions de recourir aux comptines et aux chansons. Chanter pour annoncer le moment de ranger, chanter pour occuper ceux qui doivent attendre au vestiaire, chanter pour apaiser un chagrin persistant, chanter pour redevenir de bonne humeur, rythmer les paroles tout simplement pour le plaisir de le faire, chanter pour s'exprimer, pour mieux respirer, chanter aussi pour se rappeler qu'on est en vie… Indéniablement, chanter ou scander des paroles est un moyen pédagogique de valeur sûre et universellement populaire auprès des enfants.

La comptine et la chanson, en plus d'être bénéfiques au développement global de l'enfant, offrent de nombreux avantages dans le déroulement d'une journée en services éducatifs.

12.1   LA VALEUR PÉDAGOGIQUE DES COMPTINES
ET DES CHANSONS

Ce n'est pas un hasard si chanter et écouter une comptine ou une chanson engendre des effets bénéfiques. Ce moyen agit comme un catalyseur sur l'affectivité des personnes, qui sert notamment à :

- consoler, rassurer et sécuriser un enfant ;

- créer un climat chaleureux et convivial où il fait bon vivre ;

- agrémenter les activités de routine et de transition ;

- rehausser l'intérêt et la motivation des enfants pour une tâche qui exige un effort ;

- donner des repères temporels aux enfants, par exemple, telle comptine annonce telle routine ;

- établir une communication autrement que par la parole ;

- attirer l'attention et apporter une diversion agréable ;

- installer plus facilement le début ou la fin d'une activité ;

- redonner de la bonne humeur et de l'énergie tant aux enfants qu'à l'éducatrice.

En outre, les comptines et les chansons sont d'excellents moyens pour effectuer divers apprentissages d'ordre physique et moteur, intellectuel, langagier, socioaffectif et moral.

A.   Les bienfaits des comptines et des chansons
sur les plans physique et psychomoteur

- **Reconnaissance auditive :** chanter ou entendre chanter permet de se familiariser avec des mots, des phrases, des rythmes, des silences, des mélodies et le phrasé musical. Grâce aux rimes, l'enfant se familiarise avec des consonances (pirou*ette* et caca-hu*ète*) et des assonances (v*ache* et f*ace*) dont la connaissance formelle se fera plus tard à l'école avec l'apprentissage de la lecture et de l'écriture.

- **Expression vocale et coordination motrice :** le chant favorise l'élocution, la prononciation (l'enfant arrive même à chanter des mots compliqués tels qu'hippopotame, somnambule, exténué, qu'il aurait peine à utiliser par la parole seulement) ; le chant habilite la synchronisation gestuelle (par des mimes et des gestes correspondants), développe la conscience corporelle et permet l'expression par la voix.

- **Représentation spatiale :** chanter tout en bougeant dans l'espace, marcher de droite à gauche dans les rondes, etc.

- **Schéma corporel :** Découvrir son corps dans l'espace, se balancer, tourner sur soi, imiter la marche du lion, connaître les parties du corps et les mouvoir grâce à une chanson qui les évoque.

- **Reconnaissance audiovisuelle :** associer des chansons à des images, reconnaître une chanson par les gestes, etc.

- **Respiration et relaxation :** chanter ralentit le cycle respiratoire qui se fait alors plus aisément en créant ainsi un relâchement général des tensions musculaires. Chanter constitue une véritable gymnastique respiratoire qu'il est bon de faire plusieurs fois par jour. L'oxygénation accrue engendrée par le mouvement respiratoire lorsqu'on chante ou qu'on récite un texte en rythme s'avère bénéfique pour tout le métabolisme, et ce, à tout âge.

- **Digestion :** chanter ou utiliser sa voix fait baisser le niveau de stress et, par conséquent, facilite la digestion. Chanter, entendre chanter, rire et jouer avec la voix créent des émotions souvent très positives qui se répercutent favorablement sur l'ensemble des fonctions vitales de l'être humain.

B.   **Les bienfaits des comptines et des chansons sur le plan intellectuel**

- **Mémorisation :** chanter ou entendre chanter permet de développer la mémoire, condition essentielle pour former l'intelligence ; chanter permet d'apprendre de nouveaux mots, de nouvelles tournures de phrase, de reproduire des paroles et des enchaînements gestuels.

- **Concentration :** augmentation de la capacité d'attention et d'écoute.

- **Représentation mentale :** l'évocation de personnges, d'objets ou de situations est rendue possible grâce à l'utilisation et à l'audition de comptines et de chansons.

- **Créativité :** l'invention de gestes, l'intérêt pour de nouvelles paroles, l'ouverture sur le monde par des chansons d'ethnies variées, la stimulation de l'imagination et du sens de l'émerveillement.

- **Association spatiotemporelle :** une chanson peut servir de repère pour rappeler une tâche, pour annoncer le passage d'une activité à l'autre.

- **Curiosité :** chanter stimule la curiosité pour le langage par la variété des mots présents dans les comptines et les chansons, par les sonorités et les rythmes divers que l'on y retrouve.

- **Logique et compréhension :** chanter met en contact avec des récits réels ou fictifs et amène les enfants à faire la distinction entre les deux. La comptine tout comme la chanson racontent souvent une histoire qui développe la logique, la capacité de faire des liens de cause à effet ou de comprendre l'ordre chronologique des événements relatés.

C.   **Les bienfaits des comptines et des chansons
sur le plan langagier**

- **Développement du langage verbal :** acquisition de nouveaux mots de vocabulaire, formation du sens de la phrase (début, fin, question, sujet, verbe, etc.) et de la formulation syntaxique.

- **Développement du langage corporel et dramatique :** par les gestes, le mouvement expressif et la danse simple qui accompagnent les comptines et les chansons, on a l'occasion de bouger et de s'exprimer par son corps.

- **Développement du langage plastique :** stimulation du geste créateur et de la spontanéité qui favorise les représentations graphiques et les dessins créatifs.

D.   **Les bienfaits des comptines et des chansons
sur les plans socioaffectif et moral**

- **Découverte et appréciation de ses habiletés personnelles :** estime de soi, connaissance de ses affinités et limites personnelles, fierté de se rappeler des paroles ou de trouver de nouveaux couplets.

- **Bien-être :** chanter crée le calme dans un groupe agité, renouvelle l'énergie chez les enfants fatigués ; chanter peut procurer une réelle détente.

- **Expression de ses sentiments :** chanter constitue une autre manière de s'exprimer, de se révéler, de manifester du plaisir, d'être spontané et expressif, de rire et de s'amuser. Exercer sa voix à chanter ou jouer avec différents sons constitue une autre forme de langage par laquelle l'enfant exprime ses idées et ses sentiments.

- **Sentiment d'appartenance au groupe :** reproduire ensemble une ronde ou chanter une chanson favorise la complicité, le sentiment d'unité et d'appartenance à l'intérieur d'un groupe.

- **Interaction sociale :** exécuter des mouvements deux par deux, se tenir par la main pour faire une farandole en chantant, tenir compte des autres tout en se respectant soi-même, voilà d'autres effets possibles du chant.

- **Respect des règles et des consignes :** telle comptine se fait lentement ; on attend le signal convenu pour entonner une chanson.

12.2   DÉMYTHIFIER L'ART VOCAL

Plusieurs éducatrices diront qu'elles ne savent pas chanter ou qu'elles n'ont pas de voix ou d'oreille musicale. D'autres, qui croient chanter faux, évitent de chanter de peur de nuire au développement musical de l'enfant. Certaines évoquent tout simplement leur gêne personnelle ou la crainte de se sentir ridicules et s'abstiennent de chanter en présence des enfants. On sait très bien que les jeunes enfants ne jugent pas les adultes qui font quelques erreurs dans l'interprétation d'une chanson. Il ne faut surtout pas se priver du plaisir en tant qu'éducatrice de chanter ou s'en remettre exclusivement aux CD. Les conseils qui suivent tentent de démythifier l'art vocal en redonnant aux adultes le goût de chanter en direct, dans le but premier d'agrémenter avec simplicité les nombreuses activités de routine et de transition.

- Chanter avec cœur, humilité et plaisir sans chercher à comparer sa prestation et son talent à ceux des chanteurs populaires.

- Chanter ni trop bas (grave), ni trop haut (aigu), ni trop fort. Si nécessaire, s'aider du CD ou d'un enfant habile pour entonner la chanson dans un registre adapté à celui des enfants, car ceux-ci ont une voix plus aiguë que celle des adultes. Éviter de commencer la chanson en comptant préalablement « 1-2-3 ».

Avec ce procédé, les enfants risquent d'entamer la chanson à différentes hauteurs, ce qui pourrait alors les faire chanter faux.

- Prendre un tempo (vitesse) modéré, ni trop lent ni trop vite, afin de permettre aux enfants de bien suivre les paroles. Il faut se rappeler que le débit vocal des enfants est plus lent que celui des adultes.

- Considérer l'intérêt qu'ont les enfants pour les mouvements et les gestes associés aux comptines ou aux chansons en choisissant un répertoire suggérant des gestes faciles à reproduire et adaptés à leur âge. Il peut s'agir de simples gestes marquant la fin des phrases. S'inspirer des élans spontanés observés chez des enfants pour ajouter des mimiques aux chansons.

- Accepter que les enfants de moins de trois ans chantent peu ou pas, trop occupés qu'ils sont à faire une seule chose à la fois, soit regarder les autres faire, soit s'en tenir à reproduire les gestes d'accompagnement. Tout au plus, ils peuvent insérer ici et là un mot qui se répète, les quelques paroles de la fin ou un son spécial qui se démarque pour enfin enchaîner le tout vers l'âge de trois ou quatre ans. Ils sont devenus alors plus habiles et, par le fait même, plus intéressés à reproduire une comptine ou une chanson en entier et à combiner gestes et paroles.

- Il faut savoir s'arrêter de chanter lorsque les enfants démontrent des signes de fatigue ou du désintéressement. Malgré les arguments qui font valoir les bienfaits de la chanson, il faut éviter à tout prix de trop chanter ou de chanter en temps inopportun en présence des enfants. Savoir écouter, laisser l'enfant exprimer ses pleurs sans chercher à les faire taire par un divertissement vocal et privilégier le silence lorsqu'une situation l'exige s'avère tout aussi important.

C'est à l'adulte que revient le rôle d'assurer le déroulement de la comptine ou de la chanson. Sa participation vivante est très importante sur le plan affectif et une voix enregistrée ne saurait remplacer celle de l'éducatrice, aussi imparfaite soit-elle.

- Éviter de placer l'appareil audio ou le lecteur CD au sol et le mettre plutôt sur une table pour permettre une meilleure diffusion du son.

- Sacrifier, au besoin, un peu de précision dans l'exécution vocale afin de préserver le plaisir de chanter et la joie de faire l'activité ensemble.

- Ne pas corriger un enfant sous prétexte qu'il chante faux ou qu'il ne fait pas bien les gestes demandés, car c'est principalement son désir de chanter et son goût de jouer avec sa voix et son corps qui doivent prévaloir sur tout autre objectif.

Chanter en compagnie des enfants doit faire partie des habiletés de toute éducatrice.

- Accepter le fait que certains enfants préfèrent écouter les autres et les regarder faire au lieu de chanter. Il n'est pas rare de voir ces mêmes enfants reprendre plus tard ces mêmes chansons.

- Il est normal d'avoir à refaire les mêmes comptines et chansons avec les enfants de moins de trois ans. En effet, ils redemandent souvent le même répertoire parce qu'ils ne s'en lassent pas. C'est un trait particulier des enfants de cet âge dont il faut tenir compte.

- Pendant une période donnée, utiliser la même chanson pour marquer une activité ; cela permet aux enfants d'associer deux éléments l'un à l'autre.

- Il n'est pas rare de constater que des comptines et des chansons se transforment au fil du temps, d'un CPE à l'autre, d'un niveau d'âge à l'autre, puisque la transmission orale du répertoire chanté engendre naturellement des modifications souvent très originales. On n'a qu'à penser aux nombreuses versions existantes de la fin de la chanson *Bateau sur l'eau* pour le constater.

  > Bateau sur l'eau
  > La rivière, la rivière
  > Bateau sur l'eau
  > La rivière *et le canot* **ou**
  > La rivière *au bord de l'eau* **ou**
  > La rivière *et plouf dans l'eau.*

- Laisser les enfants inventer leur propre comptine ou leur ritournelle. Leur manifester qu'on apprécie leurs jeux de mots.

- Réaliser un cahier de comptines et de chansons avec des images évocatrices ; le mettre à la disposition des enfants pour qu'ils le parcourent à leur guise.

Encadré 12.1 Procédés pour jouer vocalement
avec les comptines et les chansons

- Remplacer les paroles d'une chanson connue des enfants par diverses onomatopées: broum… plouc… miaou… zip… mmm… etc.

- Reprendre la chanson avec des émotions diverses: joie, tristesse, colère, gêne, ou des expressions variées: en chuchotant, en gardant la bouche fermée, en prenant une voix saccadée de robot, en muet, etc.

- Inventer de nouvelles paroles à des chansons: À la claire fontaine, m'en allant polluer, j'ai trouvé l'eau si sale que j'ai changé d'idée…

- Reproduire le rythme de la chanson dans ses mains tout en chantant.

- Taire des mots d'une chanson. Au clair de la… Mon ami… Prête-moi ta… Pour écrire un… Un geste représentatif peut remplacer chacun des mots omis.

- Chanter de plus en plus doucement jusqu'au silence complet.

12.3 DES COMPTINES DE DÉSIGNATION

Comme le veut sa définition première, le mot **comptine** vient de **compter**; c'est avant tout une formule enfantine chantée ou parlée servant à compter les enfants pour désigner celui à qui sera attribué un rôle dans le jeu. L'une des comptines très utilisée au Québec est sans aucun doute: *Ma p'tite vache a mal aux pattes, tirons-la par la queue, elle ira bien mieux dans un jour ou deux…*; elle existe aussi en différentes versions selon les époques, les régions ou les groupes d'âge. Mais, avec le temps, le mot **comptine** fut privé de son sens originel pour devenir un terme usuel signifiant un court texte parlé en rythme.

Il est intéressant d'avoir quelques comptines traditionnelles dans son répertoire afin d'être en mesure de choisir rapidement un enfant pour accomplir une tâche déterminée. Utilisées couramment, les comptines de désignation permettent d'enrichir le vocabulaire des enfants en plus de jouer avec les mots qui sont parfois dépourvus de sens et qui les portent à rire.

À titre indicatif, nous présentons ici quelques comptines de désignation. L'éducatrice les récite en rythme en pointant successivement chacun des enfants avec son index.

1
Uni unel

Uni unel
Casin casel
Des raves, des choux
Des raisins doux.

2
Am stram gram

Am stram gram
Pic et pic et colégram
Bour et bour et ratatam
Am stram gram.

3
Les cigognes

Un gogne
Deux gognes
Trois gognes
Quatre gognes
Cinq gognes
Six gognes (cigognes).

4
Une oie

Une oie, deux oies
Trois oies, quatre oies
Cinq oies, six oies
Sept oies (C'est toi!).

5
Miniminimanimo
(procédé d'élimination progressive)

Miniminimanimo
Maticaire matimo
Mets ta main derrière ton dos.
(On continue jusqu'à ce que toutes les
mains soient cachées)

6
Oh! tchi tchi tchi
Oh! tchi tchi tchi
O ma wé O ma wé
Oh! tchi tchi tchi
One two three.

7
Le chat
Vois-tu le chat
Perché là-bas?
Si tu y vas
Il est pour toi.

8
Tchip tchip
Tchip tchip oulélé
Le corbeau s'est envolé.
Tchip tchip oulélé
Yé!

9
À toi
Je pétris le pain
Pour qu'il soit bon comme le vin.
Je le donne à qui?
Je ne sais pas.
Ah! voilà
Je le donne à toi.

10
Mirlababi

(de Victor Hugo)

Mirlababi surlababo
Mirliton, ribon, ribette.
Surlababi, mirlababo
Mirliton, ribon, ribo.

11
C'est elle

Une aile
Deux ailes
Trois ailes
Quatre ailes
Cinq ailes
Six ailes
Sept ailes (c'est elle).

12
Citron!

Un tronc
Deux troncs
Trois troncs
Quatre troncs
Cinq troncs
Six troncs (citron).

13
Joli colibri

Kiwikiwini
Joli colibri
Devine qui…
Sera choisi.

Chapitre 13

Le développement du langage verbal dans les activités de routine et de transition

CONTENU DU CHAPITRE

Des recherches en neurolinguistique ont révélé qu'une activation des neurones du cerveau dès le septième mois de la vie intra-utérine prépare à l'apprentissage de la langue. (Simoneau-Larose, p. 26) Il a été démontré que le fœtus réagissait aux stimuli sonores du monde extérieur, prouvant ainsi qu'il entend bel et bien et qu'il pourra reproduire les sons perçus le temps venu. Alors qu'il n'est qu'un nourrisson d'à peine quelques jours, l'enfant sait déjà reconnaître la voix de sa mère entendue tout au long de la grossesse. Selon l'orthophoniste Simoneau-Larose, l'enfant apprivoise la langue qu'il apprendra à parler à travers sa musique, son rythme et sa prosodie, éléments constituant la base de l'apprentissage des sons.

Le fait de parler à un enfant dès son plus jeune âge, et aussi de chanter, de l'encourager à gazouiller et à babiller le stimule à communiquer avec sa voix. Parler devient pour lui un plaisir sans cesse renforcé par la réponse favorable de son entourage. L'acquisition de la parole joue un rôle capital durant les premières années de la vie. À cet égard, les programmes pédagogiques des services éducatifs réservent une place de choix au langage verbal de l'enfant que l'éducatrice est appelée à favoriser au quotidien.

Dans les centres de la petite enfance, l'expression verbale des émotions et des idées de même que la compréhension d'un langage parlé de plus en plus complexe sont stimulées par les interactions avec les autres et par différentes formes de représentation de l'univers telles que des images, des livres, des objets[1].

L'histoire est une activité de transition très populaire auprès des enfants. Racontée avec expression par l'éducatrice, elle permet de stimuler le langage.

Le langage est un important outil de communication lié au développement cognitif de l'enfant. Comprendre et produire un message, entamer et entretenir une conversation exigent l'utilisation des ressources de la langue parlée. De plus, le langage constitue un moyen privilégié de socialisation et de connaissance du monde[2].

---

1. Programme éducatif des centres de la petite enfance du MFE, 1997.
2. Programme d'éducation préscolaire, 1997.

Au regard de ce constat, l'éducatrice veillera à amener l'enfant à développer ses facultés langagières orales de diverses façons – chansons, récits, échanges – en profitant au maximum des multiples occasions qu'offrent les activités de routine et de transition.

13.1 MOYENS ET ATTITUDES POUR STIMULER LE DÉVELOPPEMENT DU LANGAGE VERBAL

L'enfant apprend à parler en écoutant les autres personnes de son entourage. Il importe de s'adresser à lui fréquemment, sans toutefois l'envahir avec nos paroles. Il vaut mieux établir avec lui une véritable communication, avec des questions, des réponses et des silences ; recourir, au besoin, au langage non verbal sans oublier d'ajouter une touche de chaleur humaine.

Les activités de routine et de transition peuvent être organisées de manière à ce que l'éducatrice ait un peu de temps pour la conversation et le rapprochement intime avec chacun des enfants. Il convient également d'apporter une attention particulière à ceux qui sont plus retirés, plus effacés et moins portés à parler.

En réagissant aux réponses verbales et non verbales de l'enfant, le monologue se transforme en dialogue. Des expressions éloquentes comme « Wow ! », « C'est vrai ? » « Ah ! Oui… » « Hmm… », un mot, une expression du visage, un regard, un sourire indiquent à l'enfant que l'éducatrice s'intéresse à ce qu'il raconte.

Lorsqu'on observe une éducatrice en train de parler à de jeunes enfants, on peut remarquer qu'elle les entretient souvent sur des choses qui se situent dans le présent. Elle monologue sur ce qui est en train de se passer : « Tiens, un morceau de pomme pour toi, Leila. Goûte, tu vas voir comme c'est bon. Comment l'aimes-tu ? » « Je me demande bien ce que la cuisinière prépare en ce moment. Ça sent tellement bon ! » C'est une façon qui convient bien aux besoins des enfants en bas âge.

En cherchant une interaction avec les enfants, on peut parler de situations qui viennent de se produire ou qui se sont passées plus tôt dans la journée : une activité, une nouvelle histoire, une sortie au parc. Avec les bambins ou avec des enfants démontrant des difficultés de langage, il est préférable d'utiliser essentiellement le passé immédiat (avant la collation, ce matin quand ta maman est venue te conduire) alors que le passé plus éloigné (hier, la semaine passée, à Noël) convient davantage aux enfants plus âgés. De même, il vaut mieux s'en tenir au futur immédiat (tout à l'heure, après être allé dehors nous ferons des biscuits) avec les plus jeunes et ajouter le futur éloigné (dans trois dodos, la semaine prochaine, au printemps) avec les trois ans et plus. Il est bon de mentionner les événements futurs – une visite, une routine – en aidant l'enfant à anticiper et à deviner ce qui va arriver : « Qu'est-ce qu'on fait d'habitude avant d'aller dehors ? »

Pour inciter les enfants à parler, on pose des questions ouvertes qui suggèrent une réponse autre que oui ou non, ou qu'un simple mot : « Qu'est-ce qu'on va manger pour le dîner ? » « Comment ton habit de neige va-t-il sécher ? » Que vas-tu rapporter à la maison ? » Les principaux mots clés servant à formuler des questions ouvertes sont « Qu'est-ce que c'est ? Pourquoi ? Quand ? Où ? Comment ? Quel ? »

On peut interroger les enfants sur les objets qui les entourent : « Qu'est-ce que c'est ? » ou demander de pointer les objets qu'on nomme à ceux qui ont de la difficulté à parler : « Où est ton chapeau ? « Où vas-tu ranger ton dessin ? » Par ailleurs, il est important d'accorder suffisamment de temps à l'enfant pour s'exprimer après avoir posé une question. Pour éviter de répondre à sa place, de le presser de répondre ou de lui apporter précipitamment des indices, on peut s'efforcer à compter cinq à dix secondes dans sa tête ou en profiter pour respirer profondément. Ne l'oublions pas, l'enfant a besoin de plus de temps que nous pour formuler sa pensée et répondre aux questions qu'on lui pose.

Une pratique langagière des plus bénéfiques est certes l'utilisation de comptines et de chansons, comme on l'a vu au chapitre précédent. Une chanson s'avère très utile pour annoncer le début ou la fin d'une routine, l'approche d'une transition ou pour suggérer le calme en plus de stimuler le langage. La voix chantée ou rythmée fascine les jeunes enfants tout en mobilisant leur attention. Par ailleurs, les comptines et les chansons favorisent l'acquisition de nouveaux mots de vocabulaire (lumignon, moulin, macaron, ouistiti), la découverte de nouveaux sons (écur**euil**, gren**ouille**, bon**homme**), l'éveil à de nouvelles constructions de phrases (La laine des moutons, c'est nous qui la lavons…) en plus d'exercer l'écoute, la concentration et la mémorisation.

Pour aider un enfant bavard à se limiter quand vient son tour de parler, l'éducatrice peut utiliser un sablier ou une minuterie. Ce moyen a l'avantage, surtout s'il est bien présenté et utilisé à l'occasion seulement, de répartir équitablement le temps de parole parmi les conteurs chevronnés.

Sans s'improviser orthophoniste, l'éducatrice doit demeurer attentive aux erreurs et aux difficultés évidentes et persistantes chez l'enfant. Par exemple, les sons difficiles à prononcer, le bégaiement, le zézaiement, l'absence de paroles ou encore la difficulté à comprendre ou à entendre. Peut-être devra-t-elle suggérer aux parents de faire vérifier le niveau d'audition et d'attention de leur enfant par un spécialiste. Même s'il ne revient pas à l'éducatrice de poser un diagnostic professionnel, elle a le devoir cependant de rapporter aux parents ses observations sur les difficultés langagières de leur enfant ainsi que leurs effets sur son développement global.

13.2   JEUX LANGAGIERS

A.   Objets à repérer (3 ans et plus)

Nommer des objets de l'environnement immédiat ou lointain ayant une couleur particulière (vert, noir, rose) ou une autre caractéristique : forme, dimension, utilité. Variante : trouver des éléments fantaisistes très petits comme un orteil de puce, une tache de coccinelle, un grain de beauté, un poil de microbe.

B.   Marionnette en action (2 ans et plus)

Utiliser une marionnette «parlante» pour inviter les enfants à accomplir une tâche : changer d'atelier, se rassembler, se mettre à table. Une vieille chaussette ou une marionnette à doigt peut très bien servir de personnage à animer. Il suffit d'y aller avec un ton de voix enjoué pour attirer l'attention des enfants.

C.   La chasse aux lettres (4 ans et plus)

Repérer de manière informelle des lettres et des mots-clés qui se trouvent dans l'environnement quotidien : sur des vêtements, des affiches, des tubes de dentifrice, des tableaux de tâches.

Variante : manier des lettres et des chiffres à l'aide de casse-tête, de moquette aux formes de lettres alphabétiques.

D.   Imitation sonore (1 1/2 ans et plus)

Imiter le bruit caractéristique d'animaux, d'objets, de personnages, d'éléments de la nature : le trot du cheval, le ronronnement du chat, le vent, le ressac de la mer, le moteur d'une auto, le murmure d'une voix qui endort un bébé, le silence de la nuit. Ces reproductions vocales activent les diverses parties de l'appareil phonatoire sollicitées par la parole : langue, dents, cordes vocales, lèvres, machoires.

E.   Une histoire en sons (2 ans et plus)

À l'aide de l'appareil vocal, reproduire des bruits évocateurs suggérés dans une courte histoire racontée par l'éducatrice.

Ce matin-là, Trottinet, le petit cheval, était de bonne humeur. Il trottait gaiement dans le vert pâturage (claquements de langue). *Le soleil resplendissant et le parfum chatoyant des fleurs* (inspiration profonde) *l'invitaient à partir à l'aventure. C'est alors qu'il eut l'idée de se rendre à l'étang où vivaient ses amis, les canards de madame Bambeline. On entendait le petit cheval qui galopait à travers les champs* (claquements de langue). *Rendu à l'étang, Trottinet était bien essoufflé* (respiration bruyante). *Il prit le temps de reprendre son souffle* (diminution du bruit de la respiration). *Pendant ce temps, les canards se reposaient paisiblement* (doux cancannements). *Trottinet avait hâte de leur annoncer son arrivée en hennissant très fort* (hennissement retentissant). *Entre deux plaisanteries, le petit cheval aimait écouter le vent* (bruit du vent) *qui faisait danser sa belle crinière. Puis...* (Les enfants sont invités à trouver une suite et une fin à l'histoire.)

F.   Les jumelles (3 ans et plus)

Nommer les parties jumelles du corps : bras, narines, yeux, pieds, fesses, épaules, mâchoires, lèvres, etc. Nommer les parties uniques : tête, nez, ventre, gorge.

Variante : pour les enfants plus âgés, on peut enrichir le vocabulaire anatomique, par exemple, clavicules, colonne vertébrale, cheville.

G.   Devinette chuchotée (3 ans et plus)

Deviner un mot ou une courte phrase simple que l'on chuchote ou articule doucement du bout des lèvres.

H.   Le téléphone arabe (4 ans et plus)

Faire le jeu du téléphone, c'est-à-dire transmettre, d'un enfant à l'autre, un mot ou une courte phrase murmurée au creux de l'oreille. Tenter de garder le message intact jusqu'au dernier enfant.

I.   Le téléphone magique (2 ans et plus)

Se parler au téléphone avec un appareil imaginaire ou à l'aide d'un contenant en plastique ou d'un cylindre qui offre aussi l'avantage de transformer la voix.

J.   Les mille et une couleurs de la voix (3 ans et plus)

Choisir un mot et le modeler avec sa voix en le disant vite ou lentement, doucement ou fort, en chuchotant, avec la bouche fermée, en pinçant le nez ou en empruntant divers sentiments (colère, gêne, joie, tristesse, peur).

K.   Qui suis-je ? (2 ans et plus)

Deviner ce qu'il y a d'illustré sur des images présélectionnées provenant de magazines (animaux, objets courants, aliments) que l'on a apposées solidement sur des cartons.

Variantes : deviner une image qui se trouve partiellement couverte par un cache-image. Ou trouver ce qui manque sur une illustration, par exemple, les oreilles sur un visage de clown, une patte sur une silhouette de chien, des roues à un tricycle.

L.   Dis-moi ce que je mime (3 ans et plus)

Trouver des actions mimées avec des mouvements simples se rapportant à des gestes familiers : brosser ses cheveux, manger, se vêtir, pelleter de la neige. Augmenter le niveau de difficulté en fonction des capacités des enfants.

M. Histoire enchaînée (3 ans et plus)

Créer une histoire simple démarrée par l'éducatrice.

Variante : intégrer au fil du récit des repères visuels tels des objets réels comme un chapeau, une petite auto, des figurines d'animaux, afin de rendre l'improvisation plus vivante. Faire piger par les enfants des mots qu'ils intégreront à l'histoire.

N. Jeu de surprise (2 ans et plus)

Faire un petit jeu de surprise qui consiste à cacher dans un sac ou une boîte divers objets attrayants connus des enfants, puis à les sortir lentement un à la fois. Nommer l'objet, le faire manipuler par les enfants oblige à choisir des objets sécuritaires et facilement maniables, tout en leur donnant l'occasion d'expérimenter diverses notions tactiles : dur-mou, rugueux-lisse, froid-tiède.

Variante : relever d'autres caractéristiques des objets comme les couleurs, les formes, les relations de cause à effet (la pâte à modeler qui ramollit lorsqu'on la manipule).

Il est difficile de demander aux enfants de 2 et 3 ans de regarder longtemps un objet sans pouvoir le toucher. À cet âge, l'exploration se fait autant par les yeux que par les mains. Il vaut mieux leur permettre de manipuler l'objet présenté (en avoir plus d'un) ou limiter le temps d'observation passive.

O. Retour sur des comptines et chansons connues (2 ans et plus)

Revenir sur des comptines et des chansons connues des enfants à l'aide d'images évocatrices, par exemple, une image d'oiseau pour la chanson *Alouette*. Ces images peuvent être accrochées sur une corde à linge intérieure ou à un « support à linge circulaire » accroché au plafond.

On décroche les images au fur et à mesure qu'on souhaite chanter les comptines ou les chansons correspondantes.

P. Les rimes (4 ans et plus)

Trouver divers mots qui se terminent par le même son qu'un mot suggéré : Exemple : chanson, maison, saison, bonbon, menton, pantalon.

Variante : intégrer ce jeu à une petite histoire. Ratatouille, la grenouille aime manger des nouilles surtout lorsqu'elle se mouille…

Q. Gymnastique pour la mémoire (4 ans et plus)

Nommer des éléments liés à un thème suggéré, tels le voyage, l'épicerie, le bain. « Je me prépare à aller en voyage. Je mets dans ma valise mon chapeau bleu, ma crème solaire. » ou « Je vais à l'épicerie pour y acheter du jus, des radis. » Enchaîner les mots de manière récapitulative.

R. Une séance de rires (4 ans et plus)

S'amuser à créer un rire collectif tant pour ses bienfaits phonatoires que psychologiques.

en Hi hi hi hi…
en Ha ha ha ha…
en Ho ho ho ho…

S. À l'envers (6 ans et plus)

Trouver un mot contraire au mot annoncé.
Debout-assis
Petit-grand
Jour-nuit
Blanc-noir

Intérieur-extérieur
Joyeux-triste
Ouvert-fermé
Variante : ajouter des mimes.

T.   Des exercices de diction (6 ans et plus)

Jouer à dire des phrases difficiles à prononcer :

1) Si sur six chaises sont assises six sœurs, sur six cents chaises sont assises six cents sœurs.

2) Un chasseur sachant chasser sait chasser sans son chien.

3) Trois truites cuites, trois truites crues.

4) Ton thé t'a-t-il ôté ta toux ?

5) Les chemises de l'archiduchesse sont-elles sèches ou archi-sèches ?

6) Denis a dit qu'il a dîné sur le dos d'un dindon dodu.

7) Panier, papier, piano (répéter plusieurs fois et de plus en plus vite).

U.   Une nouvelle langue (6 ans et plus)

Faire semblant de parler dans une langue étrangère en récitant un court texte qui comprend des assonances particulières.

1) Pie niche haut
Oie niche bas
Où niche hibou ?
Hibou niche ni haut ni bas,
Hibou niche pas.

2) Sardine à l'huile, que fais-tu là ?
   Ouatchitchi, ouatchatcha
   Sardine à l'huile, que fais-tu là ?
   Ouatchitchi, ouatchatcha.

13.3   LE FRANÇAIS PARLÉ DES ADULTES

Pour apprendre à parler correctement, les enfants doivent se trouver en présence de bons modèles verbaux. Un débit de voix modéré, une prononciation claire, l'adaptation du langage au stade de développement des enfants, le recours à du vocabulaire pertinent représentent des moyens efficaces pour aider les enfants à comprendre ce que dit l'éducatrice ou toute autre personne. Sans toutefois tomber dans une langue sophistiquée, il importe d'utiliser un français juste et approprié quand on occupe une fonction éducative. Nous avons relevé les erreurs de français les plus courantes en services éducatifs. En devenant plus consciente de ses maladresses, l'éducatrice pourra alors apporter les améliorations nécessaires à son langage afin d'être un modèle verbal significatif pour les enfants.

Encadré 13.1   Quelques erreurs de français

Ne pas dire…	Dire…
Les enfants **jousent**.	Les enfants **jouent**.
Les enfants **sontaient**.	Les enfants **étaient**.
Ça te fait **beaucoup** mal.	Ça te fait **très** mal.
Les amis, **viens** ici.	Les amis, **venez** ici.
Les amis, **tu vas**…	Les amis, **vous allez**…
On va **monter** en haut.	On va **aller** au deuxième étage.
Après s'**avoir** lavé les mains.	Après s'**être** lavé les mains.
Je **m'ai** dit que…	Je **me suis** dit que…
J'**ai** resté près de l'enfant	Je **suis** resté près de l'enfant.
Déhors ou **déwors**	**Dehors**

Serrer un jouet	**Ranger** un jouet
Leu problèmes…	**Leurs** problèmes…
Toutes les amis…	**Tous** les amis…
Nicole va vous donner du papier.	**Je vais** vous donner du papier.
(parler à la troisième personne)	(parler à la première personne)
Moé, toé	**Moi, toi**
Une CPE	**Un** CPE
Je **m'ai** rendu compte que…	Je **me suis** rendu compte que…
Chu capable.	**Je suis** capable
ou **Chui** capable.	
C'est **plus pire** que…	C'est **pire** que…
C'est **plus bon** que…	C'est **meilleur** que…
Assis-toi.	**Assieds**-toi ou **assois**-toi.
Ils vont **s'assir** ici.	Ils vont **s'asseoir** ici.
Si j'**aurais**…	Si j'**avais**…
C'est le ballon	C'est le ballon
que t'as joué avec tantôt.	**avec lequel** t'as joué tantôt.
L'enfant **que** je m'occupe…	L'enfant **dont** je m'occupe…
C'est **plus bon** que…	C'est **meilleur** que…
M'as-tu **répond**?	M'as-tu **répondu**?
Garde, je **m'ai** levé.	**Regarde**, je **me suis** levé.
En **dessour**	En **dessous**
Je **leu« z »** explique	Je **leur** explique
Un **lavement** de mains	Un **lavage** de mains
Faire partir la toilette	**Tirer la chaîne**, ou mieux,
	actionner la chasse d'eau

À l'instar du langage parlé, le français écrit mérite qu'on lui accorde aussi toute notre attention. Toutes les personnes – membres de la direction, responsables de SGMS, stagiaires, éducatrices, etc. – appelées à rédiger des messages aux parents, des lettres ou des affiches doivent le faire en soignant leur français écrit. Il n'y a pas qu'à l'école que l'on doive se préoccuper de cet aspect.

Parce qu'elles doivent posséder plusieurs compétences différentes, bon nombre d'éducatrices en services éducatifs méritent largement le titre de «professionnelles de l'enfance», en raison de l'excellence dont elles font preuve en utilisant, entre autres, un français correct.

Bibliographie

ASGEMSQ. *Des clés pour Fanny.* Vidéocassette et document d'accompagnement, 2000.

ASSTSAS. *Sans pépins,* revues d'information de l'Association pour la santé et la sécurité du travail, secteur des Affaires sociales, 1998 à 2001.

BACUS, Anne. *Votre enfant de 3 à 6 ans,* Marabout, 1993, 287 p.

BEAULIEU, Danie. *Techniques d'impact en classe,* Lac-Beauport, Académie Impact, 2004.

BERGER, Kathleen Stassen. *Psychologie du développement,* Modulo, 2000.

BETSALER, Raquel et Denise GARON. *La garderie : une expérience de vie pour l'enfant. Volets 1, 2, 3,* Sainte-Foy, Les Publications du Québec, 1984.

BOISVERT, Jovette. « Dis merci ! », dans *Magazine Enfants Québec,* vol. 12, n° 5, février-mars 2000, Saint-Lambert, p. 37 à 40.

BRAULT-SIMARD, Lucie. *50 façons d'animer les routines et les transitions,* Les Productions dans la vraie vie, 2002, 56 p.

CHALLAMEL, Marie-Josèphe et Marie THIRION. *Le sommeil, le rêve et l'enfant,* 2e édition, Albin Michel, 1999, 332 p.

CLIFFORD, M., Debby CRYER et Thelma HARMS. *Échelle d'évaluation. Environnement préscolaire,* PUQ, 1998, 74 p.

CLOUTIER, Richard, Pierre GOSSELIN et Pierre TAPP. *Psychologie de l'enfant,* 2e édition, Gaëtan Morin éditeur, 2005, 559 p.

COMITÉ PROVINCIAL DES MALADIES INFECTIEUSES EN SERVICE DE GARDE. *Prévention et contrôle des infections dans les centres de la petite enfance,* Direction générale de la santé publique, Québec, ministère de la Santé et des Services sociaux, février 1998, 435 p.

COMITÉ PROVINCIAL DES MALADIES INFECTIEUSES EN SERVICE DE GARDE. *La prévention des infections chez les personnes travaillant en service de garde, y compris les stagiaires,* 1998, 29 p.

DIRECTION DE LA SANTÉ PUBLIQUE DE LA MONTÉRÉGIE. *Le Guide des aires de jeu,* 1998.

DUCLOS, Germain. *Quand les tout-petits apprennent à s'estimer,* Hôpital Sainte-Justine, Centre hospitalier universitaire de l'Université de Montréal, 1997, 119 p.

DUNSTER, Lee. *Un guide pour la responsable de garde en milieu familial,* Child Care Providers Association, 1994, 311 p.

ESSA, Eva. *À nous de jouer – Guide pratique pour la solution des problèmes de comportements des enfants d'âge préscolaire,* Québec, Les Publications du Québec, 1990, 371 p.

Fédération des producteurs de volaille du Québec. *Bien manger pour mieux grandir,* 3 documents, 1999.

FERLAND, Francine. *Le développement de l'enfant au quotidien,* Hôpital Sainte-Justine, 2004, 234 p.

GAGNÉ, Marie-Patricia. *Le kaléidoscope de la qualité : outil d'évaluation des services de garde en garderie,* Les Publications du Québec, 1993, 299 p.

GALARNEAU, Sylvie. *Fais dodo mon trésor,* MNH, 1999, 178 p.

GARIÉPY, Lisette. *Jouer, c'est magique,* programme favorisant le développement global des enfants, tomes I et II, Les Publications du Québec, 1998, 158 p. et 187 p.

HENDRICK, Joanne. *L'enfant, une approche globale pour son développement,* adaptation de Gilles Cantin, PUQ, 1993, 704 p.

Hôpital Sainte-Justine. Service de l'ORL, *Danger mortel* (dépliant et affiche), Montréal, 2000.

JULIEN, Gilles. *Votre enfant au jour le jour,* Les Publications du Québec, 1987, 111 p.

KEMP, Jove et Clare WALTERS. *Les dents,* Soline, 2004, 96 p.

LALONDE-GRATON, Micheline. *Fondements et pratiques de l'éducation à la petite enfance,* PUQ, 2003, 202 p.

LAMBERT-LAGACÉ, Louise. *La sage bouffe de 2 à 6 ans,* Les Éditions de l'Homme, 1984, 281 p.

LAROSE, Andrée. *La santé des enfants en services de garde éducatifs,* Les Publications du Québec, 2000, 271 p.

LAUZON, Francine. *L'éducation psychomotrice, source d'autonomie et de dynamisme,* PUQ, 1990, 290 p.

LEGENDRE, Rénald. *Dictionnaire actuel de l'éducation,* Guérin, 1996.

LELIÈVRE, Pic et Paul MERLO. *Jeux de groupe,* Casterman, 2000, 128 p.

MALENFANT, Nicole. *Jeux de relaxation: pour des enfants détendus*, Publications du Petit Matin, 2005, 111 p.

MARTIN, Jocelyne, Céline POULIN et Isabelle FALARDEAU. *Le bébé en garderie*, Sainte-Foy, Presses de l'Université du Québec, 1992, 442 p.

MICAELO, Sandra. « Astuces de rangement pour le ménage du printemps » dans site www.petitmonde.com.

MILLER, Darla Ferris. *L'éducation des enfants: une démarche positive…*, Institut des technologies télématiques, 1993, 335 p.

MINISTÈRE DE L'ÉDUCATION DU QUÉBEC. *Programme d'éducation préscolaire*, 1997.

MINISTÈRE DE LA FAMILLE ET DE L'ENFANCE DU QUÉBEC. *Bye-bye les microbes*, Bulletins du Comité de prévention des infections dans les centres de la petite enfance, 1999, 2000.

MINISTÈRE DE LA FAMILLE ET DE L'ENFANCE DU QUÉBEC. *Programme éducatif des centres de la petite enfance*, Les Publications du Québec, 1997, 39 p.

MONTESSORI, Maria. *Pédagogie scientifique*, Desclée de Brouwer, 1958.

MUSSON, Steve. *Les services de garde en milieu scolaire*, adaptation de Diane Berger et Jocelyne Martin, PUL, 1999, 347 p.

PAPALIA Diane E. et Sally W. ODDS. *Le développement de l'enfant*, Éditions Études vivantes, 2001, 320 p.

PELLETIER, Danièle. *L'activité-projet* (recueil et cédérom), Modulo, 2000, 232 p.

PETIT, Jocelyne. *Manger en garderie: un art de vivre au quotidien*, Beauchemin, 1994, 287 p.

PETIT, Jocelyne. *Manger avec des enfants*, PUL-IG, 1996, 328 p.

PETIT, Jocelyne. « Il refuse de manger! », *Revue Junior*, septembre 1998.

PIMENTO, Barbara et Deborah KERNESTED. *Health Foundation in Early Children Setting*, 3ᵉ éd., Toronto, Thompson, 2004.

PROSOM (Association nationale de promotion pour le sommeil). Site Web: http://sommeil.univ-lyon1.fr/PROSOM/index.html, 2006.

RAYNAL, Françoise et Alain RIEUNIER. *Pédagogie: dictionnaire des concepts clés*, ESF éditeur, 2005.

RCPEM. *Le Bulletin*, vol. 19, n° 3, 1998.

RCPEM. *Le Bulletin (encart)*, vol. 20, n° 1, 1999.

SIMONEAU-LAROSE, Mireille. « Éloge de la comptine », dans le *Magazine Enfants Québec*: août-septembre 1998, p. 25-28.

Société canadienne de la Croix-Rouge. *Manuel Gardiens avertis*, Ottawa, 1995, 119 p.

TARANT, Sue, Alison JONES et Diane BERGER. *Avant et après l'école*, Chenelière et McGraw-Hill, 2001, 170 p.

UNICEF FRANCE. Enfances Géo, Solar, 2004.

WEIKART, David P., Mary HOHMANN, Louise BOURGON et Michelle PROULX. *Partager le plaisir d'apprendre*, Gaëtan Morin éditeur, 2000, 468 p.

WEITZMAN, Elaine. *Apprendre à parler avec plaisir*, Le Programme Hanen, 1992, 322 p.

LISTE DES COMPTINES ET DES CHANSONS DU CD

Titre	Paroles	Musique
1. La bambina (chanson, p. 341)	Nicole Malenfant	Monique Rousseau
2. Les couleurs du bonheur (chanson, p. 340)	Nicole Malenfant	Monique Rousseau
3. Le blues du lavage des mains (chanson, p. 85)	Nicole Malenfant	Michel Bonin
4. Les glouglous de mon ventre (chanson, p. 175)	Nicole Malenfant	Monique Rousseau
5. C'est le temps de ranger (chanson, p. 262)	Nicole Malenfant	Monique Rousseau
6. Rap pour tout le corps (comptine, p. 340)	Nicole Malenfant	
7. Bon appétit à toi (chanson, p. 175)	Nicole Malenfant	Michel Bonin
8. Brosse bien tes dents (chanson, p. 95)	Nicole Malenfant	Michel Bonin
9. Les petits poissons (chanson, p. 339)	Michel Bonin	Michel Bonin
10. Dentelle de lune (pièce instrumentale pour le début de la sieste)		Michel Bonin
11. Un petit son doux (chanson, p. 205)	Nicole Malenfant	Monique Rousseau
12. Les microbes à mes trousses (comptine, p. 109)	Nicole Malenfant	
13. La chanson du rassemblement (chanson, p. 271)	Nicole Malenfant	Monique Rousseau
14. Tchou tchou le petit train (chanson, p. 286)	Nicole Malenfant	Monique Rousseau

LISTE DES PARTICIPANTS

Michel Bonin : Coréalisation, arrangements musicaux, enregistrement, mixage, voix (3-6-7-8), guitare acoustique et guitare synthétiseur, percussions.

Nicole Malenfant : Conception, coréalisation, voix (1-5-8-9-12-13) flûte traversière (10), flûte à bec alto (13).

Monique Rousseau : Voix (2-4), piano, assistance au mixage.

Daniel Scott : voix (11-14).

Carolyne Scott : voix (11).

MEMBRE DU GROUPE SCABRINI

Québec, Canada
2006